QUEER ZONES

1

políticas das identidades sexuais, das representações e dos saberes

Sam Bourcier

QUEER ZONES

1

políticas das identidades sexuais,
das representações e dos saberes

tradução
Henrique Provinzano Amaral
Thiago Mattos

ilustrações
Ruth Mora
@_meanmachine

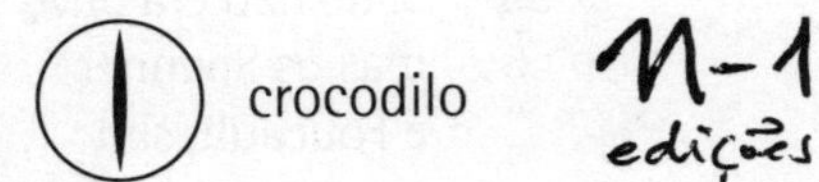

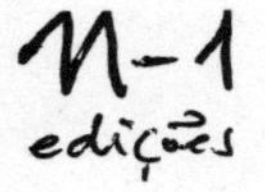

Sam Bourcier

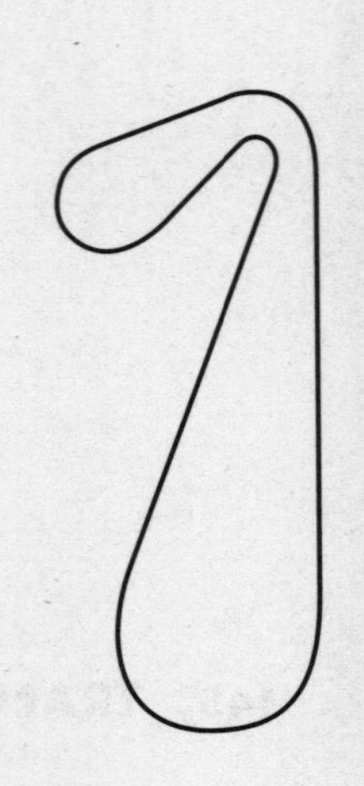

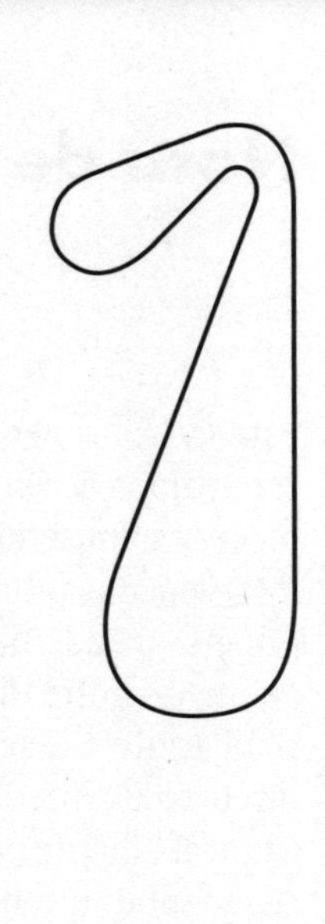

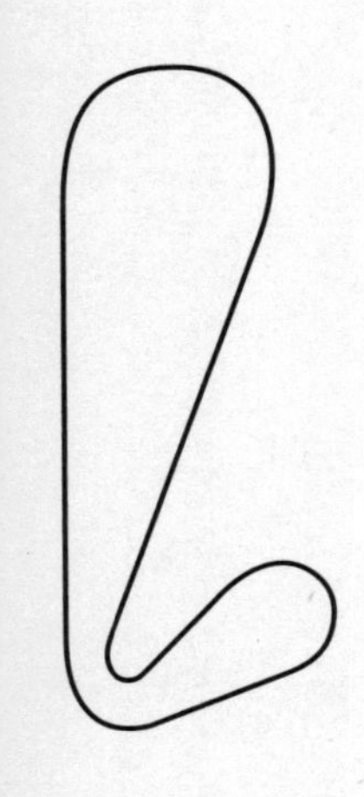

Nota de Tradução

Este livro, primeiro volume da trilogia *Queer Zones*, agrupa textos produzidos ao longo de décadas para contextos variados: comunicações em seminários, ensaios para publicações especializadas, intervenções orais em eventos culturais, encontros de militância etc. Assim, a linguagem deste *Queer Zones I* oscila consideravelmente entre diferentes registros, o conceitual e o coloquial, o militante e o acadêmico, o teórico e o prático (seja como discurso de intervenção, manifesto seja como apresentação de um trabalho de campo), não raro friccionando-os numa mesma seção, num mesmo parágrafo, até numa mesma frase – aspecto que, tanto quanto possível, buscamos manter na tradução.

Também quisemos manter outros traços estilísticos de Bourcier, como o grande número de vocábulos e expressões tomadas à língua inglesa, a profusão de gírias entrecortadas por termos da filosofia, a pontuação mais expressiva que gramatical, a sintaxe cumulativa que, em vários momentos, faz com que quem lê precise reler o período, retrilhando a espiral sintático-conceitual do raciocínio. Refizemos também as várias palavras comumente lidas como baixas ou obscenas que o autor mobiliza, o mais das vezes, de maneira descritiva e mesmo técnica. E procuramos preservar, claro, os inúmeros jogos de palavras, trocadilhos, duplos (ou até triplos) sentidos e tiradas sarcásticas polvilhados ao longo das páginas, num exercício constante de alargamento da língua, que não deixa de ser uma maneira de reinventar os discursos sobre gênero(s), sexo(s) e sexualidade(s). Esse último traço foi, sem dúvida, uma das maiores dificuldades de tradução, forçando-nos, quando a solução encontrada não parecia suficientemente engenhosa, a introduzir uma ou outra nota de tradutor ao pé da página. Estas, porém, não são muitas e apenas buscam solucionar, ou ao menos *mostrar*, problemas tradutórios pontuais.

Vale notar, por fim, a oscilação de gênero nos pronomes pessoais que se referem a ele próprio, ou a ela própria - isto é, o.a autor.a. Essa variedade, também mantida na tradução, deve-se ao fato de que Bourcier se autoidentificava como mulher cis e lésbica (Marie-Hélène) durante a escrita de grande parte dos textos deste primeiro volume, passando a se autoidentificar mais tarde como homem trans (Sam), designação válida para o momento da publicação de *Queer Zones*.

A todos.as, boa leitura!

Prólogo: Z. de Zonas

Dezoito anos mais tarde e, depois de tê-las percorrido tantas vezes (ah! a trabalheira das provas), ainda não sei por que resolvi chamá-las de "zonas". Nem como elas foram se juntando, empilhando, organizando, por vezes ramificadas em intervalos regulares, a cada cinco ou seis anos. Se é que acabou. Não tem problema. Há linhas, recorrências, fios vermelhos: o pós-pornô, as pessoas trans*, as políticas da visibilidade e da legibilidade, as políticas do saber, o feminismo pró-sexo, o S/M, a sexualidade, a (f)rancidade nacionalista imunda e racista, a evacuação da psicanálise, uma certa confiança nas políticas da identidade pós-identitária e nas políticas da representação. Uma leitura linear, portanto, não é necessária. Alguns filmes são como matrix: *Baise-moi*, de Despentes, e *Virgin Machine*, de Monika Treut. Há também figuras: a drag queen, os drag kings, as pessoas trans* que não são teóricos, nem paradigmáticos. Muito pelo contrário. Ramona/Martin, no filme de Monika Treut sobre a cena queer de São Francisco, representado.a por Shelley Mars, trabalhadora do sexo e membro da comunidade, dá um *up* no paradigma magrelo da drag queen sem rosto de *Gender Trouble*, de Butler. E depois também temos Wittig, como um camarada inesperado de Foucault. Raquel Welch enraba Deleuze bem debaixo dos olhos contentes de Michel Cressole, a louca. Quanto a Simone de Beauvoir... A gente prefere Marilyn Chambers.

Uma zona queer é o quê, afinal? É um lugar, é espaço, mas não só. Reapropriação, ressignificação, reterritorialização: muitos re-. Muitos de- também, como em desidentificação, difração. Criamos redes de rês a partir de dês. As feministas não são a Mulher, "as lésbicas não são mulheres" e as pessoas queer não são nem homossexuais, nem homens, nem mulheres. A zona não é nem um lugar nem um sujeito. Ela é um amontoado, um agenciamento de subjetividades antagonistas, de separ/ações, de recodificações. É a des-identificação de Bruce LaBruce que anuncia a extinção da identidade homossexual. São as formas de vida política fora dos partidos, dos sindicatos e das associações instituídas por lei. São as "áreas" (*area*), como se dizia na Itália nos tempos do movimento autônomo dos anos 1970, que fazem coincidir forma de vida não individualista e forma política, um coletivo e um espaço. Territórios arrancados porque des-ocupados, ZADs[1], uma ocupação de bairro ou de faculdade. São lugares de contrapoderes, de contracapturas da subjetividade, as "zonas proletárias" de Volsci nos bairros populares de Roma ou nas "zonas homogêneas" do Vêneto. É a praia de Lesbos no verão ou o Slot, o clube S/M onde é impossível separar o sexo, o social e o epistemopolítico. É quando e onde a coprodução e a comunicação substituem a observação na produção e na transmissão dos saberes, do sexo e dos gêneros. São os cursos, os seminários, os ateliês a céu aberto ou que se incorporam à universidade. Bolhas sexo/sócio/epistemológicas. Foi o coletivo Le Zoo. É o arquivo vivo quando não se apagam suas luzes. E, portanto, um texto salpicado de *flyers*, de cartazes e de ilustrações. De memórias também.

As zonas queer são também um espinhoso aglomerado de desterritorialização e de subjetivações proliferantes, transversais. Quando seu coeficiente de desterritorialização decai demais, nós o abandonamos. Na medida em que sua base é o corpo. Mais do que algo que me pertence, meu corpo é uma zona de autonomia, como dizia o adágio feminista. É claro, não somos obrigados a compreender o slogan "meu corpo me pertence" nos termos da liberdade individualista, em conformidade com o individualismo possessivo liberal. Mas nisso está o risco de que se reforcem o direito e a política protetiva dos direitos. E é uma pena, porque o corpo é sempre mais extenso e mais forte que o sujeito ou o si mesmo. Dizer "meu corpo me pertence" costumava fazer eco à famosa afirmação de que "o privado é político". Mas talvez seja

1 Sigla de *Zone autonome à défendre*, isto é, uma região ocupada de maneira militante, para bloquear fisicamente o prosseguimento de um projeto em curso. [N.T.]

preciso separar as coisas, haja vista os ataques sem precedentes sofridos pelo sacrossanto "privado" num contexto de segurança e de neoliberalismo, com a privatização biopolítica totalitária da água, do ar, da terra, dos saberes, dos transportes, das sementes, do trabalho, do desemprego, da saúde, da energia e do cu. Quando vão querer privatizar o raio de sol? Já que meu corpo, como de resto "meu" gênero, é uma zona de autonomia, ele dá acesso à despatologização, à desbiopolitização e, portanto, à autodeterminação comum. As *Queer Zones* são atravessadas por uma lógica genealógica que é fonte de força biopolítica e performativa. Principalmente para tudo o que tem a ver com o visual e a visibilidade. Mas, para continuar, será preciso acabar de vez com a visualidade, quiçá com as políticas da visibilidade cujo coeficiente de desterritorialização está em declínio. E isso afeta também a obrigação de coerência visual para os gêneros, colocada por terra pela não binaridade e pelos não binários. O gênero consensual substituirá o gênero visual.

Quando começamos a zonear queer, no final dos anos 1990, éramos feministas materialistas e biopolíticas sem o saber. As materialistas e as lésbicas radicais nos reprovavam porque só pensávamos em nos maquiar e em imitar a Madonna, esquecendo a opressão, o trabalho e a economia. É engraçado ver como as materialistas recém-saídas do marxismo e do materialismo histórico pelas mesmas razões que nós – impasse sobre a sexualidade, o gênero, a raça e a etnicidade – nos infligiam, por sua vez, a mesma coisa e preconizavam uma visão economicista. O tempo provou que estavam erradas, assim como o feminismo monogênero. Wittig tampouco trabalhava mais sobre o trabalho, mas conseguiu unir para sempre revolução, subjetivação e epistemologia, atacando assim o casal infernal do pensamento hétero e da diferença sexual, e propondo a prática subjetiva "cognitiva" e corporal que vai de par com a "ciência dos oprimidos": algo como a des-identificação/experimentação sobre um fundo de sabotagem epistemopolítica.

"Neste ponto, digamos que uma nova definição da pessoa e do sujeito para toda a humanidade só pode ser encontrada além das categorias de sexo (mulher e homem), e que o advento do sujeito individual exige antes de mais nada a destruição das categorias de sexo, a suspensão de seu emprego e a rejeição de todas as ciências que as utilizam como seu fundamento (praticamente todas as ciências humanas)", diz a autora de *La Pensée Straight* em 1980. O corpo lésbico, os corpos queer, os corpos trans*: aí estamos, chegamos até aqui, como Preciado já havia dito tão bem e tão cedo.

Skala Eressos, Lesbos, Grécia, setembro de 2018

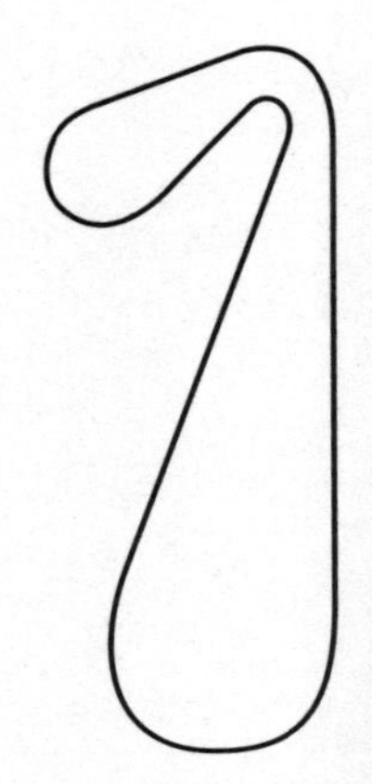

Queer Zones 1

Para meu grande bull.

PÓS-PORNÔ

Baise-moi, ainda

Para Nadine e Manu, Rafaella Anderson
e à memória de Karen Bach
julho de 2000

Toda mulher heterossexual vê seu acesso aos privilégios e à performance da masculinidade severamente controlado, sobretudo quando se aventura em território pornográfico masculino. Romper a suposta continuidade entre sexo "biológico" e gênero ou, ainda pior, ter uma visão inteiramente construtivista[1] do sexo/gênero (inclusive gênero mulher) são verdadeiras impossibilidades na cultura heteronormativa. Basta, então, muito pouco para que qualifiquem a mulher butch (masculina) como "agressiva" e que suspeitem de que ela seja (uma) sapatona (nojenta). Caso encarne uma matadora, ainda por cima acompanhada, como em *Thelma & Louise*, ela enfrenta a principal regra da representação heterocentrada: dá a ver mulheres que agem em conjunto contra os imperativos da cultura dominante em matéria de gênero, mulheres que matam enquanto sua passividade social e sexual continua um imperativo, sendo a doçura feminina seu prêmio de consolação. "A norma heterossexual, que dita o que é uma mulher, diz também o que é a violência. A violência definida como o direito de limitar ou de tomar uma vida é exercida pelos homens, para os homens e contra as mulheres. Por definição, uma mulher não é violenta e, se ela é violenta, não é mulher"[2]. É uma lésbica, como não cansam de provar as insinuações sobre

1 Isto é, desvinculada da ancoragem "biológica", naturalizante, que alinha "sexo feminino" e "feminilidade", "sexo masculino" e "masculinidade".

2 Jeffner Allen, *Lesbian Philosophy. Explorations*, Palo Alto, Califórnia, Institute of Lesbian Studies, 1986.

Nadine e Manu, as duas protagonistas de *Baise-moi*[3]: "por que em algumas cenas elas transam por prazer, se não gostam de homens? Por que, pela mesma razão, elas não transam entre si?"[4]

É verdade que, na falta de poder ter sido inscrito em seus genes, o crime faz parte da genealogia da lésbica, cujo paradigma é justamente a lésbica butch, isto é, a lésbica masculina. No discurso sexológico do século XIX – os escritos de Ellis, principalmente –, operou-se muito rapidamente um conluio entre lésbica masculina (a invertida, a lésbica por excelência) e a criminosa. Na tipologia em quatro níveis elaborada por Krafft-Ebing em *Psychopathia Sexualis*, de 1886, para categorizar a lésbica, quanto mais ela é masculina, mais nos aproximamos dos estágios definitivos da inversão e da degenerescência (estágios 3 e 4). É que a butch é considerada ativa na sedução e na sexualidade, contrariamente àquela que será frequentemente descrita como objeto de sua predação, uma mulher "heterossexualmente correta", isto é, uma mulher que continua a deixar coincidir gênero "feminino" e sexo "frágil", apesar do comportamento secundário que testemunham suas práticas sexuais quando ela é tocada por mulheres... É a Ellis que devemos a separação entre a verdadeira invertida e a heterossexual potencial, sendo que a primeira constitui uma espécie perigosa e em plena expansão, segundo ele, com o aumento do número de instituições e de estabelecimentos diversos mantidos por mulheres ao fim do século XIX.

Mas, lésbica ou não, a mulher *butch* é ameaçadora, porque ela devolve de maneira espelhada uma forma de violência da qual os homens são habitualmente os sujeitos, e não os objetos. Essa é uma das chaves para compreender certas reações masculinistas desencadeadas por *Baise-moi*.

3 *Baise-moi* estreou nos telões franceses em 28 de junho de 2000 e foi retirado dos circuitos de distribuição em 8 de julho, após uma queixa depositada no Conselho de Estado pela associação *Promouvoir*, cujo presidente era ligado ao Movimento Nacional Republicano, o partido racista e fascista de Bruno Mégret.

4 Mensagem enviada por Jean-Paul Carminati ao periódico *Libération*, 15 a 16 de julho de 2000.

Fuck Off! Fuck me[5]

Com tal título, *Baise-moi* [Me fode], as diretoras se reapropriam de uma frase que muitos gostam de ver as mulheres dizerem, para confirmar seu desejo ao mesmo tempo de sexo (o que as faz vadias e/ou putas) e de objetificação (o que as faz mulheres). Tornando-se sujeitos – e não simplesmente pelo sexo, mas também para o sexo –, Nadine e Manu, Virginie Despentes e Coralie Trinh-Thi por amálgama, ressignificam uma fórmula consagrada às suas custas. Elas fazem a frase "me fode" passar por aquilo que as lésbicas, os gays e as pessoas trans infligiram a termos inicialmente injuriosos, como "bicha", "sapatão" ou "queer"[6]. Ao se reapropriar da sentença pornô, ao fazê-la cair por terra, elas desestabilizam a própria identidade da mulher ali indicada e os privilégios da masculinidade dominante: porque "*Baise-moi*" quer dizer ao mesmo tempo *Fuck Me!* e *Fuck Off!*. É aí que reside a proeza do filme: constituir uma ressignificação operada por mulheres, feminista e política, que não se priva da sexualidade. Uma contradição em termos para os defensores da dominação masculina e dos esquerdomachos, conduzida por certos colaboradores do *Nouvel Observateur* com jeito de velho babão. Basta ver os termos utilizados no artigo do redator-chefe da revista, que se esmera em querer rebaixar uma das diretoras de *Baise-moi* à sua condição "natural-cultural" de objeto sexual: "Virginie Despentes representa uma espécie de fascismo com rabo de gente"[7]. O título do artigo de Laurent Joffrin também serviu para a capa do semanário: "Pornografia, violência, a liberdade de dizer não".

Não há como assinalar melhor sua dependência em relação a uma cultura da masculinidade opressiva, que caduca tão logo as mulheres, e não apenas as mulheres cineastas ou aquelas

5 "Não fode! Me fode!"

6 Sobre as figuras (inversão, reapropriação, ressignificação) e os desafios performativos da política da injúria, ver Butler, "Critically Queer", em *Bodies that matter. On the Discursive Limits of "Sex"* (1993). [Em português, *Corpos que importam*, São Paulo, n-1 Edições/Crocodilo, 2019, trad. Veronica Daminelli e Daniel Yago Françoli.]

7 *Le Nouvel Observateur* nº 1862, 13 a 19 de julho de 2000.

"biologicamente" definidas, tornam-se agentes da representação (cinematográfica e política), praticando os códigos da representação da violência e da pornografia que as objetivaram. Laurent Joffrin quer cortar a cabeça de Despentes, pois, para ele, as mulheres são apenas buracos para enfiar a pica. No máximo ele reconhece, entre algumas delas, boas intenções emocionais. Mas raciocínio, uma cabeça bem-feita para mudar e para fazer política, isso de maneira alguma: Catherine Breillat tem a sorte de não ser resumida a um buraco, mas mesmo assim ela é toda coração, o que equivale a dizer que é idiota. É preciso relembrar "a constituição" àquela que quase não tem o sentido das instituições: "É preciso ensinar a Catherine Breillat, redatora da petição, simpática em sua indignação mas ignorante em seu raciocínio", que "o Conselho de Estado é tanto uma comissão de censura quanto um clube de bilboquê ou um sexteto de cordas. É uma instituição preciosa da República, que garante ao cidadão que o Estado aplique sem abuso de poder a lei votada pelo Parlamento". Não se pode dizer melhor que uma mulher (butch) não tem seu lugar no campo político e no espaço público.

Lançado um ano antes, o filme de Catherine Breillat, *Romance X*, suscita menos problemas do que *Baise-moi*, pois situa a heroína feminina em posição vitimizante (principalmente na cena de estupro). No entanto, olhando-o mais de perto, trata-se também de um filme sobre a impossibilidade de uma mulher ser butch. A obrigação de manter um alinhamento severo entre a feminilidade de Marie (Caroline Ducey), a heroína deprimida, e sua passividade sexual culmina na cena em que ela é literalmente jogada para fora da cama (que há muito tempo não é mais o leito conjugal), após ter a infelicidade de dizer a Paul (Sagamore Stevenin), seu amante recalcitrante que já está quase sendo domado, que ela é homem. No filme, o acesso à posição masculina será sempre recusado àquela que, apesar disso, procria sem que seu amante tenha gozado e depois de tê-lo matado. Tal acesso lhe é recusado por um homem que goza da autoridade a ele conferida pela privação sexual que pode infligir, e que se dá ao luxo de encarnar uma masculinidade desprovida de virilidade. Como demonstra a primeira cena do filme, em que Paul encarna de maneira veemente, com batom nos lábios, um toureiro numa peça publicitária (ocupando o lugar masculino/feminino do toureiro em relação ao touro), a feminilidade não lhe é proibida. Butch fatal, homossexual ou femme: o leque de escolhas é amplo para aquele que não recorre mais à atividade sexual como prova de virilidade. Mas isso não vale para a mulher que ele repele e segura, num filme em que a masculinidade não tem o direito de circular e em que a performance butch/femme está proibida.

De fato, *Romance X* para exatamente onde começa *Baise-moi*. O filme de Virginie Despentes e Coralie Trinh Thi arregaça os gêneros e nos lembra que o cinema – razão pela qual ele herda tantos apóstolos da alta cultura – é uma "tecnologia de gênero", para retomar a útil formulação de Teresa de Lauretis. No primeiro capítulo de *Tecnologias de gênero*, corrigindo de passagem Foucault, que só pensava em sexo, de Lauretis reteoriza a noção de gênero, falando de "tecnologias de gênero".

Trata-se de não mais compreender o gênero (masculino/feminino) somente em relação à diferença sexual, como se esta fosse a causa ou a fonte daquele, mas de ver nisso "o produto de diversas tecnologias sociais, como o cinema, os discursos institucionalizados, as epistemologias, as práticas críticas a exemplo das práticas da vida cotidiana"[8]. O gênero não é o que decorre da diferença sexual, menos ainda "a propriedade dos corpos sobre qualquer coisa que existiria na origem dos seres humanos, mas o conjunto dos efeitos produzidos sobre os corpos, os comportamentos e as relações sociais [...], o desdobramento de uma tecnologia complexa". Dito de outro modo, as mídias em geral desempenham um papel essencial na incessante construção-reconstrução dos gêneros, sabendo que o que constitui o gênero é a sua representação. E nada mais. O gênero não preexiste à sua representação. Ou, como diriam alguns, à sua performance.

8 Teresa De Lauretis, *Technologies of Gender, Essays on Theory, Film and Fiction*, Bloomington e Indianapolis, Indiana University Press, 1987.

Março de 2001 – A estante Q

"*Baise-moi* está indisponível, estamos sem a fita porque não sabemos se é para colocar na estante de sacanagem ou em outra. De qualquer forma, é proibida para menores de dezoito anos", me diz o rapaz da locadora. "Você viu o *Clube da Luta*? É ótimo...".

Em meados de fevereiro, a fita de *Baise-moi* ainda não estava nas videolocadoras do bairro. Estava atrasada também nos anúncios e nas peças publicitárias. Catherine Breillat tem mais sorte: *Para minha irmã*, seu último filme em competição no festival de Berlim, e *Romance X*, principalmente, foram acolhidos sem problemas nas estantes das videolocadoras... Drama, filme francês... *Baise-moi*, em vídeo, tem dificuldades para encontrar sua estante, porque o filme de Virginie Despentes e Coralie Trinh-Thi não se contentou em arregaçar os gêneros (masculino/feminino). O filme colocou igualmente em crise a representação pornográfica habitual. O "Ó raiva! Ó desespero!" do diretor de redação do *Nouvel Observateur* também é revelador do nexo que existe entre a perturbação do mapa dos gêneros e... gênero pornográfico. Como muito bem lembrou Marion Mazauric, num artigo publicado no periódico *La Libération* em 5 de julho de 2000, a censura de *Baise-moi* é também a censura da força da cultura popular e de seu potencial político, que incomodam numa França elitista e hierárquica. Ela é testemunha da resistência "a toda forma de reapropriação crítica do real" e, acrescentaria eu, das identidades "por aqueles que não reconhecem nem os modos de representação, nem os modelos anteriores como pertinentes para representar, compreender, mudar ou simplesmente sobreviver no mundo de hoje". Apostemos que, se Despentes nos exibisse planos-sequência dignos de um grande autor ou uma construção da trama citável nos manuais escolares, isso lhe seria facilmente perdoado. Aliás, Laurent Joffrin não se priva de avaliar o roteiro de *Baise-moi* com critérios de professor de escola julgando uma redação do 4º ano: "seu filme mostra duas personagens que, longe de exprimir sua personalidade por meio da amarração de uma trama bem construída, passam placidamente de um assassinato a outro". Mas o narratólogo se estrepa, ao colocar em paralelo a estrutura narrativa de *Baise-moi* e a de *Rambo II: A missão*. Esses dois filmes estão longe de oferecer a mesma conclusão narrativa: as heroínas de *Baise-moi* morrem no fim, a ordem social fica a salvo e o crime punido, o que não é o caso em *Rambo II*, justamente. É que decerto existe uma boa violência, a masculina, com sua lógica e sua zona de pureza-limpeza – a guerra: "*O resgate do soldado Ryan*, o filme de Steven Spielberg dedicado ao desembarque na Normandia, atinge picos de violência, é uma violência lógica nascida de uma operação de guerra bem conhecida...", sublinha Joffrin. E depois há a outra violência, necessariamente gratuita se "operada" por mulheres.

O horror anal

Uma das obsessões de nosso bom homem que quase não é contrassexual é aquela horrível cena em que Manu obriga o cliente de um clube de swing a se colocar de quatro e a grunhir como um porco. Ele está com uma pistola no rabo e, como diria Sade – com a única diferença de que, em se tratando de Sade, seria literatura e contaria com os louvores dos libertinos de Saint-Germain-des-Prés –, talvez a pistola pudesse descarregar: "Elas acabam chegando, no fim do filme, a uma casa de encontros onde massacram trinta clientes num tropel de corpos trespassados e órgãos estourados, guardando para o final aquele que havia falado de maneira grosseira com elas. Este é obrigado a se despir e depois a andar de quatro, imitando o grunhido de um porco, com o cano de uma pistola enfiado no ânus, até que, apertando o gatilho, uma justiceira executa de maneira original esse refugo de humanidade". Passemos por cima da ignorância da cultura pornô de nosso observador e do apelo de identificação com a vítima. "O enrabado de plantão" não é senão Costes, muito conhecido por suas performances pornossociais e anais, o que muda um pouco o contrato de leitura do filme. E é justamente porque esse cliente da casa lhes faltou com o respeito, ao tratá-las como as "putas" ou as "vadias" que toda mulher sexual automaticamente se torna, que ele é abatido como é abatido. A questão da falta de respeito para com as mulheres que estão de uma maneira ou de outra no sexo é central em *Baise-moi*. Essa cena denuncia justamente o *double bind*, duplo vínculo, no qual se encontram as mulheres a quem os homens pedem para ser sexuais e que, ao serem sexuais, são tratadas como vadias. O dito "são todas vadias", presente na capa de tantos vídeos pornôs, participa dessa retórica assimétrica: nunca ouvimos dizer que os homens heterossexuais muito sexuais são uns canalhas... Ainda sobre esse ponto, o que perturba profundamente nosso sargento do sexo é a transgressão da fronteira sexo/gênero: uma passividade feminina insuportável infligida a um homem. Por outro homem, já seria digo de pena, mas ser enrabado por uma ou duas mulheres é impensável. Essa cena é impossível, porque ela inverte simbolicamente os papéis que encontramos na grande maioria dos pornôs *straights*[9], nos quais as mulheres é que são enrabadas e em que raramente vemos as moças enrabando os rapazes. Podemos, aliás, interpretar essa bizarra fórmula que trata Despentes de "rabo de gente" como a reflexão convencional do cliente *standard* do pornô hétero, habituado a ver as mulheres sendo enrabadas.

Entre parêntesis, uma das mensagens do pornô hétero, repercutida magnificamente por *Para minha irmã*, último filme de Breillat, é que com certeza existem uma analidade boa e uma má. À primeira corresponde a configuração anal enrabador/enrabada, já à segunda, enrabadora/enrabador/enrabado. Não surpreende em nada que o filme de Breillat acerte bem no alvo, já que ela se revelou mestre na arte de fazer filmes sobre a crise da heterossexualidade, e que o pornô hétero é, numa proporção esmagadora, a celebração hiperbólica e hiperrealista das leis da heterossexualidade. Encontramos o motivo enrabador/enrabada (mulher com rabo de gente) numa cena de *Para minha irmã*. Embora pudesse penetrar Elena pela vagina, Fernando – que quer transar com ela, mas envolve a coisa na retórica do altruísmo (para a moça, enfim) – acaba enrabando-a sem lubrificante, sem camisinha, causando-lhe dor. Passemos pelo fato de que ele não imagina nem por um segundo fazer Elena gozar, ela que faz amor pela primeira vez, chupando-a, por exemplo. Em contrapartida, ele não esquece de pedir que ela o chupe de manhã, antes que ele vá embora.

9 *Straight*: reto, retilíneo, heterossexual.

Na sequência, Fernando não vai sossegar enquanto não conseguir penetrar Elena pela vagina. É que ele é obcecado pelo pinto e pela penetração como signos de sua masculinidade, mas também, correlativamente, de uma certa feminilidade. Se Fernando não pode se contentar em penetrar Elena pelo ânus, ou diferir a penetração com P maiúsculo, é exatamente porque apenas a penetração vaginal conta para fazer de Elena uma mulher e de Fernando, um homem, um homem de verdade. Somente a penetração vaginal (que permite opor pinto e vagina) conforta a diferença sexual, ancorando-a "biologicamente". Não se pode dizer o mesmo da penetração anal... E, se Fernando pratica a boa analidade autorizada (ele é ativo com uma mulher), não precisaria se fixar nisso... Sob pena de deslizar para a esfera homossexual (contato genital-ânus). É necessário que ele realize o alinhamento do sexo "biológico", do gênero e da prática sexual: uma mulher se torna mulher quando foi penetrada. Esse é o destino heterossexual da mulher, o rito de passagem ao qual ela deve se submeter – por meio da dor, se possível –, um dos pilares essenciais da construção heterocentrada da feminilidade e, portanto, da virgindade. O estabelecimento dessa continuidade sexo/gênero/prática sexual é visivelmente não natural, na medida em que necessita de um aprendizado social e cultural, além de visivelmente frágil, como provam os vários exemplos que a contrariam: os gays passivos, as drag queens, as translésbicas, as sapatonas que fazem *fisting* nos gays e vice-versa.

Voltando ao fascismo com rabo de gente, a referência a Bernard-Henri Lévy[10] tem evidentemente o mérito de trazer a questão humanista, e é inclusive sua tradição discursiva que, se fosse o caso, poderia remeter também a *L'Idéologie française*, outra obra-prima do mesmo autor. Pois é perturbador, de todo modo, ver que a cadeia Penetração (anal)-Passividade-Feminilidade, que desencadeia a aparição de nossas duas Thelma e Louise classificadas como sacanagem no clube de swing (desta

10 Bernard-Henri Lévy (1948 –), filósofo francês de origem argelina, é autor, entre outros, de *La Barbarie à visage humain* [A barbárie com rosto de gente], título que parece servir como base para a formulação de Laurent Joffrin citada anteriormente. [N.T.]

vez, configuração enrabadora/enrabado), tenha sido também a sequência culpada – retida em 1998 –, pela igual classificação de *Super 8 & ½*, um filme do diretor queer canadense Bruce LaBruce que estreou em 1994. Encontramos nesse filme a mesma progressão no horror anal (portanto, supostamente homossexual...), com as imagens que cristalizaram a atenção dos censores: uma primeira cena de sodomia é julgada "longa demais", mas o "intolerável" é atingido com as cenas de penetração "sobre um homem", quando duas lésbicas para lá de malucas agarram um rapaz, que é prontamente extirpado de seu carro, e metem nele com uma arma de plástico... Essa cena é extraída do filme dentro do filme, *Submit to my Finger* dentro de *Super 8 & ½*, que conta a história de uma diretora que resolveu fazer um documentário sobre Bruce LaBruce. *Submit to My Finger* é um dos seus filmes. O casal de lésbicas terroristas é inspirado na história de Aileen Wuornos, uma prostituta executada pelo Estado da Flórida em 9 de outubro de 2002, sob decisão do governador Jeb Bush. Aileen Wuornos reconheceu ter matado sete clientes que a haviam conhecido num ponto de uma estrada da Flórida, o que lhe rendeu o título de primeira serial killer lésbica pelo FBI e pela imprensa popular estadunidense. Wuornos sempre afirmou que tinha agido em legítima defesa, argumentando com base no fato de que sete homens mortos sobre os milhares de clientes que teve representam uma proporção pequena, suscetível de corresponder aos clientes violentos. De fato, o caso de Aileen Wuornos traz à tona o problema das agressões (estupro, roubo e espancamento) que são o quinhão das prostitutas, como não deixaram de lembrar as diferentes associações de trabalhadoras do sexo durante o processo. Sobre as razões que fazem com que a inversão simbólica operada por Wuornos (a presa que se torna "predadora") seja impossível numa economia masculina da prostituição (especialmente aquela que não quer reconhecer o trabalho sexual), e como Wuornos será construída ao mesmo tempo como "serial killer", "femme fatale" e um perigo feminista, é necessário ler a excelente análise de Lynda Hart[11]. No que diz

11 Linda Hart, *Fatal Women, Lesbian Sexuality and the Mark of Aggression*, Londres, Routledge, 1994.

respeito à presença dessa figura no filme de Bruce LaBruce, ela não está ali por acaso. Trata-se de uma alusão feminista, como há em cada um de seus filmes pós-pornôs. Colocando em cena lésbicas "wuornosianas" que humilham clientes, Bruce LaBruce mostra, ao revertê-las, as regras habituais da objetificação: tanto as do comércio sexual destinado ao consumidor masculino heterossexual quanto as que fazem com que as prostitutas sejam as presas mais prezadas dos serial killers. Essa cena mantém relações estruturais com a cena do clube de swing em *Baise-moi*.

Laurent Joffrin vai sofrer mesmo é com o lançamento, na França, dos pornôs queer produzidos por uma diretora como Nan Kinney[12], que, depois de ter rodado um bom número de vídeos pornô lésbicos, colocou na cabeça a ideia de fazer vídeos queer em que as moças fazem muitas das coisas que os rapazes faziam... com as moças. Pelo ânus, inclusive. Sempre será possível que ele se refugie num antiamericanismo gaulês... que já é o principal argumento de sua diatribe contra *Baise-moi*, ao alinhar o filme sobre a Violência com V maiúsculo (reparem na intransitividade da coisa) e Hollywood: o modelo *Seven –: Os sete crimes capitais*, *Pânico*, *Cães de aluguel*, sem esquecer de *Rambo II – A missão*. Como todos sabem, os estadunidenses são violentos, mas também e, sobretudo, eles são "comunitários", "identitários"... Sob a acusação psicológica e a reivindicação moral, nada do argumento político: façamos oposição à República una e indivisível e, por que não, à França de Napoleão, já que chegamos a esse nível de exagero. "Comunitarismo", "exaltação da identidade", essas palavras serão deixadas de lado. Mas é Despentes que vai precisar carregá-las... Pois, bem no meio de seu sermão, Joffrin brutalmente livrou a América de todos os perigos, para se concentrar nas supostas perversões identitárias de Despentes, que ameaçam a identidade francesa universalista: "o modo de pensar de Despentes se resume a isso: a apologia da força aliada ao

12 Figura da cena pró-sexo lésbica estadunidense e atriz expoente da *sex war* que se desenrolou nos Estados Unidos nos anos 1980-1990, Nan Kinney é a fundadora do selo pornô lésbico Fatale Video, com Deborah Sundhal. Ambas também estão na origem da revista lésbica feminista pró-sexo *On Our Backs*, expansão do boletim informativo do grupo S/M de São Francisco, Samois, e resposta às feministas antisexo de *Off Our Backs*.

comunitarismo. Vejam só quem nos conduz em regiões estranhas. Com efeito, como se chama a exaltação combinada da violência e da identidade, o culto da força e da comunidade reunida? Fascismo. Sem saber, por desatenção ou por perversão, Virginie Despentes dirigiu um filme fascizante". Joffrin faz melhor do que os sexólogos do século XIX. Enquanto Ellis e Ebing patologizavam psicologicamente as "perversões" sexuais, Joffrin patologiza o potencial político de Despentes... A tradução político-sexual da equação de partida penetração anal/passividade/feminilidade é, portanto, penetração anal = homossexualidade = comunitarismo = feminismo e, portanto, perigo para a nação, ou seja, para a integridade do corpo nacional francês. E, de fato, após alguns anos de sedimentação histórica e sociológica, as identidades político-sexuais minoritárias estão em vias de obter vantagem sobre o sujeito nacionalista-universalista francês, que se pretende indiferenciado e capaz de indiferenciar, mas que sabemos muito bem corresponder ao sujeito heterocentrado branco e masculino. Bruce LaBruce e Virginie Despentes têm em comum o fato de serem tratados como fascistas identitários, ao passo que se situam precisamente numa reivindicação que assinala os excessos e as exclusões da identidade dominante, sendo que Bruce LaBruce chega ao ponto de transpor essa crítica para a esfera identitária gay, que não está a salvo das tentações hegemônicas e normativas.

Joffrin farejou bem as relações que podem existir entre o que eu chamo de feminismo pró-sexo de Despentes e uma abordagem identitária, no que diz respeito a não se submeter a esse ponto de vista universal indiferenciado. E é fascinante ver como se opera a desativação do potencial político do filme de Despentes pela via de uma demonização extrema, a qual permite que se preservem os recursos de uma abordagem identitária praticada tacitamente. Quem disse que a política da identidade era fascista? Sem contar que é, no mínimo, impressionante ver Joffrin querer fascizar Despentes, enquanto seu filme foi atacado por uma associação... fascista. E quem estigmatiza certas práticas identitárias, em vez de outras, numa época ultracapitalista em que, é preciso dizer, a restrição à identidade e à mudança de identidade é moeda corrente nos discursos e na realidade empresarial, citando como exemplo apenas o fato de que se exige que os assalariados coloquem sua identidade em conformidade, em média, a cada dois anos? A identidade se tornou a preocupação número um do marketing, mas também um dos maiores recursos políticos das minorias sociais e sexuais. O que Joffrin esquece de dizer é que ele também capitaliza em cima de uma identidade: a identidade heterossexual. Que a hegemonia desta esteja ameaçada, assim como os privilégios que dela decorrem – eis a verdadeira causa de sua ira republicana.

O gueto pornô

Frequentemente se lança mão da metáfora do "gueto" para demonizar as culturas minoritárias "comunitárias" que ameaçam a unidade republicana e o nexo social: as feministas que se isolam, enquanto os homens dispõem de ambientes não mistos separatistas bem estabelecidos, como os Automóvel Clube e a maioria dos conselhos de administração – razão pela qual não os enxergamos –; as bichas do Marais que bebem, saem para jantar e compram livros sem precisar sair do bairro; as sapatonas da França e de Navarra que organizam festivais de filmes "específicos"; os escritores que são vistos, antes de mais nada, não como seres humanos, gênios ou escritores, mas como gays ou lésbicas que escrevem... Esse mecanismo repetido de estigmatização do gueto homo & cia. serve para mascarar a existência de um "gueto heterossexual" cultural e político, cuja única diferença é ser maior e se demarcar justamente por parecer natural e normal, virgem de toda e qualquer genealogia política e cultural. Joffrin não usa explicitamente as equações assassinas "comunidades = gueto", "identidade = gueto", mas essa retórica está implicitamente ativa no seu artigo. E podemos notar, de passagem, o que a denominação infligida[13] de "gueto" deve à má consciência republicana francesa perante as identidades e as comunidades, sejam estas definidas de maneira sexual, racial ou ambas. Ela está ligada, no pior cenário, à problemática da identidade judaica marcada/

13 Verdadeira de-nominação, uma vez que mascara a existência de uma prática de autodesignação (político-sexual), o *coming out*.

apagada numa França de tradição antissemita pré-fascista e, mais tarde, assumidamente fascista. Do mesmo modo, é significativo ver o ressurgimento da problemática de raça toda vez que são evocadas figuras de resistência discursivas e políticas gays e lésbicas. Assim que falam de sair do armário [*outing*[14]], sempre tem alguém para perguntar se "isso" não traz uma recordação ruim que, no entanto, não é deles: a delação como esporte nacional na França de Vichy. Em suma, aquele que diz quem é que está aí é um eco invertido que só responde quando se trata de uma cultura específica, um eco que remete às guetizações infligidas e não às comunidades e às identidades escolhidas e construídas do interior.

Poderíamos arriscar uma breve história do surgimento da pornografia na modernidade, com a ajuda dessa formidável metáfora política do gueto. Ela nos levaria até *Baise-moi* e veríamos como a emergência da pornografia também é a história de uma progressiva saída do armário. Com a condição de entender, seguindo Eve Kosofsky Sedgwick[15], o armário como uma economia de saberes e de poderes, uma gestão permanente dos silêncios, daquilo que é escondido e daquilo que é mostrado.

Do obsceno ao *on/scene*

A invenção da pornografia, isto é, de uma categoria de pensamento, de representação e de regulação, coincide com o nascimento da modernidade ocidental. Desse ponto de vista, a pornografia não é velha como o mundo ou como os gregos... e não se resume à sua definição funcional (e também nos enganaríamos se a pensássemos como transcultural ou a-histórica): a descrição ou a exibição explícita dos órgãos e das práticas sexuais com vistas a provocar uma excitação. Essa definição estrita que nos parece

14 Um bom exemplo disso é a ameaça feita pelo coletivo Act Up-Paris, em 1998, de revelar a homossexualidade (*outing*) de um deputado de direita gay que havia participado ativamente de uma manifestação contra a Política Agrícola Comum da União Europeia que estava cheia de cartazes e slogans homofóbicos.

15 *Epistemology of the Closet*, Londres, Penguin, 1991. [No Brasil, o artigo que dá nome ao livro está disponível como "A epistemologia do armário", *Cadernos Pagu*, Unicamp, n. 28, 2007, pp. 19-54, em tradução de Plínio Dentzien.]

familiar e suficiente levou tempo, porém, para se impor no início do século XIX. "Pornográfico", "pornógrafo" e "pornografia", no sentido de escritos e imagens obscenas, surgem nos anos 1830-1840. É nessa época que são elaboradas leis voltadas para a regulação do consumo do obsceno, uma noção que corresponde a um recorte bastante preciso dentro de um gênero pornográfico até então muito maior. Das diferentes pornografias que tinham se desenvolvido do século XVI ao XVIII, especialmente com a explosão do diálogo pornográfico na Itália e em seguida com o romance pornográfico na França e a pornografia política e anticlerical, restarão apenas o obsceno e o ultraje aos bons modos no final do século XIX.

O que permanece inalterado, em contrapartida, é o fato de a pornografia ser sempre reservada a uma elite masculina. Segundo Walter Kendrick[16], é preciso, aliás, compreender o surgimento dos museus secretos e das diversas formas de tornar secretos os escritos e imagens obscenos como uma tentativa de regulação do consumo do obsceno destinada a excluir as "classes baixas", os pobres e as mulheres. As coleções do "*Private Case*" na Biblioteca Britânica e do "*Enfer*" na Biblioteca Nacional Francesa foram "abertas" em 1836. Desde 1806, grandes catalogadores, como Peignot, trancam e classificam coisas como... de sacanagem. No *Dicionário crítico, literário e bibliográfico dos principais livros condenados ao fogo, suprimidos ou censurados* [*Dictionnaire critique, littéraire et bibliographique des principaux livres condamnés au feu, supprimés ou censurés*], Peignot emprega os termos "pornográfico", "pornógrafo" e "pornografia" no sentido de escritos e imagens obscenos.

Essa evolução do confinamento, que deveria remediar a temida democratização da pornografia possibilitada por uma diminuição do iletrismo e um acesso mais amplo à educação, resulta no isolamento da pornografia entendida num sentido restritivo como um gênero de representação separado e que, a partir de então, será continuamente definido segundo critérios que permitem não tanto proibi-lo, mas, controlar sua difusão, quer se trate de literatura quer, mais tarde, de cinema.

16 Walter Kendrick, *The Secret Museum: Pornography in Modern Culture* (Nova York: Penguin, 1987).

O surgimento do vídeo e do magnetoscópio é outra grande ruptura na evolução da difusão e da representação pornográfica: nos anos oitenta, a pornografia sai das salas obscuras para dar as caras no espaço doméstico privado. Ao consumo monogênero dos universos estritamente masculinos das salas de cinema pornô, e que também podia ser o dos sex-shops, junta-se o dos casais heterossexuais em sua sala de estar, que fazem seu estoque nas locadoras de bairro sábado à noite. Como tão bem disse Linda Williams, passou-se do *ob/scene* ao *on/scene*[17]. O espaço de difusão e de modo de consumo da pornografia se estendeu às mulheres, como mostra a cena de *Baise-moi* em que vemos Nadine assistir sozinha, no sofá, a vídeos pornô para se masturbar. O pornô faz parte de sua cultura.

Não se deve concluir, com isso, que haja um efeito de liberação. Que de proibido, escondido, o pornô tenha se tornado subitamente de livre acesso. São as modalidades da censura produtiva, para retomar uma noção foucaultiana, que mudaram. Ao dizer "sim" ao sexo pornográfico, não caiamos na ideia de que dizemos "não" aos saberes-poderes, poderia ter dito Foucault. No primeiro volume da *História da sexualidade*, Foucault propôs uma nova concepção do poder e dos nexos sexualidade/poder e sexualidade/saber. Nesse texto, ele procede a uma crítica do modelo emancipacionista da sexualidade e do modelo jurídico do poder, segundo os quais a sexualidade é o melhor trunfo contra a lei e pode estar fora da lei. Para Foucault, não há de um lado o poder e de outro o sexo, a liberdade, a energia subversiva. Essa concepção termina por essencializar o sexo e por separá-lo dos nexos de poder e de sua dimensão histórica. De fato, quem fala de sexualidade fala de poder. O discurso sobre o sexo está saturado de efeitos de saber-poder. Sexualidade e poder são coextensivos. Por sexo, é preciso portanto compreender um sistema de saberes, discursos, poderes historicamente construídos, cujo objetivo oculto é perpetuar as relações dos saberes-poderes.

17 Linda Williams, "Pornographies on/scene of diff'rent strokes for diff'rent folks", Lynne Segal e Mary McIntosh, *Sex Exposed. Sexuality and the Pornography Debate* (New Brunswick: Rutgers University Press) 1992.

Não seria a pornografia, em última análise, um discurso sobre o sexo entre outros, a ser ressituado na proliferação de discursos sobre o sexo que data do século XIX? Numa perspectiva foucaultiana, a censura produz verdades sobre o sexo; ao invés de proibi-lo, ela incita a nos curvarmos diante de diferentes verdades sobre o sexo. A pornografia não deve, portanto, ser considerada sob um ângulo liberatório, mas, pelo contrário, produtivo... e com certas obrigações. Estamos diante de um regime disciplinar cujos vínculos com o discurso médico ou sexológico, aliás, podemos assinalar: forte tecnicidade, grande homogeneidade temática - fala-se somente de sexo -, construção do discurso do ponto de vista da masculinidade, códigos de representação visual hiperrealistas (os *close-up* sobre um corpo decupado em diferentes órgãos e diferentes zonas). Tantas coerções de coerência que explicam as dificuldades para fazer o pornô sair do pornô ou para integrá-lo num espaço de representação que "não tem nada a ver".

Violette Leduc, Catherine Breillat e Virginie Despentes mostram o pau

Enquanto o pornô estava reservado aos homens, estávamos então diante de uma modalidade particular de censura produtiva. Ela se traduzia por um isolamento e por regras de produção e de difusão estritas e diferentes, as mesmas que explicam a exclusão do campo pornográfico de uma Violette Leduc pornógrafa nos anos cinquenta. Violette Leduc nunca conseguirá que *Ravage* seja publicado inteiramente, isto é, munido de sua primeira parte, que receberia separadamente o título *Thérèse et Isabelle*[18]. Leduc começa a redação desse romance em primeira pessoa em 1948, com a firme intenção de contar nele duas de suas paixões lésbicas (Isabelle e Denise), assim como o fracasso de seu casamento com Jacques Mercier. Denise se torna Cécile, Jacques, Marc; e Violette, Thérèse. O texto se vale bastante da pornografia. Violette se masturba escrevendo: "eu escrevia com uma mão e,

18 Uma versão incompleta de *Thérèse et Isabelle* foi publicada pela Gallimard em 1966. A versão não censurada veio a público em 2000.

com a outra... eu me amava para amá-los, para encontrá-los, para traduzi-los, para não traí-los. Droga nos meus pés. Eu os informava"[19]. A crueza e a tecnicidade genetiana das páginas não escaparão a uma Simone de Beauvoir, como sempre um pouco enojada pelo detalhe da sexualidade lésbica, ao escrever a seu amante estadunidense Nelson Algren: "é uma história de sexualidade lésbica tão crua quanto Genet. Descreve em detalhes como uma moça deflora outra, o que ela faz com seus dedos, o que acontece então no sexo da outra, um monte de manipulações atrozes que, juntas, elas inventam com sangue, urina e assim por diante, e que mesmo a mim me desagradaram um pouco". Crus, técnicos e sobretudo escritos do ponto de vista de uma mulher, não se valendo da tradição pornográfica, também são as outras passagens que figuram nas duas outras partes de *Ravages* e que serão censuradas a pedido das edições Gallimard. "A história de colegiais poderia, ela própria, constituir uma narrativa bastante cativante – se a autora consentisse em envolver com um pouco mais de sombra *suas técnicas operatórias* (grifo nosso)", diz o relatório ao comitê de leitura da Gallimard redigido em 1954 por Jacques Lemarchand, e ela poderia virar uma edição à parte vendida por baixo dos panos (afinal, as lésbicas são um dos *temas* principais da pornografia heterossexual). Não se pode dizer o mesmo sobre a cena do táxi, em que Violette Leduc ousa descrever um pênis, e sobre a cena do aborto narrada detalhadamente, "longa demais, técnica demais", segundo Lemarchand: "Tem que tirar o canal!". Na edição de 1955, essas duas passagens serão publicadas com reticências no lugar das frases tidas como perturbadoras.

Ao publicar, em 1954, uma crítica de *Ravages* no *France Dimanche* intitulada "Violette Leduc fala do amor como um homem", Claude Lanzmann concedia-lhe, pois, um título justo. Com suas descrições ousadas, Violette Leduc reivindicava um dos privilégios da representação pornográfica masculina: objetificar o sexo masculino. Ela ameaçava, com isso, a divisão dos poderes de gênero na representação. A objetificação do pênis pelas mulheres: essa é a reviravolta indesejável, apesar de previsível, nessa

19 Violette Leduc, *La Folie en Tête*, Paris, Gallimard, 1970.

economia masculina da representação. É também o gesto que liga Leduc, Breillat e Despentes e ao mesmo tempo as expõe a críticas tão violentas: elas mostram o pau. O delas e o do homem no táxi, do estuprador de Manu, de Paul e de Rocco (Siffredi).

No caso de Violette Leduc, o resto do texto não deveria sofrer de modo algum a contaminação da "parte pornográfica", para manter a distinção entre literatura e literatura pornográfica. Entre literatura e sexo. Entre homem e mulher. Pois o gênero pornográfico clássico obedece a um regime da verdade do sexo e da diferença sexual, e bem podemos perceber o que poderia fragilizá-lo: uma ruptura da unidade temática a partir do momento em que o pornô se mistura com outra coisa, escorrega em outros gêneros, na representação dita "não pornô", que é cada vez mais o canal das mídias de massa e populares; que o discurso sobre o sexo seja sustentado por mulheres. Em uma palavra, que o pornô saia de seu gueto.

A nova pornografia

Baise-moi preenche essas três condições, e é isso o que faz dele um dos primeiros filmes franceses pós-pornô. Inscreve-se numa tendência que é preciso chamar nova pornografia, nascida em parte das releituras do pornô realizadas por mulheres. Já era de se esperar, assistindo aos pornôs que não foram realizados de seu ponto de vista, que as mulheres compreendessem que a questão não era que elas não gostavam de pornografia, mas que a pornografia disponível não era para elas. Algumas mulheres heterossexuais preferem, de longe, ver pornôs gays a pornôs héteros. Elas evitam, assim, representações da mulher que não lhes agradam, na medida em que podem se identificar com atores cujos papéis são, com frequência, mais intercambiáveis.

Acrescentemos a isso a emergência de um novo alvo no mercado do pornô: o casal, para o qual será preciso produzir outros tipos de pornô. Candida Royalle[20], que dirige e produz filmes pornô nos Estados Unidos sob o selo *Femme Productions* desde 1984, é bastante representativa dessa modificação da

20 Candida Royalle faleceu em 2015.

representação pornográfica e das repercussões diretas que ela acarreta nas categorizações dos filmes pornô. Royalle explicou várias vezes[21] as razões que a levaram a tirar os "*come shots*" ou "*money shots*" (a cena obrigatória do filme pornô: a ejaculação visível que obriga os homens a sair de sua parceira para ejacular sem que a câmera perca uma só gota): "Quando criei o selo Femme, estava tão cansada de ver os *come shots* em todos os filmes – num contexto que não levava em conta o prazer das mulheres –, que decidi não ter mais *come shot* nos meus filmes. Eu sempre me perguntei, vendo tantos filmes com *come shots*, por que os homens queriam ver os pênis dos outros jorrando esperma, em vez de ver os orgasmos das mulheres [...]. Anos antes, quando era atriz, já tinha colocado a questão: por que é que eles fazem isso? E me responderam 'Para provar que isso aconteceu de verdade'. E pensei comigo: 'Se tem que fazer isso para provar que aquilo aconteceu realmente, então a gente fez alguma coisa errado'".

Em *Hardcore*, publicado em 1989[22] e nunca traduzido para o francês, apesar de ser um dos melhores livros foucaultiano--feministas já publicados sobre a pornografia no cinema, Linda Williams propôs toda uma série de hipóteses interessantes para compreender de que maneira e em que medida essa encenação pornográfica moderna do pênis e do gozo masculino ejaculatório não contemplava as mulheres. O *come shot* convida o espectador a se concentrar unicamente no orgasmo masculino. A visibilização do esperma obriga o ator a interromper todo e qualquer contato com o genital ou a boca de sua parceira e instaura uma convenção de representação segundo a qual são os atores que desejam experimentar uma excitação visual, tanto o homem como a mulher (sabendo que, frequentemente, a mulher não vê nada). O filme se constrói, então, em torno do ator assistindo à própria ejaculação, o que diz respeito mais a ele e ao espectador em potencial do que à mulher que faz parte da cena. Williams

21 Ver a página "Candida's Royalle wet page" no site de Femme Productions e a reprise de "Porn in the USA", uma conferência dada na Universidade de Columbia, em *Social Text*, n.º 37, inverno de 1993.

22 Linda Williams, *Hardcore. Power, Pleasure and the "Frenzy of the Visible"*, Berkeley, University of California Press, 1989.

vê nisso uma lógica mais autoerótica que dual, em detrimento da relação sexual entre os dois parceiros na tela e em favor do nexo entre o ator e o espectador masculino. O fato de que muitos filmes tentem fazer coincidir o orgasmo solitário do ator e o suposto gozo da parceira também explicaria o desinteresse das espectadoras femininas por esse gênero de filmes pornô.

O raciocínio de Candida Royalle sobre as cenas anais filmadas na perspectiva de mostrar às mulheres o que os homens gostariam de fazer com elas vai no mesmo sentido: "No começo, eu pensava a mesma coisa sobre o sexo anal e sobre os *come shots*. Negociando com o distribuidor, ouvi: 'Sabe, Candida, o que você devia fazer é colocar mais sexo anal nos seus filmes. Eu sei quem vê esses filmes. São os maridos que compram esses filmes para mostrar às esposas o que querem fazer com elas'. Fiquei chocada. Eu dizia para mim: 'será que ele sabe com quem está falando? Eu, uma mulher que quer fazer filmes de um ponto de vista de mulher, e você me diz para fazer alguma coisa que um marido possa levar para casa e dizer à mulher o que quer fazer com ela?' Foi assim que comecei minha própria distribuidora'.

Esse gesto de recolocar em questão as figuras obrigatórias da representação pornográfica tradicional fratura o gênero pornográfico, pois faz aparecer suas convenções e seus códigos. É, aliás, o jogo a que se dedica *Baise-moi*, ao retomar em alguns momentos certos códigos da representação pornográfica: *close-up* no genital penetrando durante a cena de estupro, por exemplo, o todo fora do gueto da representação e da difusão pornô. Fora da esfera que se diz privada, onde gostariam de confinar a sexualidade, uma vez que o filme estava destinado a ser projetado num circuito de distribuição como MK2. Ora, se começamos a brincar com os códigos pornográficos, fica subentendido que podem existir outros, e isso equivale a afirmar que, contrariamente ao que gostariam de nos fazer crer, o pornô não é mais real que o jornal televisivo das 20h. Que essas formas de representação têm em comum o fato de serem realismos que buscam se naturalizar para parecer mais reais.

Tudo é realismo, mas é preciso escondê-lo, supondo que exista uma parte irredutível de real. O efeito de real que reina na televisão, como se sabe, é a natureza pretensamente referencial da imagem e o ao vivo como espaço-tempo incapaz de mentir. No caso do pornô, é o sexo, com essa parte do real que não saímos mostrando por aí mas que "todo mundo tem", as partes genitais "masculinas e femininas"; com essa ideia de que as pessoas transam de verdade nos pornôs e de que é verdadeira a maneira pela qual nos é representado o ato sexual. E, no entanto, a ejaculação tornada visível é um agenciamento narrativo e realista específico. Uma "perversão" em si, com relação ao esquema normativo do coito (que visa à reprodução). Um ótimo exemplo de sexualidade encenada em favor de um efeito de real: o jato de esperma.

Aliás, nada de *come shot* nas cenas de quarteto em *Baise-moi*, nas quais as pretensões realistas do pornô são tanto mais sensíveis quanto a intromissão de elementos pornô no filme as coloca no mesmo nível "que o resto", sem hierarquização alguma. O pornô saiu do gueto, e é por essa razão que o filme não pode ser difundido. *Baise-moi* integra um tipo de representação realista genérica, o cinema, ameaçando a diferença estabelecida, e que muitos desejam manter, entre dois tipos de realismo. O cinema e o cinema pornô, o realismo e o real pornô, e é aí que a coisa emperra.

A outra brecha que o filme de Despentes e Trinh-Thi abre no gênero pornográfico é o fato de tornar porosa a fronteira entre atores e atores pornôs. Vemos, a partir de *Romance X*, uma instrumentalização galopante desses atores pornôs em filmes não pornôs para filmar as cenas de sexo. Longe de serem "subversivos", esses empréstimos, na medida em que reservam as cenas de sexo aos atores pornôs, buscam cristalizar a diferença entre o ator e o ator pornô, exemplificada quando Jean-Pierre Léaud vai encenar com profissionais do sexo (Ovidie e Titoff) em *Le Pornographe*, de Bonello...[23] Podemos nos perguntar se não seria mais interessante ver o próprio Jean-Pierre Léaud transando, como num pornô. Pois, afinal de contas, essa maneira de usar atores pornôs nas cenas *hard* serve à "guetização" do pornô. O

23 Ovidie, K. Sandra e Titoff foram recrutados para as cenas... de coito e de felação em *Le Pornographe* (2001), filme de Bertrand Bonello um pouco menos pior que *Tirésias*. Para uma análise da pornografia de autor à francesa, ver "Pipe d'Auteur: la nouvelle vague pornographique française et ses intellectuels" (com Jean-Pierre Léaud e Ovidie, Catherine Millet e seu marido, e toda a imprensa) em *Queer Zones 2*, a ser publicado futuramente por esta editora.

pornô para os atores pornôs, o trabalho de ator para os atores. É que, além da carreira de Jean-Pierre Léaud, é preciso manter essa equação sexo/penetração = real = sem jogos de ator *versus* o ator que atua e, portanto, não transa em cena. A ele é poupada a visualização realista das cenas de penetração. Tantos esforços para preservar a "realidade-verdade" do sexo, ao passo que todo mundo sabe bem que os atores pornôs são atores, performadores e que eles representam nas cenas, e não apenas porque fingem o orgasmo ou substituem o esperma por clara de ovo ou qualquer outra coisa em caso de falha...

Em *Baise-moi*, a separação da distinção atores/atores pornôs veio abaixo, o que talvez não seja o caso em *Romance X*, que reduz Rocco Siffredi a uma metonímia do pornô. As atrizes do filme de Despentes e de Coralie Trinh-Thi representam tudo e deixam compreender claramente que também o sexo é performance, no sentido teatral e performativo do termo. Não é preciso dizer, mas isso explica tudo. Principalmente por que é impossível ver o pau de Depardieu entrando e saindo da buceta de Catherine Deneuve.

Não obstante o modo como *Baise-moi* recusa incessantemente os limites de certa tradição pornográfica, esse filme não é um pornô, mas será designado como tal a fim de se evitar que seja visto. Assim como os filmes de Candida Royalle, que não encontram espaço no mercado pornô europeu, *Baise-moi* coloca sérios problemas de classificação. É que, com esse filme e com os outros filmes pós-pornôs por vir, o realismo pornográfico – que é apenas uma ficção realista entre outras, uma organização da representação e não a "realidade" do sexo – mudou de mão. A pornografia tradicional está em plena desconstrução. Suas funções principais, a renaturalização da diferença sexual, a rigidificação das identidades de gêneros e das práticas sexuais, para citar apenas estas, estão sendo recolocadas em pauta pelo pós-pornô feminista.

Capa do *Nouvel Observateur*, 13 a 19 de julho de 2000

Anatomy of a Pin-Up Photo

Mandatory fake beauty mark

Eyebrows penciled in

False eyelashes

Hair dyed to cover some grey

Red Lipstick

Extra Blush

Hair put into hot rollers for curling but it creates dry ness and split ends

This choker is really choking me!

Breasts are real but sag. Bra lifts breasts

Body make up

Bra is a size too small to make breasts look bigger

Corset hides a very big belly

Corset makes my waist 4 1/2" smaller, but I can't breathe

Lungs restricted. I cannot breathe

Hemorrhoids don't show, thank goodness

I need assistance to hook all these garters and to lace back of corset

I never wear gloves except in pin up photo

Extra tall stockings make my legs look longer

Gloves cover tattoos for a more all American girl effect. Borrowed from Antoinette

Black stockings make legs look thinner

Boots take 19 minutes to lace up. I need assis tance because I can't bend over in the corset

A plexiglass square keeps the white seamless paper from smudging

These heels are excruciatingly high

I can't walk and can barely hobble

My feet are killing me

Boots are 1 1/2 sizes too small. Borrowed and worn only for this shoot

*(In spite of it all, I'm sexually excited and feeling great!)

Cartão postal feito por Annie Sprinkle, 1997

Ceci n'est pas une pipe[24]: Bruce Labruce pornoqueer

Are you sick of nice fags?
[Você não está de saco cheio das bichas boazinhas?]
A Francesco, o GNA (Gay Não Anal)

Eis a questão-título de uma mostra de vídeos organizada em São Francisco, nos anos 1980[25], que poderia ser a palavra de ordem dos cineastas queer dos anos 1990, cansados de um cinema gay positivo feito para difundir as belas imagens e os belos papéis que Hollywood sempre tinha recusado aos "homossexuais"[26]. Se esse cinema positivo pôde ocupar um valor de posição não desprezível, desempenhando o papel de um poderoso instrumento de autorrepresentação no circuito dos festivais gays e lésbicos e, em seguida, nos circuitos de produção e de distribuição ao público amplo, ele não escapou a uma considerável fixidez estética e política. Contra a lógica identitária do cinema gay, em particular, contra a lógica de identificação do cinema em geral e colocando em cena bichas pretas e pessoas ditas marginais (lésbicas, punks, S/M, fetichistas, skins...), os filmes de Bruce LaBruce – mas também os de um Marlon Riggs, com o *Tongues Untied* (1989) e *Black is... Black Ain't* (1994), para citar só alguns exemplos –, propõem uma crítica dos efeitos normativos e excludentes de uma identidade gay dominante, branca, oriunda das classes médias e prontamente assimilacionista. No trabalho de Bruce

24 Há aqui um jogo de palavras que brinca com a tela de René Magritte, "*La trahison des images*" (1928-1929), em que está escrita a frase "*Ceci n'est pas une pipe*" ["Isto não é um cachimbo"], e com o fato de que "*pipe*", no registro baixo da língua francesa, significa também felação. [N.T.]

25 Marc Siegel e Daniel Hendricksen, "Petite histoire du cinéma queer", *Q comme Queer*, Lille, gkc, 1999.

26 Sobre a representação dos homossexuais no cinema e a noção de armário cinematográfico em Hollywood, uma das referências incontornáveis permanece sendo o livro de Vito Russo: *The Celluloid Closet: Homossexuality in the Movies*, Nova York, Harper & Row, 1981.

LaBruce, essa crítica se manifesta por meio de uma prática de des-identificação permanente, que, de maneira transposta[27], não deixa de lembrar o *disclaiming* evocado por Judith Butler em sua reflexão sobre a enunciação identitária. Aqui, o *disclaiming* faria referência aos efeitos identitários infracomunitários, e não ao *coming out* e à epistemologia do armário em sua totalidade, como é o caso no texto de Butler. Mas basta trocar "homofobia" por "identidade" para compreender o interesse da prática: "o *disclaiming* – que não é uma atividade simples – é o que tenho para oferecer como forma de resistência afirmativa a certas operações regulatórias da homofobia".

É testemunha disso a relação bastante ambivalente que LaBruce mantém com a denominação "queer", desde que esta perdeu seu sentido "marginal", seu sentido primeiro: "me colocaram no mesmo saco que o novo cinema queer, e isso não faz sentido. Você sabe, eu penso que não tenho muito em comum com esses filhinhos de papai cheios de diplomas em semiótica, que fazem filmes secos, acadêmicos, ricos em metáforas sobredeterminadas para falar da AIDS e que são abarrotados de caras do tipo *Advocate*. Eu nunca fiquei à vontade com o novo movimento 'queer', nunca assisti a uma reunião do pessoal da *Queer Nation* nem nunca participei de nenhuma ação deles [...]. Não, não sou 'queer', e me pergunto por que eles colocaram na cabeça a ideia de destruir uma palavra que era tão perfeita. Eles são realmente gays".[28] Para se distanciar ainda mais, Bruce LaBruce se colocou propositadamente à margem da comunidade gay urbana[29], começando sua carreira de cineasta pornô a partir da cena dos fanzines e da cena punk, que estavam mais para homofóbicas. Ele não para de vociferar contra a uniformização da cultura gay e do seu conservadorismo em matéria de gêneros, e se regozija insistindo na sua identificação feminina, talvez mesmo lésbica, ou

27 "Imitation and Gender Insubordination", Diana Fuss (org.), *Inside/Out*, Nova York, Routledge, 1991.

28 Bruce LaBruce, *The Reluctant Pornographer*, Toronto, Gutter Press, 1997, p. 15.

29 *Ibid.*, p. 10, 13 e 45, assim como as crônicas "What Homosexuals Have to be Proud of", "Jurassic Punk", "Homosexual is Criminal", que apontam para uma visão genetiana da homossexualidade (paradigma do fora-da-lei). Cf. também "Par-delà la vallée du New Queer Cinema", *Les Gays Savoirs*, Paris, Gallimard, 1998.

na sua qualidade de "*bottom*" (sexualmente passivo): "A comunidade homossexual praticamente não dava escolha, a menos que você tivesse vontade de se enquadrar nas regras da vida gay, o que implicava seguir códigos de vestimenta inacreditavelmente fechados, renunciar à sua individualidade intelectual e política e rejeitar as bichas loucas, as caminhoneiras e todos os não conformistas que tiveram seu momento de glória no mundo da sexualidade desviante"[30].

Cortar/decapitar

A referência ao corte excludente ou mortífero é prática corrente nos filmes e escritos de Bruce LaBruce. *Hustler White*, por exemplo, lançado em 1995. À primeira vista, Eigil Vesti, o michê amputado, tem cara de ter sido recrutado para um casting "*scientia sexualis*". A aparência "de consultório" das perversões, tão presente nesse filme de LaBruce, é um motivo que encontramos também em outros filmes queer, como *Virgin Machine* (1988), *My Father is Coming* (1991) e *Seduction: The Cruel Woman* (1985), de Monika Treut. Tudo se passa como se ele estivesse lá para dar a ver o "não mostrado" que só o pornô pode se dar o direito de não esconder: um perneta enrabando um outro rapaz com seu cotoco. Mas o "sem-pé" tem sua história: Eigil Vesti é o nome do personagem atropelado no filme por um Tony Ward meio distraído – o herói em fuga num carro roubado, depois de ter furtado uma carteira –, mas remete diretamente a um caso de S/M malsucedido (o caso Andrew Crispo), no qual um jovem estudante foi morto por um rico marchand adepto do S/M que não levou suficientemente a sério a *safe word* e abandonou num terreno o corpo encapuzado do parceiro.

A identificação Bruce LaBruce/Príncipe dos homossexuais faz parte da mesma retórica do corte. Aliando essa entronização à performance com fotos[31] e vestes teatrais, o rei, a "*monstar*" dos homossexuais, não para de lembrar a decapitação que (o) ameaça: "Falando em cabeças cortadas, recentemente me

30 *The Reluctant Pornographer*, *op. cit*, p. 16.
31 Ver o site de Bruce LaBruce e *The Reluctant Pornographer*, *ibid.*, p. 17.

compararam a Jayne Mansfield em *Village Voice* e, deixa eu dizer uma coisa, enquanto príncipe dos homossexuais, não é fácil manter a coroa na cabeça quando ela foi separada do seu corpo num terrível acidente de carro...". Uma maneira de lembrar que as exclusões produzidas pela comunidade gay são... uma faca de dois gumes.

O pornô sem boquete

Os filmes de Bruce LaBruce se tornaram célebres pelas cenas de sexo e também pelos boquetes. Em *Super 8 & ½*, Bruce LaBruce esculpe um boquete antológico, apesar de durar menos que o beijo de Andy Warhol em *Kiss* (1963) ou que *Blow Job* (1964). Referências fílmicas úteis, pois, ainda que suportem mal a comparação em matéria de sexo oral, elas não poderiam passar batidas para um Bruce LaBruce, ator e diretor, cujo *Super 8 & ½* nos oferece aos olhos uma verdadeira réplica warholiana. Esses dois filmes têm em comum sobretudo o fato de exibirem uma sexualidade truncada. *Close-up* parado no beijo em *Kiss* e foco sobre o rosto de um homem sendo chupado em *Blow Job*. Mesma operação de decupagem em *Skin Flick*, uma vez que estamos diante de um pornô sem boquete filmado segundo os códigos realistas da pornografia. Os membros eretos são mostrados furtivamente, o que é meio raro nesse gênero de filme, e a imagem pula no momento do boquete: Dieter e Dick se encontram num cemitério e se masturbam mutuamente, sem que possamos ver o membro de um ou de outro. Chega a ser engraçado como a câmera enquadra mal o pau duro de Manfred. É o que poderíamos chamar de um filme privativo.

A pornografia recalcitrante

Falar de corte/privação e praticá-los constitui, com a des-identificação, uma das estratégias de resistência do cineasta queer presentes em diferentes níveis no texto autobiográfico e autofílmico de Bruce LaBruce. A recusa da hipotaxe em favor da parataxe, a multiplicação dos níveis narrativos[32] que permanecem distintos, o entrelaçamento dos níveis de realismo e a justaposição dos gêneros (documentário, imagens de arquivo)[33]: tantos motivos do cinema queer que puderam, aliás, ser interpretados de maneira foucaultiana, como a vontade de visibilizar a confluência dos discursos disciplinares sobre o sexo e as perversões[34]. Como em *Virgin Machine*, de Monika Treut, por exemplo. Na primeira parte do filme, Dorothée, a personagem principal, realiza uma pesquisa jornalística sobre o amor, que se transforma num desfile de discursos médicos e científicos; a segunda parte se passa em São Francisco, pátria das práticas sexuais alternativas (S/M, dildos de lésbica etc.). A lógica privativa dita também uma regra de filmagem que Bruce LaBruce se impõe antes de filmar a maior parte de seus filmes: inserir deliberadamente um furo no filme, escolhido por causa da relação que mantém com o que precisamos denominar as arbitrariedades da representação. Tudo acontece como se se tratasse de reagir a uma censura produtiva que gerou menos proibições do que obrigações (classificar um filme como de sacanagem, aliás, é algo que se vale das duas operações), das quais encontramos numerosos exemplos no cinema identitário e político-sexual.

"Para meu terceiro filme, *Hustler White*, resolvi tirar completamente as mulheres, em parte para dar um chega pra lá na representação das mulheres, em parte para mostrar a fantasia, embalada por ilusões utópicas, daqueles caras que sonham com um planeta livre de toda e qualquer competição com as mulheres, para poder ficar com os bofes delas. Tentei inclusive tirar do

32 Em geral, a maioria dos filmes de Bruce LaBruce comporta um filme dentro do filme, como em *Super 8 & ½* e *Hustler White*, e um jogo entre realismo documentário e realismo pornô.

33 *Poison* (1991, 85 min), do estadunidense Todd Haynes, apresenta três histórias, uma das quais é uma verdadeira-falsa reportagem de televisão; *Urinal* (1991, 100 min), do canadense John Greyson, que mistura narrativa documental e imagens experimentais, além de encampar a distinção fato/ficção, ao colocar em cena o *outing* de Eisenstein, Frida Kahlo, Langston Hughes e Mishima, entre outras celebridades.

34 Sobre esse filme, ver o excelente artigo de Chris Strayer, "Coming out in a New World: Monika Treut's *Virgin Machine*", *Deviant Eyes, Deviant Bodies. Sexual Re-orientation in Film and Video*, Nova York, Columbia University Press, 1996.

enquadramento qualquer mulher que passasse atrás da cena. Isso também foi uma liberação, porque esperam, claro, que você seja controlado meticulosamente pela representação da mulher segundo as leis da ortodoxia feminista, e não que as elimine completamente"[35]. *Hustler White* é, portanto, um filme sem mulheres, um filme para contrariar/fazer referência à polícia da representação exercida por certo feminismo ortodoxo antissexo, o que não impede LaBruce de começar *Skin Flick* com uma cena feminista: uma mulher que não se deixa enganar em matéria de objetificação, com a cena no cais em que aparece o fotógrafo que acaba rasgando a película. Mas, com *Skin Flick*, a lógica privativa atinge o ápice do seu potencial demonstrativo: o pornô sem boquete, sem "boquete de verdade", diz muito sobre o caráter injuntivo do pornô e sua função liberatória. Uma compreensão foucaultiana dos nexos entre sexo/saber e poder leva a pensar, muito rapidamente, que o pornô – na mesma medida que a medicina e a psiquiatria – é digno de figurar na lista dos regimes disciplinares da sexualidade, só porque transforma em imagem a injunção ao sexo... Quem pode servir melhor à verdade do sexo do que o realismo pornográfico? Quem melhor deixa de servir? Resposta da retórica privativa à censura produtiva: um pornô sem boquete, sendo que o pornô é o paradigma do filme privativo com suas focalizações reguladas sobre essa ou aquela parte do corpo, sobre o sexo enquanto ato. Sabendo que essa lógica privativa aponta para o que é próprio de toda representação e suas exigências: sempre truncada, mas sempre produtiva; no pornô, mas também no cinema em geral, em que acabamos nos acostumando a ver o beijo como metonímia do ato sexual.

Isto é um pornô

Nunca terminaríamos de desenvolver os efeitos do corte/da privação, o que permite sua referência (invertida, às vezes) e seu redesdobramento. Brincando com os códigos do pornô, Bruce LaBruce consegue colocar a pornografia dentro, e não fora. Recusar o isolamento do pornô, o confinamento numa unidade

35 "Par-delà la vallée du New Queer Cinema", *op. cit.*

temática e formal, homogênea e separável, comercializável nas redes paralelas de edição por baixo do pano e nos sex-shops. Bruce LaBruce contraria, assim, o destino da pornografia, ou do que é julgado como tal. Assim, aproximar/afastar pornô e documentário em *Skin Flick*, pornô e romantismo reciclado refazendo *Morte em Veneza* e o beijo de Warhol, com o Tony Ward na cena final de *Hustler White* em que vemos "o beijo gay mais longo do cinema", são maneiras de alargar a cultura pornográfica. Como o próprio LaBruce diz: "há pessoas que dizem que eu não vou longe o suficiente para poder ser um verdadeiro pornógrafo. Mas acho que, se meu trabalho ainda consegue me deixar vermelho, é uma boa coisa. E, de mais a mais, não é porque não mostro um monte de feridas abertas e de órgãos desencarnados babando uns nos outros que isso quer dizer que eu não seja um pornógrafo"[36].

36 Bruce LaBruce, *The Reluctant Pornographer, op. cit.*, p. 11.

A feminista e a Pin-Up: Notas para uma análise cultural feminista pró-sexo de *Anatomy of a pin-up*, de Annie Sprinkle

Nos anos 1970 (Pollock[37], Berger[38]), as analistas feministas da imagem (fixa, animada e das mídias em geral) se interessaram pelo fato de as imagens serem "determinadas" pela "diferença sexual" ou "pelo gênero" (a terminologia varia conforme as correntes e épocas), no nível tanto da produção das imagens como de sua recepção. Para um feminismo construtivista-performativo, como o que marcou a crítica feminista culturalista nos anos 1980-1990, a imagem fazia parte das tecnologias de produção dos gêneros, na medida em que permitia a re-citação de ideais de gêneros normativos, de uma masculinidade e de uma feminilidade que precisam se repetir incessantemente para existir e se impor (Butler aplicada às imagens). Num nível metarreflexivo, o fato de levar em conta os gêneros deve dizer respeito também aos modos de análise praticados, ao gênero do espectador ou do analista, conforme propôs brevemente Teresa de Lauretis[39].

A ideia, segundo a qual os suportes visuais são cruciais na produção e na reprodução dos gêneros nas culturas ocidentais industriais marcadas pela circulação e comercialização em massa das imagens (inclusive as imagens artísticas), pode ser veiculada por disciplinas tão diversas quanto a sociologia, a história da

37 Griselda Pollock, "What's wrong with images of women", *Screen Education*, outono de 1977, n.º 24.

38 John Berger, *Ways of Seeing*, Harmondsworth, Penguin Books, 1972.

39 Teresa De Lauretis, "The Technologies of gender", *Technologies of Gender, Essays on Theory, Film and Fiction*, Bloomington & Indianapolis, Indiana University Press, 1987.

arte ou a antropologia clássica. Entretanto os estudos culturais ingleses e estadunidenses, bem como as abordagens feministas inspiradas neles, não se contentam com o fato de ser construtivistas ou de privilegiar o gênero como categoria de análise. Seja porque fazem empréstimos da filosofia dos direitos cívicos dos anos 1960 nos Estados Unidos ou porque se explicam em parte pela crise da identidade nacional inglesa do pós-guerra (Hoggart, Williams), esses estudos colocam questões suplementares, como a da representação das minorias ausentes ou "estereotipadas" do espaço público, do poder político da imagem e das representações. Tanto para as feministas como para os culturalistas, e *a fortiori* para as feministas culturalistas, as imagens devem, portanto, ser analisadas em função dos nexos de poder (de poder/saber, para os mais foucaultianos) que constroem (na relação com o público, com os destinatários, para os sujeitos que as observam, e levando em conta as possibilidades identificatórias que daí derivam ou não), em função de seu caráter desviante, das formas de resistência que suscitam (Hall[40], hooks[41]), de sua ressignificação possível ou, ainda, de uma possível proliferação de imagens que emanam das minorias.

A imagem, sua produção e sua análise não são puras. Ela não pode ser separada dos contextos e de suas ancoragens culturais, tal como fizeram acreditar o discurso estetizante e as diversas celebrações do artista baseado numa abordagem modernista e, com frequência, neokantiana da imagem, masculinista e elitista. A crítica feminista culturalista busca, pois, evitar o obstáculo do formalismo, do recurso exclusivo a uma disciplina ou uma terminologia, quer se trate da "análise da imagem da mulher" ou das recentes reformulações de uma crítica feminista do visual. Pois, se é verdade que nossa modernidade se construiu, ao mesmo tempo, a partir da invisibilização e da estereotipização de seus exteriores constitutivos (mulheres, mulheres no trabalho, escravizados, colonizados, "primitivos", classes perigosas, desviante

40 Stuart Hall, "Encoding/decoding", *Culture, Media, Language*, Stuart Hall, Dorothy Hobson, Andrew Lowe & Paul Willis, (orgs.), Londres, Hutchinson, 1980.

41 bell hooks, "The oppositional gaze", *Race and Representation*, Boston, South End Press, 1992. [No Brasil, o livro completo se encontra editado: *Olhares negros: raça e representação*. Trad. Stephanie Borges. São Paulo: Editora Elefante, 2019.]

sexuais e de gênero, mulheres pretas e prostitutas) e se é verdade também que a construção do olhar e a explosão do desenvolvimento das próteses do olho no século XIX (cinema, fotografia...) contribuíram ativamente para esse processo, a análise de uma imagem deve ser concebida, genealogicamente, em função de um grande número de regimes de visibilidade específicos e da produção de todo tipo de saber, assim como de todo tipo de suporte em que o visual é prova de "verdade".

De modo a testar as diferenças e os limites dos quadros teóricos e políticos usados pela análise feminista da mulher e do visual, proponho operacionalizar para a análise de *Anatomy of a Pin-Up* de Annie Sprinkle dois de seus instrumentos principais: o "*male gaze*" e o "fetichismo". Começo com uma abordagem feminista inspirada na semiologia e na psicanálise estrutural que se nutre da abundante literatura da "teoria do filme", que fez sucesso nos anos 1970-1980[42]. Paralelamente, uma abordagem feminista pró-sexo será desenvolvida. A dimensão pró-sexo não é articulada enquanto tal nos textos críticos atuais de análise do visual. A análise feminista pró-sexo será realizada aqui em estado de esboço, mas deixará entrever suficientemente o reposicionamento que provoca na noção de "fetichismo", recontextualizando-a e ressexualizando-a a partir do fato de levar em conta as culturas e sexualidades S/M, em suas relações com a construção da raça e da classe na época moderna. Ela permite, em especial, que sejam levados em conta na análise da fotografia de Sprinkle um elemento como as "*botas que levam 19 minutos para amarrar*", a imprensa masculina e as culturas pornográficas, frequentemente mais demonizadas do que estudadas pelas abordagens feministas essencialistas e desconectadas das culturas minoritárias feministas pró-sexo, das quais faz parte Annie Sprinkle.

42 Para um bom panorama, ver a retomada de uma seleção de artigos da revista *Screen* em *The Sexual Subject: A Screen Reader in Sexuality*, Londres, Routledge, 1992.

Anatomia do inferno patriarcal

Para muitas mulheres e feministas, essa *Anatomy of a Pin-Up*, de Annie Sprinkle, é um concentrado da "mulher objeto". Quando não postulam a interiorização da alienação das mulheres pelas mulheres causada por esse tipo de imagem, certas análises feministas de hoje, assim como as dos anos 1970, insistem na objetificação generalizada de que as mulheres são vítimas e à qual remete a maior parte das imagens publicitárias e das representações artísticas. Uma análise marxista materialista, de inspiração sociológica ou antropológica, explica o porquê dessa circulação das mulheres-objeto na sociedade patriarcal. As mulheres são apenas moeda de troca em sociedades forçadas a uma exogamia controlada, que serve para proteger do tabu do incesto. Por mais válida que seja, essa análise emperra diante da maneira de produção das significações e dos gêneros numa imagem, de seus códigos ou do dispositivo visual que ela aciona.

A retomada da teoria freudiana e lacaniana do fetichismo (isto é, de uma teoria da formação e da aceitação da diferença sexual), reforçada por uma análise crítica do "*male gaze*" (do olhar masculino) tal como proposta por Laura Mulvey[43], veio sanar parcialmente essa falta de especificidade e acrescentar um elemento singularmente ausente das teorias freudianas e lacanianas, que de fato atribuem uma importância exorbitante ao olhar em suas diferentes metapsicologias da constituição da personalidade. Freud e Lacan são obcecados pela visão da presença, do tamanho, da denegação do pênis e do falo. Uma vez que o consumo e a circulação de imagens de mulheres feitas para suscitar uma excitação sexual são construções masculinas para um olhar masculino, a crítica feminista estrutural de inspiração psicanalítica analisa de que maneira "o inconsciente patriarcal" estrutura os modos de olhar e o prazer de olhar. Esse deslocamento da análise da imagem para a análise do olhar ou dos olhares (*look*) é fundamental na análise feminista e nas análises culturalistas.

43 Laura Mulvey, "Visual Pleasure and narrative cinema", *Screen*, v. 16, nº 3, outono de 1975.

Em termos freudianos, revistos por Laura Mulvey, a *Anatomia da Pin-Up* satisfaz, portanto, duas funções essenciais: um "instinto" escopofílico, definido por Freud como o prazer que consiste em assujeitar os outros pelo olhar, e que permite torná-los objeto; uma "pulsão fetichista", reservada aos homens, que lhes permite fazer da mulher o suporte da denegação da castração. Retornamos sempre a esse ponto, como parece indicar a própria Annie Sprinkle, ao apontar "o triângulo maldito" com a mão direita. A mulher remete à possível ausência do pênis e, portanto, à tão temida castração que desencadearia mecanismos de denegação. A mulher como um todo se torna, pois, um objeto, um fetiche, no sentido em que lembra e mascara essa possibilidade.

A repartição dos papéis e dos olhares em função dos gêneros, proposta por Mulvey em análises do filme hollywoodiano a partir de Hitchcock e de Sternberg, também poderia ser operante na análise da fotografia de Annie Sprinkle. Segundo Mulvey, "os três olhares" que compõem o "*male gaze*" (eixo diretor/ator, eixo ator/atriz, eixo ator/espectador) são ativos. A masculinidade não pode ser o suporte da objetificação (sexual). Esse é um destino reservado à mulher. Cabe ao homem, portanto, fazer a narração avançar nos filmes, ao passo que a mulher é a imagem, o espetáculo por excelência (seu "*to-be-looked-at-ness*"): "Em seu papel tradicional de exibicionista, as mulheres são a um só tempo olhadas e oferecidas". O voyeurismo investigativo dos filmes de Hitchcock ou o estilo contemplativo dos filmes de Sternberg fazem da mulher uma pausa para o espetáculo, fora da diegese. Os longos e repetidos *close-up* no rosto de Marlene Dietrich, nos filmes de Sternberg, as interrupções em certas partes do corpo, o código da ilustração anatômica ou da foto da "moça nua em pelo" alimentam essa fixação pela feminilidade despedaçada. À primeira vista, a fotografia de Annie Sprinke responde perfeitamente a essa fixidez, ao cenário da mulher oferecida, convidativa, "sedutora", que sobressignifica a disponibilidade sexual, não sem uma boa dose de humor que faltou a Jacques Henric[44] quando

44 Jacques Henric, *Légendes de Catherine M.*, Paris, Denoël, 2011 e *Catherine M.*, L'Enchanté, 2004.

fotografou Catherine Millet, "sua mulher", nua em pelo nas estações de trem e nos campos, após o sucesso de seu romance *La Vie Sexuelle de Catherine M.* As fotografias de Henric são exemplares de um dispositivo fotógrafo/modelo típico da retaguarda de certas obras de vanguarda. Na versão lacaniana do "drama fálico", a mulher igualmente se reduz à condição de ser apenas o suporte da significação (ela é a falta, uma vez que o significante mestre é o falo), e não o agente da significação. A *Anatomy of a Pin-Up* coloca, portanto, a questão da subjetividade feminina e da "*agency*" (capacidade de agir) na representação. Para Mulvey e as análises feministas nela inspiradas, a resposta é inapelável: "o inconsciente patriarcal" sobredetermina a produção visual da diferença sexual, como a fotografia de Annie Sprinkle seria capaz de provar.

My fetish is rich

A retomada crítica feminista de Freud e de Lacan funciona. Talvez até bem demais. Encontramos aí o imperativo estrutural de origem dos patriarcas da psicanálise. Esse tipo de análise resulta numa visão quase estrutural da formação das imagens e das significações ao se tratar de representar a mulher e a feminilidade. A hegemonia do "*male gaze*" é tamanha que não conseguimos mais saber muito bem se ela é prova de uma dominação histórica ou se resulta do prisma analítico de partida que tende a reificar a binaridade da diferença sexual. O heterocentrismo dessa abordagem, reforçado por sua inserção na teoria psicanalítica freudiana e lacaniana, é igualmente restritivo, aspecto que as análises queer e feministas não deixaram de sublinhar. Com efeito, um dos pressupostos das análises feministas está em dizer que os homens não podem ser suporte da objetificação sexual e ocupar posições masoquistas, coisas que costumam vir juntas. Não apenas a psicanálise carrega a marca contrariada dessa possibilidade, mas, bem antes da realização do comentadíssimo calendário homoerótico da equipe francesa de rugby, a cultura gay pornográfica, que emerge com a chegada da fotografia reproduzível em larga escala, abunda em representações de rapazes tão exibicionistas[45] e sedutores quanto Annie Sprinkle. Embora eles não são colocados em cena por mulheres, podemos, contudo, considerar que ocupam um lugar codificado como "feminino", o que indica de passagem que gêneros e diferença sexual não coincidem, do mesmo modo que diferença sexual e relações de poder também não. A outra questão - bem mais embaraçosa e que, aliás, não deixou de ser colocada por outras críticas feministas - consiste em saber se é preciso admitir, seguindo Freud, que o fetichismo está reservado às mulheres.

A fragilidade e a fixação masculinista da aparelhagem psicanalítica clássica mal resistiram à crítica feminista (Brennan[46], Grosz[47], De Lauretis[48]). Isso se explicaria principalmente pelo fato de o fetichismo do pênis/falo se reduzir afinal de contas à postura de autorizar e enaltecer uma zona erótica ou corporal tendo em vista as necessidades da teoria, enquanto a teoria do fetichismo, nomeadamente em Freud, postula a extrema derivabilidade das zonas sexuais. Tomando a lógica fetichista psicanalítica ao pé da letra, basta direcionar a ela a ótima questão formulada por Anne McClintock: por que "Freud não explica por qual razão o objeto fetiche deve ser lido como um substituto do pênis (ausente) da mãe e não um substituto dos seios (ausentes) do pai?"[49].

Daí então se joga fora o bebê (o fetichismo) junto com a água do banho? Podemos levantar muitas questões sobre a força dessa noção na crítica feminista, podemos talvez até recolocar em questão toda e qualquer dependência em relação a uma psicanálise datada. Dito isso, estamos diante de uma imagem que

45 Ver Thomas Waugh, *Hard to Imagine: Gay Male Eroticism in Photography and Film from their Beginnings to Stonewall*, Nova York, Columbia University Press, 1996; Richard Dyer, "Don't Look Now", *Screen*, v. 23, n.º 3-4, setembro-outubro de 1982.

46 Teresa Brennan (org.), *Between Feminism and Psychoanalysis*, Londres, Routledge, 1989.

47 Elizabeth Grosz, "Lesbian Fetishism?", *Differences*, v. 3, n.º 2, 1991. Republicado em *Space, Time and Perversion*, Nova York e Londres, Routledge, 1995.

48 Teresa de Lauretis, *The Practice of Love*, Bloomington e Indianapolis, Indiana University Press, 1994.

49 Anne McClintock, *Imperial Leather, Race, gender and Sexuality in the Colonial Contest*, Nova York e Londres, Routledge, 1995. [No Brasil, *Couro Imperial: Raça, Gênero e Sexualidade no Embate Colonial*. Trad. Plínio Dentzien. Campinas: EdUNICAMP, 2010. A tradução do fragmento segue a versão para o francês feita por Sam Bourcier.]

decorre *a priori* de uma representação "fetichista" (no sentido trivial do termo) da sexualidade que data de 1991, mas que está muito presente na imprensa masculina e na pornografia atual. Elas mesmas feministas, Anne McClintock e Gayle Rubin têm razão ao lembrar que o fetichismo entendido como uma mera perversão psicanalítica é uma visão redutora incapaz de enxergar o todo de uma subcultura indissociavelmente sexual e social: a cultura S/M moderna, que surge no século xviii.

Em *Couro Imperial*, Anne McClintock mostra como essa cultura remete claramente às transformações industriais do capitalismo imperialista, com o surgimento nas metrópoles e na esfera doméstica burguesa de novos "casais" e de novas relações de poder: mestre/escravo, empregada/mulher burguesa necessariamente ociosa. Correntes, colares, espartilhos, luvas, botas: são muitos os fetiches, supostamente indumentários, que remetem claramente a relações de classe, gênero e raça e que alinham mulher sexual, prostituta, empregada e escrava. "Travestimento", "bondage", "fetichismo do pé", todas essas perversões "psicológicas" podem, assim, ser relidas sob um ângulo social e político, como *remakes* de scripts sociais geralmente marcados pela inversão dos papéis nos jogos sexuais inventados nessa época: o senhor faz as vezes do empregado doméstico ou do escravo, as mulheres (operárias) dominam os homens (burgueses). Nessa panóplia da paródia das relações sociais de dominação, as botas desempenham um papel particular, assim como numerosos objetos limítrofes (como as maçanetas, por exemplo), que servem para marcar a diferença entre público e privado, espaço público e espaço doméstico (a casa). A identidade da mulher vitoriana se constitui a partir de um higienismo e de um culto à limpeza fundado no apagamento do trabalho das empregadas, as quais devem se fazer tão invisíveis quanto possível dentro da casa. O "*dirty work*" e, em especial, o ato de limpar as botas (dezenas de pares por dia) são feitos durante a noite. Assim como o trabalho dos escravos, o trabalho das mulheres operárias é negado no contexto da metrópole, mas reaparece nos rituais S/M, que não por acaso se cristalizam nas figuras da domesticidade em geral: a empregada doméstica, o fetichista das botas, dos pés sujos e das mãos que limpam.

A presença dos acessórios da feminilidade "sexy" e da figura da dominadora/"puta" na fotografia de Annie Sprinkle merece, pois, que nos detenhamos e encontremos meios de analisá-la. Essa imagem fala tanto de classe quanto de sexo. A qual construção (vitoriana) da sexualidade e da classe e, portanto, da divisão entre as mulheres, remete justamente a suposta "vulgaridade" desse tipo de representação da mulher/puta (sabemos que a fronteira é tênue)? Quem amarrou as botas? Seria essa imagem necessariamente repulsiva para as mulheres, que jamais poderiam se identificar com ela? Ela funciona somente para um olhar masculino? Está sujeita ao "*male gaze*"? Aos fantasmas dos *business men* que saem de reuniões por eles presididas e entram em sessões S/M em que são pisoteados por dominadoras com saltos agulha? Estamos simplesmente diante de um ícone da dominação masculina? A simples presença do espartilho, símbolo do adestramento estético e corporal das mulheres denunciado pelas feministas de primeira hora, seria necessariamente patriarcal?

Pin-up therapy

Ao legendar o trabalho e apontar as ajudas necessárias para amarrar as botas e o espartilho, Sprinkle desnaturaliza a um só tempo a feminilidade e as relações de classe que são particularmente ambivalentes: é preciso esconder as tatuagens com luvas, mas, a partir do momento que uma mulher é "sexy", ela é uma "puta" ou uma desclassificada. Para usar os termos da crítica marxista, Sprinkle luta contra aquele fetichismo da mercadoria que nos faria tomar toda essa feminilidade como mágica e natural – ou simplesmente cotidiana –, apagando o trabalho e o tempo de preparação (19 minutos para amarrar as botas). Para usar os termos das teorias da performance, Sprinkle nos mostra que a performance da feminilidade e da puta é tão-somente uma repetição de códigos que é possível remeter ao destinatário. Nessa fotografia, o acessório está longe de ser próprio à feminilidade agressiva da dominadora. Entre a mulher, a dominadora e a puta, há apenas uma diferença de grau e de altura dos saltos. *Anatomy of a Pin-Up* também demonstra uma reapropriação do espartilho, que, de instrumento de tortura ou de auxílio médico, tornou-se o signo de uma feminilidade ativa e agressiva sexualmente na cultura fetichista – retomado por Jean-Paul Gaultier, que desenha os espartilhos/sutiãs de Madonna nos anos 1980[50] depois de ter se inspirado nos filmes B que mostram *lezzies* (lésbicas) masculinas, sexualmente agressivas, e *weirdos* (esquisitos), como em *She Mob*, de Henenlotter, lançado em 1968.

Assim, com habilidade, Sprinkle mistura os códigos e brinca explicitamente com o "*male gaze*", sobretudo a partir do eixo mulher ("fetiche", segundo Mulvey) e espectador masculino. Este é confrontado ao olhar direto de Sprinkle. É um dos códigos da foto de pin-up e da representação visual e moderna da puta: ela seduz e simula intimidade com o espectador. Mas, na fotografia de Sprinkle, é preciso contar com seu metadiscurso (as legendas), o que aponta claramente para a performance em possível cumplicidade com uma espectadora feminina ou feminista. Sprinkle se dedica, de maneira consciente, a uma completa ressignificação do *male geezer*, isto é, do dispositivo de endereçamento visual característico da foto de pin-up na imprensa masculina. Em sua origem[51], a pin-up, já bela e glamorosa, performava diante de seu "*geezer*", um homem de certa idade confortavelmente acomodado numa poltrona. Rapidamente utilizadas para fins publicitários, as imagens de pin-up foram sendo acompanhadas de legendas com duplo sentido comercial e sexual, do tipo: "*pick me up!*" "*how about you?*". Foi a revista *Esquire*, uma das mais antigas da imprensa masculina estadunidense, que, nos anos 1930, pediu aos desenhistas de pin-up para sumirem com o velho voyeur. Ele será metonimicamente substituído por um telefone, que desde então se tornou onipresente. As legendas, que estabeleciam a relação entre a pin-up e o leitor, foram sempre escritas de um ponto de vista masculino e para um público masculino, muito embora aparentassem emanar com espontaneidade de

50 Sobre a história cultural do espartilho e das suas ressignificações, ver Valerie Steele, *In the Corset, A Cultural History*, Yale University Press, 2003; *Fetish, Fashion, Sex and Power*, Oxford, Oxford University Press, 1996.

51 Ver a excelente análise de Despina Kakoudaki: "Pin up: The American Secret Weapon in World War II", Linda Williams (org.), *Porn Studies*, Durham & Londres, Duke University Press, 2004.

uma pin-up naturalmente sedutora. Sprinkle se reapropria desse lugar de enunciação, na medida em que escreve legendas de seu ponto de vista não para afirmar uma feminilidade qualquer, mas para denunciar a pretensa natureza da feminilidade. Ao fazer isso, ela visibiliza e devolve o "*male gaze*" e a feminilidade a seu teor performativo e sua historicidade. Como nos "*strip speak*", versão modificada do strip-tease tradicional geralmente mudo, em que ela toma a palavra para dar visibilidade ao voyeur mudo, escondido num sobretudo, nos *peep shows* da 42nd Street, ou em performances como o *Prometheus Project*, de Richard Schechner, no Performing Garage de Nova York, em 1985. Como nos ateliês *pin-up therapy* ou *transformation salon*, em que ela reúne, durante uma tarde, mulheres "ordinárias" que ela ajuda a se transformarem em pin-up: "Fico feliz por ter me tornado uma fotógrafa decente e poder assim oferecer às outras mulheres a terapia da pin-up. Sou capaz de fazer sair a puta/estrela pornô/pin-up que está nela e de imortalizá-la [...]. Só preciso é de uma boa maquiagem, uma cinta-liga, bastante cabelo, saltos altos, estilo e, o mais importante de tudo, uma boa luz".

O "*labour of love*", para retomar uma expressão utilizada na cultura radical do sexo, da qual Annie Sprinkle é uma das figuras mais magníficas, visa a tornar impossível o apagamento da construção social da feminilidade e do "sex appeal", ao mesmo tempo que explicita a proximidade da figura da puta e da mulher. As analistas feministas estritamente psicanalizantes ou feministas essencializantes, acadêmicas ou vitorianas, que defendem uma imagem unitária da mulher, frequentemente pura e dessexualizada, perdem a complexidade e a importância de uma imagem como *Anatomy of a Pin-Up*. Uma leitura feminista culturalista procura analisar a conivência entre culturas sexuais, representação ou produção da sexualidade feminina, e emergência das culturas que erotizam conscientemente as relações de poder e de classe. Não se deixa de criticar a construção da feminilidade e do olhar masculino ocidental nas imagens. Muito pelo contrário. Mas isso supõe que a análise feminista seja capaz de levar em conta o feminismo de Annie Sprinkle, artista, performadora, ex-atriz pornô, ativista e trabalhadora do sexo. De analisar gêneros e sexualidades. De não ser antissexo.

Aqui, as análises feministas se devoram entre si, uma mostra as insuficiências da outra e produz releituras permanentes, não apenas das imagens analisadas, mas também, e talvez sobretudo, das noções e das ferramentas, sejam ou não dedicadas à análise das imagens. Essa mobilidade metodológica pode ser explicada pelo objetivo primeiro dos estudos feministas e culturalistas: partir dos saberes situados e da crítica *in fine* de um sujeito social e erudito que nega a diversidade das culturas, dos pontos de vista e sua dimensão política, para chegar ao feminismo de um sujeito feminino que nega as diferenças entre as mulheres (de classe, de status e de sexualidade). A crítica feminista e a crítica culturalista atuais estão voltadas ao decentramento permanente do sujeito e dos objetos de análise, a uma infidelidade real com relação às disciplinas tradicionais, talvez mesmo às técnicas uniformes de análise da imagem. Alguns conseguiram ver nessas abordagens uma hesitação científica, ao passo que outros se aproveitam disso, que é uma forma de honestidade epistemopolítica.

S/M*

* Embora se aproxime do sadomasoquismo, mantivemos a expressão S/M pois Bourcier realiza uma distinção entre as duas noções, conforme a nota seguinte e, mais adiante, a seção "Homosadomaso: Léo Bersani, leitorde Foucault" [N.T.]

Irmãs de Sangue: o papel do S/M no sexo de risco entre as lésbicas de Eressos

Natalie Clifford Barney e Renée Vivien retornaram a Lesbos para transferir sua célebre e aristocrática casa de veraneio de Mitilene para Eressos, pequeno vilarejo popular e sem notoriedade literária situado no lado oposto da ilha, na costa sudoeste. Chegando ao bar lésbico oficial - o Marianna -, elas se encontraram no coração de uma Babel, em que o inglês rivaliza com o italiano, o grego, o alemão e, em certa medida, o francês. Desde os anos 1970, lésbicas oriundas de toda a Europa convergem aos verões para essa pequena estância balneária grega, formando uma comunidade efêmera dedicada principalmente aos prazeres da praia e do corpo.

Em agosto de 1998, realizei uma pesquisa autofinanciada sobre a percepção do HIV e das práticas de risco junto às lésbicas de Eressos. Na pesquisa, apareceu o papel desempenhado pelo paradigma S/M[1] na construção política e discursiva da sexualidade lésbica de risco entre as frequentadoras de Eressos.

Sexografia lésbica

Qual regime de enunciação se adotou durante essa pesquisa? Se não falo em regime de observação, é porque coletar dados sexográficos sobre comportamentos e representações sexuais não depende de observação ou de uma abordagem "objetiva".

1 Por paradigma S/M, entendo práticas sadomasoquistas e cultura sadomasoquista tal como foram recodificadas pela cultura gay e lésbica nos anos 1980, assim como, mais amplamente, tudo aquilo que possa remeter a uma erotização reivindicada e consensual das relações de poder.

Não se trata de observação por ser muito difícil observar, no sentido literal do termo, cenas ou práticas sexuais. Isso é ainda mais verdadeiro no caso das lésbicas, que raramente praticam sexo em público e pouco frequentam, diferentemente dos gays ou dos homens e das mulheres heterossexuais, lugares públicos ou semipúblicos voltados ao sexo: saunas, banhos, *sex-clubs*, parques. Se a observação deve ter alguma relação com a objetividade, no sentido clássico do termo, isto é, com a promoção do olho ocidental racional – o fato de olhar, mais que agir ou se engajar numa interação –, se observar significa objetificar (cientificamente) um grupo ou uma amostra populacional, não me parece que essa abordagem seja a mais útil para apreender a sexualidade lésbica, isto é, comportamentos sexuais, mas também, e talvez principalmente, como as lésbicas pensam em sexo/pensam a sexualidade.

A abordagem adotada ao longo de toda essa pesquisa tampouco tem a ver com a observação participante – evitarei nomeá-la assim, para explicitar o aspecto colonial irrefletido dessa formulação. Uma certa tradição sociológica e antropológica requer a neutralidade, o olhar frio e o silêncio sobre si mesmo durante as diferentes etapas do processo chamado de "observação" (entrevistas, visitas de campo). Mais que olhar ou observar, falei e agi com as pessoas que entrevistei.

Nas entrevistas, sempre mencionei desde o começo que poderia explicar, de um ponto de vista tanto pessoal quanto profissional, as razões que motivaram minha pesquisa sobre as lésbicas e o HIV. Ser "objetiva" não tinha a ver com preservar ou tomar "sua" distância ao longo da entrevista e/ou da análise. Busquei recorrer à análise do discurso e à análise semiológica de modo a "decriptar" não apenas o material das entrevistas, mas também minha própria posição numa situação de enunciação específica. Assim, direcionei a análise tanto para o conteúdo das entrevistas quanto para a maneira como falei de sexualidade com as pessoas que entrevistei e para as dificuldades que surgem ao falar de sexualidade lésbica. Afinal de contas, eu era uma lésbica falando com outras lésbicas[2]. Como lembra muito bem Ralph Bolton[3], apesar do costume de se pensar que os "homossexuais" não podem estudar "a homossexualidade" porque a abordagem se tornaria automaticamente distorcida, o que acontece na realidade é o contrário, ainda mais especificamente no caso da pesquisa sobre a sexualidade, os gêneros e as culturas sexuais. Sem contar que ninguém imaginaria defender esse mesmo raciocínio em relação a um heterossexual estudando a heterossexualidade. A pesquisa, portanto, deve ser efetuada de preferência por alguém que pertença à subcultura sexual que ele ou ela analisa, mesmo porque nenhuma das lésbicas que entrevistei teria falado da mesma maneira com um homem ou uma mulher heterossexual.

Entre as quinze lésbicas entrevistadas, tive contatos sexuais com cinco. Essas situações sexuais não estavam planejadas. Fazem parte do trabalho de campo tanto quanto os outros tipos de interação que aconteceram durante a pesquisa. O fato de ter relações sexuais com os entrevistados também é considerado uma distorção. Por quê? Seria a prova de que a sexualidade é e deve continuar sendo sempre uma questão privada, como todo mundo sabe, mas também de que a fronteira entre a esfera privada (a sexualidade) e a vida profissional (falar da sexualidade ou analisá-la) deve ser mantida de maneira a cumprir o papel do bom sociólogo ou do bom antropólogo? E também a prova de que é justamente a situação sexual que serve de limite para decidir o grau aceitável de "comprometimento" do antropólogo? Quer dizer, então, que o binarismo privado/público deve coincidir homologamente com esse outro binarismo igualmente carregado: o corpo e o espírito? Ter contatos sexuais seria necessariamente subjetivo demais, enquanto a observação ou a fala poderiam ser garantias de objetividade?

2 Nessa época, Sam Bourcier, hoje autoidentificado como homem trans, se reconhecia como uma mulher lésbica e assinava seus textos como Marie-Hélène Bourcier. [N.T.]

3 Ralph Bolton, "Mapping Terra Incognita: Sex Research for aids Prevention, an Urgent Agenda for the 1990's", Gilbert Herdt e Shirley Lindenbaum, *The Time of aids, Social Analysis, Theory and Method*, Newbury Park, Sage Publications, 1992.

Seria necessário alargar mais a problemática epistemológica e política suscitada pelos pares "objetividade/subjetividade", "sujeito/objeto"[4], mas o que posso dizer é que, para mim, foi extremamente simples me auto-objetificar e analisar meus encontros sexuais nesse contexto. Falando e agindo, pratiquei aquilo que eu chamaria de uma sobrerreflexividade privilegiada para uma ocasião tão ortodoxa de objetividade. A sobrerreflexividade pode ser definida como uma maneira de se auto-objetificar tanto quanto objetificamos os outros. Ela permite tirar proveito de um tipo de experiência e de um nível de subjetividade que não podem ser reduzidos a um ponto de vista pessoal ou individual. Essa maneira de abordar a sexografia pode ser qualificada como "queer"[5], na medida em que se trata também de tirar proveito de uma construção discursiva característica – histórica e socialmente – da cultura gay e lésbica. Ela pressupõe a existência de um ponto de vista gay ou lésbico, de uma sobrerreflexividade gay ou lésbica que se desenvolve a partir do momento em que os gays e as lésbicas, antes objetos de categorizações disciplinares, tornam-se os sujeitos de sua identidade, produtores de teorizações e de representações específicas, sobretudo em matéria de cultura sexual. Esse recurso "pessoal", coletivo e crítico abre perspectivas diferentes e cria novos recortes epistemológicos e metodológicos.

Duas contribuições concretas dessa abordagem merecem nossa atenção. As formas de interação praticadas me permitiram compreender melhor a complexidade da rede de trocas sexuais que existe em Eressos e dispor, então, de outros critérios para escolher as pessoas a serem entrevistadas. Se extraí informações desses encontros sexuais – nem todos datavam do verão de 1998 –, é necessário dizer que esses encontros não partem de uma lógica do interrogatório que buscaria medir a distância

4 Os discursos etnológico e antropológico deveriam ser colocados em questão, como tantos outros regimes de saberes-poderes que produzem concepções universalistas e humanistas sobre um sujeito cognoscente que é preciso desconstruir a partir das recentes elaborações da teoria pós-colonial.

5 "Queer", nesse contexto, significa abordar a reflexão sobre as sexualidades e os gêneros, tirando proveito de pontos de vista e de proposições metodológicas e teóricas não heterocentradas.

entre aquilo que pode ser dito e aquilo que pode ser feito. É difícil dispor de dados sexográficos, não exatamente porque as pessoas "mentem" sobre a sexualidade ou o sexo seguro[6], mas porque é difícil produzir relações exatas dos encontros sexuais em geral, mais ainda ter condições de chegar a uma descrição deles a partir da ausência de scripts sexuais[7], sabendo que os scripts sexuais lésbicos são raros, que a lista de sexemas lésbicos ainda não foi feita e que o repertório sexual lésbico alimentado pela experiência pessoal e referências fílmicas, literárias ou televisivas, para citar só algumas fontes, ainda é limitado.

Gênero e *safe sex*

Em 1998, cerca de 3 mil lésbicas foram a Eressos. Vinham da Alemanha, Inglaterra, Itália e Holanda. Como nos outros anos, as francesas e espanholas eram poucas. As pessoas entrevistadas eram italianas, alemãs, gregas e inglesas, entre as quais estavam duas italianas soropositivas que vinham a Eressos regularmente, uma vez por ano, há seis anos.

A noção de segurança em Eressos deve ser apreendida fora do quadro restrito das práticas sexuais e do contexto histórico que engendrou a colusão segurança/HIV. É impossível não levar em conta a anterioridade da significação cultural e política dessa noção em relação com o espaço, problemática central no feminismo e no feminismo lésbico, que criticaram a construção de gênero heterocentrada dos espaços públicos e domésticos. Prova disso é a questão da criação de espaços separatistas ou não mistos, que se repete anualmente em discussões sobre a delimitação da praia lésbica em Eressos. Eressos é um lugar mais seguro para as lésbicas em busca de relações sexuais, se comparamos

6 Fiz questão de traduzir "*safe sex*" por "sexo seguro" [*sexe sûr*], porque essa denominação é positiva e não privativa, como poderia ser "sexo sem riscos"; além disso, corresponde melhor à significação cultural e política que a noção de segurança abrange para as mulheres e lésbicas. Essa escolha de tradução corresponde também a uma vontade de marcar a diferença que existe entre a cultura sexual das lésbicas e a dos gays.

7 Utilizo aqui o conceito de "script sexual" na definição dada por J. H. Gagnon e W. Simon em "Sexual scripts: Permanence and change", *Society*, n.° 22, 1984.

com os países em que vivem no resto do ano, principalmente quando se trata de países mediterrâneos como Espanha, Itália ou Grécia, onde aquilo que se convencionou chamar de "visibilidade", isto é, a prática ou a reivindicação manifesta de suas práticas sexuais e/ou de sua identidade lésbica no espaço público ou familiar, é mais difícil ou menos desejado que em países como Inglaterra, Alemanha ou França (em certa medida), que são mais marcados pela cultura anglo-saxônica do *coming out* ou sair do armário. Uma lésbica originária de Mitilene me relatou que tinha amigas lésbicas que haviam sofrido tratamentos de eletrochoque a pedido dos pais quando descobriram que a filha não era hétero. Eressos também é vista como mais segura, na medida em que ali é menos sensível à estigmatização das práticas sexuais entre moças "de mesmo sexo", por razões ao mesmo tempo culturais e linguísticas. Manifestações lesbofóbicas explícitas dirigidas às "estrangeiras" são raras, e as veranistas não gregas geralmente nada entendem de grego. Esse ganho de segurança favorece potencialmente um número maior de ocasiões sexuais. A maior parte das lésbicas entrevistadas diz ter proporcionalmente mais parceiras sexuais em Eressos que no lugar em que mora, mesmo em contexto urbano.

No que diz respeito às técnicas de sexo seguro em relação ao hiv, percebe-se muito rapidamente que são os grupos de lésbicas feministas, bem como os grupos S/M (*Lesbian Sex Mafia* de Berlim, por exemplo), que importaram o "*safe sex*" estadunidense[8] na Alemanha e em Eressos. As alemãs, em sua maioria, descrevem os primeiros lugares que frequentaram onde era possível encontrar luvas ou *dental dam*. Nesses ateliês educativos organizados geralmente por mulheres e para mulheres no circuito militante feminista ou feminista pró-sexo, a preocupação com a transmissão do hiv não era central, largamente eclipsada por uma única palavra de ordem: estar segura (*safe*) a cada relação sexual.

8 Essas técnicas englobam, por exemplo, o uso de luvas de látex para a penetração e de barreiras dentárias (*dental dam*) para o contato boca/genital; mais raramente, encontra-se também o uso de plástico filme em todo o corpo, como nos raros filmes pornôs de sexo lésbico seguro realizados nos anos 1990 (*Safe is Desire*, de Debhi Sundhal, 1993).

Essa maneira de promover o sexo seguro à moda estadunidense, e não o sexo com redução de riscos, é também o resultado de uma situação epistemológica mais global que podemos considerar que pouco evoluiu: há uma falta de informação, talvez devêssemos dizer até uma falta de saber[9], tanto no campo médico quanto militante, no que diz respeito à transmissão sexual do hiv entre mulheres. A equação informação = poder, popularizada e politizada por grupos de luta contra a aids, como o Act-Up, não se voltou para as mulheres de modo geral. O discurso lésbico sobre o risco com relação ao hiv se estruturou em torno dessa falta de informação sobre a transmissão. Ainda é preciso realizar pesquisas sobre as lésbicas europeias e o hiv, mas não se acha financiamento. Enquanto esperamos por isso, é possível compreender por que o sexo seguro à moda estadunidense foi promovido de maneira tão forte pelos grupos S/M europeus.

O sexo seguro radical como metáfora política

A importância das políticas sexuais é capital para apreender não apenas a relação das lésbicas com sua sexualidade e com os gêneros, mas também como essa relação foi mediatizada (no sentido de mediação) por uma cultura feminista que contribuiu amplamente para abalar a fronteira entre privado/público, para dar uma dimensão política e social ao corpo e à sexualidade, mas também para gerar normas sexuais e dessexualizar mulheres e

9 É nos Estados Unidos que a pesquisa médica e epidemiológica se encontra menos subdesenvolvida. Ver D. Garcia, S. Mills et al., "Lesbian and bisexual women: indications of high-risk behaviours with men", International conference on aids (Berlin, 1993); G. F. Lemp, M. Jones, T. A. Kellogg et al., "hiv seroprevalence and risk behaviors among lesbians and bisexual women in San Francisco and Berkeley", *American Journal of Public Health*, n.° 85, 1995. Um estudo foi feito na Itália: F. Fora, P. Gioannini et al., "Seroprevalence, risk factors and attitude to HIV-1 in a representative sample of lesbians in Turin", *Genitourinary Medicine*, n.° 70, 1994. Sobre a transmissão por via sexual entre mulheres, ver Brigitte Lhomond, "Les risques de transmission du VIH chez les femmes ayant des rapports sexuels avec des femmes", *Transcriptase*, n.° 46, junho de 1996; R, Raiteri, R. Fora e A, Sinicco, "No HIV-1 transmission through lesbian sex", *Lancet*, n.° 344, 1994. Embora o risco sexual possa ser considerado muito fraco para as lésbicas, não se pode dizer o mesmo sobre o risco social, como muito bem destacou Brigitte Lhomond, "Lesbiennes: un risque moins sexuel que social", *Journal du Sida*, n.° 43-44, 1992.

lésbicas. Para os grupos S/M ingleses e alemães que surgiram nos anos 1980, propagar o que chamaremos de sexo seguro radical (isto é, uma concepção de proteção sexual obrigatória e contínua) pôde funcionar como uma maneira de reafirmar a existência das lésbicas por oposição às feministas heterossexuais ou às lésbicas feministas antissexo[10]. Tratava-se de ressexualizar as lésbicas, opondo-as a um modelo homossensual que se tornou dominante, sobretudo com o feminismo essencialista: o modelo da lésbica identificada como mulher e não lésbica, associada a práticas sexuais dóceis e não violentas. Tratava-se também de criar um acesso aos registros de identificação masculina, associados a práticas sexuais como a penetração, a sexualidade dita "hard" e a sexualidade gay. Por fim, a prescrição do sexo seguro era também uma maneira de afirmar que a sexualidade S/M é segura. De fato, a problemática da segurança era um paradigma para as lésbicas S/M antes do surgimento do hiv e da aids, e elas já haviam tido a necessidade de se defender de acusações de abuso de poder por certas feministas e lésbicas feministas[11]. Não podemos deixar de constatar, mais uma vez, a que ponto a noção de segurança apresenta uma extensão cultural e política complexa para as lésbicas. Existe aí, no sentido e nos seus efeitos, uma diferença em relação à noção de segurança no caso dos gays.

As lésbicas de Eressos foram expostas a demonstrações de sexo seguro à moda estadunidense por intermédio de vídeos alemães. Em 1993, esses filmes foram projetados pela primeira vez num encontro lésbico não misto organizado à noite num clube ao ar livre, o Silvermoon, situado na estrada que liga a orla

10 A guerra do sexo (*sex war*) aconteceu abertamente nos países anglo-saxões. Mais tarde, nos anos 1990, ela se manifestou de diferentes maneiras, e de forma nitidamente mais discreta, nos países europeus. Sobre esse assunto, ver Lisa Duggan e Nan D. Hunter, *Sex Wars: Sexual Dissent and Political Culture*, Nova York e Londres, Routledge, 1995. Sobre a equivalência S/M = sexo e sobre a maneira como o S/M lésbico funciona como uma metáfora política, ver Marie-Hélène Bourcier, "De la dimension politique du SM", *Revue H*, n.° 4, primavera de 1997.

11 Ver Pat Califia, "A Personal View of the History of the Lesbian S/M community and Movement in San Francisco", *Coming to Power: Writings and Graphics on Lesbian S/M*, Boston, Alyson, 1981; Pat Califia e Robin Sweeney, "Safersex guidelines for leatherdykes", *The Second Coming*, Los Angeles, Alyson, 1996; R. L. Robin, D. Pagano, D. Russel et al., *Against Sadomasochism*, San Francisco, Frog in the Well, 1982.

da praia, Skala Eressos, à cidade de Eressos propriamente dita, situada a quatro quilômetros. A projeção aconteceu por iniciativa de uma das lésbicas soropositivas italianas, que teve a ideia, com outra lésbica italiana também soropositiva, de falar sobre sexo seguro. As lésbicas gregas e o conjunto das outras lésbicas presentes rejeitaram em bloco o modelo de sexo seguro promovido pelos vídeos.

No entanto, para uma das jovens lésbicas gregas que se identifica com todas as forças como, nas suas palavras, uma "ativista", apesar de ser raro na Grécia esse tipo de reivindicação, essa forma de praticar o sexo seguro queria dizer ser lésbica, até mesmo ser *freak* (um monstro), uma denominação que muitas lésbicas gregas e gregos heterossexuais utilizam para designar as lésbicas estrangeiras bastante codificadas, isto é, aquelas que usam cabelo curto, raspam a cabeça ou se enchem de piercings. Essa jovem lésbica havia sido informada das técnicas de sexo seguro por intermédio das lésbicas alemãs S/M que frequentaram Eressos nos anos 1990. Em 1997, por sua vez, ela começou um ateliê sobre sexo seguro no Antiopi, um hotel para mulheres que duas lésbicas, uma grega e outra alemã, tinham acabado de abrir. Para ela, essa era a oportunidade de promover o sexo seguro à moda estadunidense (utilização de luvas e de *dental dam* mesmo fora do período de menstruação) e de martelar slogans como "o vírus não conhece fronteiras", enquanto as duas lésbicas soropositivas, que assistiam petrificadas ao ateliê, defendiam meios de proteção diferentes: não utilizar luvas fora do período de menstruação e não fazer sexo quando uma das parceiras está menstruada. Em realidade, para essa jovem lésbica grega, falar de sexo seguro tinha mais a ver com uma metáfora política: uma maneira de estar "*out*", de ser uma lésbica visível por oposição à maioria das lésbicas gregas, que rejeitam tanto a obrigatoriedade da visibilidade ou das marcas identitárias ("as etiquetas") quanto o sexo seguro radical.

O problema é que, ao ser assumido por grupos lésbicos S/M ou por lésbicas à procura de identidade, o discurso sobre o sexo seguro radical perdeu de vista o corpo. Focado nos acessórios, luvas e *dental dam*, esse discurso tornou visível a proteção, mas não o corpo. Concentrou todas as atenções numa única substância: o látex. Ajudou a enfatizar o sexo oral (contato boca/xana) e um único vetor de transmissão do vírus: as secreções vaginais. O discurso sobre o sexo seguro se cristalizou, assim, em relação a uma prática de risco não elucidada: o *cunnilingus*, que era e continua sendo a principal fonte de dúvidas e medos para as lésbicas, principalmente para aquelas com quem pude conversar e que não haviam conhecido nenhuma lésbica soropositiva.

Não é um gosto pessoal pelo paradoxo que vai me levar a dizer agora que, se o discurso político-sexual europeu S/M perdeu de vista o corpo, o sexo S/M, no entanto, permitiu o acesso a uma representação realista do risco na sexualidade lésbica em relação ao hiv e que o sexo S/M pode ser considerado como o principal depósito de representações sobre os riscos reais aos quais as lésbicas estão expostas. Entrevistando lésbicas que eram soropositivas ou que haviam tido relações sexuais com lésbicas soropositivas, assim como "aventureiras sexuais" (lésbicas que, por volta dos trinta anos, contavam entre 50 e 150 parceiras sexuais), pude constatar que a maioria delas tinha alguma anedota sobre o sexo S/M. Faziam referência a uma percepção geralmente ameaçadora desse tipo de prática. Elas me contaram a história de uma moça que teria morrido em Londres durante uma sessão S/M, mencionavam cenas de sexo grupal perturbadoras, porque davam a impressão de que aquilo não era consensual.

De fato, todas essas histórias tratavam direta ou indiretamente de um sentimento de medo, de risco em geral, de perda de controle e de sangue. Nenhuma dessas lésbicas se identificava como S/M, e elas não frequentavam a cena S/M. No entanto, para todas elas, o risco maior em matéria de sexo lésbico era sem dúvidas o sangue. Elas se mostravam inclusive muito desconfiadas sobre o nível de risco atrelado às práticas sexuais orais e às secreções vaginais.

O S/M e a matriz do sangue

Por que, então, era necessário para essas lésbicas fazer referências constantes às práticas sexuais S/M? Para falar do sangue. Pois, além de o S/M integrar um vasto leque de práticas sexuais lésbicas, ele também dá acesso àquilo que deveríamos chamar de matriz do sangue, sexual e realista, na qual se torna mais simples falar do sangue que pode resultar de uma penetração (forte ou menos forte), do sangue que pode surgir nos dedos ou no dildo; do sangue resultante de práticas como o *cutting*[12] ou o *fist-fucking*[13]; do sangue que pode jorrar do corpo na vida cotidiana, ao cortar a mão, ao morder a bochecha ou quando sangram as gengivas; do sangue que pode ficar alojado numa seringa: as duas lésbicas soropositivas, que frequentam Eressos regularmente, foram contaminadas devido a um compartilhamento de seringa. O espectro da sexualidade S/M constitui um paradigma mais vasto e remete a uma outra percepção do corpo, englobando até práticas sexuais que não são oriundas unicamente da esfera da sexualidade S/M: por exemplo, os diferentes tipos de penetração. Nesse paradigma, é mais fácil evocar um certo tipo de sangue que deveríamos chamar de sangue lésbico, um sangue sexual por oposição ao sangue "natural" da menstruação.

Significante maior do sexo S/M, o sangue se tornou o significante maior da sexualidade lésbica e do risco lésbico. Ao autorizar uma representação sexualizada do sangue, o S/M lésbico lança luz sobre a substância e o vetor de transmissão que importa em matéria de proteção no sexo entre mulheres. É, aliás, a ênfase no esperma e nas secreções vaginais que explica como pode ter sido tão fácil excluir repetidamente as lésbicas do discurso oficial sobre a aids e sua prevenção[14]. Com efeito, a aids foi construída como uma doença sexual relacionada com uma substância máxima, isto é, o esperma, tanto para os heterossexuais quanto para os homossexuais. O sangue vinha em último plano, sendo o sangue sexual um tabu tanto nas relações heterossexuais quanto homossexuais.

Para as lésbicas de Eressos, na falta de informação confiável, sem a disponibilidade de uma representação clara e honesta das

12 Prática sexual que consiste em fazer cortes na pele.

13 Prática sexual que consiste em fazer uma penetração anal ou vaginal com uma ou duas mãos inteiras.

14 Diana Richardson, "The social construction of immunity: hiv risk perception and prevention among lesbians and bisexual women", *Culture, Health & Sexuality*, v. 2, n.° 1, 2000.

práticas sexuais e não sexuais de risco, mostrou-se mais fácil falar de sexo, de sangue e de risco passando pelo S/M. Desaguando numa representação mais vasta da sexualidade lésbica, as experiências S/M permitiram mudar o foco do látex para o corpo: um corpo tornado visível enquanto corpo total, suscetível de sangrar e de se abrir em múltiplos espaços e situações.

O sangue, *sex symbol* lésbico

Desse modo, falar de S/M é falar de visibilidade sexual, não só por conta dos acessórios, mas também por intermédio dessa substância tão visível que é o sangue. Debruçando-nos agora um pouco mais na história da representação da sexualidade lésbica, é interessante constatar que o papel desempenhado pelo paradigma S/M é parecido, em muitos sentidos, com o papel que tiveram os filmes de vampiro lésbicos[15]. A vampira lésbica é uma das representações de lésbica mais frequentes na história do cinema. Podemos encontrá-la dos anos 1930 até 1980, nos Estados Unidos, Grã-Bretanha, França, Alemanha, Bélgica, Espanha e Itália.

O sangue flui em cascatas nos filmes de vampiro "lésbicos" dos Hammer Studios, como *Carmilla, a vampira de Karnstein*, de Roy Baker (1970), *As Filhas de Drácula*, de John Hough (1971), ou ainda *Luxúria de Vampiros*, de Jimmy Sangster (1971). Acessórios S/M aparecem aos montes nos filmes de vampiros "lésbicos" do tipo B, principalmente nos do francês Jean Rollin, como *Le Viol du vampire* (1967), *La Vampire nue* (1969), *Le Frisson des vampires* (1970) ou *Vierges et Vampires* (1971), em que abundam correntes de metal, lanças e estupros coletivos. Os filmes de vampiro lésbicos em geral e a sexualidade S/M têm em comum o fato de possibilitarem o acesso a uma representação sexualizada da lésbica por intermédio do sangue, fluido corporal tornado visível e que passa a ocupar o lugar de símbolo do sexo. A isso é preciso acrescentar que os filmes de vampiro lésbicos e o sexo S/M não apenas propõem representações cruas do sexo lésbico (que nem são tão numerosas), mas que eles tratam também das relações de poder e dos papéis de gênero no sexo e nas relações lésbicas.

15 Andrea Weiss, *Vampires and Violets. Lesbians in Films*, Londres, Penguin, 1993.

O lesbianismo descrito como o resultado de uma interação infeliz entre uma lésbica e uma mulher inocente, de preferência jovem, é um dos estereótipos mais difundidos na literatura e no cinema entre o fim do século XIX e a primeira metade do século XX. A maior parte desses filmes evoca dinâmicas de poder que colocam em cena relações eróticas entre duas mulheres, nas quais uma delas – a predadora – se impõe sobre a outra. As práticas S/M lésbicas, por sua vez, originaram um discurso explícito sobre as relações de poder no sexo lésbico, questão que havia sido apagada pelas lésbicas e/ou mulheres feministas antipatriarcais.

Os filmes de vampiro lésbicos e a sexualidade S/M têm ainda outra qualidade: eles queerizam a cartografia tradicional dos gêneros. O beijo da vampira lésbica foi interpretado como a "essência" do beijo lésbico, na medida em que se baseia numa inversão de gênero[16], a boca passiva (associada à boca feminina) tornando-se a boca ativa (associada à boca masculina), que morde e penetra: "essa boca é ambígua. À primeira vista, parece reforçar a mentira segundo a qual a separação entre feminino e masculino é evidente [...]. Mas no lugar do orifício sedutor, promessa de rubra doçura, surge um osso perfurante. A boca vampira semeia a confusão [...], coloca em questão as categorizações de gênero sobre o que penetra e o que recebe[17]."

A mesma observação sobre a inversão dos papéis de gênero pode ser feita para um tipo de penetração forte que é geralmente classificada, pelas lésbicas, entre as práticas sexuais S/M. Em vez de se fazer visível pelo jato de esperma irrompendo do parceiro sexual ativo, a penetração lésbica pode se tornar visível pelo sangue irrompendo da parceira sexual "passiva". Novamente, o sangue se torna o significante principal do sexo lésbico, por oposição ao sangue "natural" da menstruação. Esse roteiro da penetração lésbica desfaz a dupla sequência da penetração masculina (penetração e ejaculação), sendo que as duas parceiras podem ser codificadas como masculinas: a que penetra e a que

16 Ver o retrato de Sadie Lee, *Hard On*, que eu escolhi para a capa da primeira edição francesa de Queer Zones 1.

17 Christopher Craft, "'Kiss me with those ruby lips,' gender and inversion in Bram Stoker's Dracula", *Representations*, outono de 1984, n.º 4.

exibe a marca visível da penetração. As práticas S/M lésbicas, assim como os filmes de vampiro lésbicos, dissociam o gênero do sexo "biológico" e enfatizam o aspecto ativo da sexualidade lésbica.

Em vista de todas essas interpretações plenas de gozo para o espírito perverso, seria desejável afirmar que o valor do sexo lésbico S/M ou dos filmes de vampiro lésbicos, enquanto formas subculturais, está no seu potencial educativo, e que eles puderam constituir uma poderosa fonte de autorrepresentação e de autocompreensão para uma minoria sexual tornada invisível ou visível, a depender dos quadros culturais dominantes em relação ao hiv e a certas práticas específicas de risco. Também seria possível concluir, num gesto bem pós-moderno, sobre o potencial subversivo do paradigma S/M, defendendo que, na falta de informação e de prevenção oficial, institucional e médica para as lésbicas, e apesar da recusa do sexo seguro à moda estadunidense, as lésbicas encontraram uma válvula de escape eficaz. Para as lésbicas de Eressos, o fato de evocar o sexo S/M foi realmente a única maneira de fazer referência a um risco percebido tanto no plano emocional quanto sexual, já que o S/M remete imediatamente às noções de poder, de perigo e de segurança. Mas essa evocação permanece vaga, até mesmo confusa, a partir do momento em que perdura a falta de discursos e de representações precisas sobre a maneira como uma lésbica pode contaminar outra (deixando de comunicar sua condição sorológica, por exemplo). Além disso, esse acesso à representação do corpo e do risco diz respeito a pouquíssimas lésbicas e não poderia substituir a informação e a prevenção. Para a maioria das lésbicas de Eressos, o sangue remete a um símbolo de perigo, ao mesmo tempo importante e impreciso, e é frequentemente percebido como uma substância fora de todo e qualquer contexto.

Caso pudéssemos saber quantas lésbicas se tornaram soropositivas e de que maneira, se as lésbicas não tivessem sido excluídas das categorias epidemiológicas, descobriríamos talvez que o sangue lésbico não é somente um risco específico, mas deve ser considerado como o vetor principal e transversal de transmissão entre as lésbicas. Aquelas que foram contaminadas por compartilhamento de seringa, pelo sangue sexual no sentido que definimos aqui e pela transfusão sanguínea são irmãs de sangue. Será que elas sabem disso? Dá para duvidar. Bissexuais, toxicômanas, trabalhadoras do sexo, as lésbicas soropositivas morrem pela indiferença e pela ignorância generalizadas.

Homosadomaso: Léo Bersani, leitor de Foucault

*"Se os Estados Unidos nos deram manuais (*The Leatherman's handbook*, de Larry Towsend, por exemplo, é um manancial), tivemos Navarre com* Loukoums *ou Guibert com* Les chiens*: total pertinência psicológica, zero tecnicidade."*

Guillaume Dustan, *Nicolas Pages*, Balland, 1999

As foucaultizações apressadas ou de massa presentes principalmente nos *cultural studies* anglo-saxões, o costume de transformar o autor d'*A vontade de saber* na referência central da teoria queer esconderam às vezes a relação que esta continua estabelecendo com a psicanálise. Em vez de ser friamente relegada à condição de mais um discurso disciplinar, a psicanálise (freudiana e lacaniana) suscitou muitas releituras críticas[18] (iniciadas, em larga medida[19], pelas teorias feministas) e permitiu, assim, espantosas reformulações globais pelos sujeitos perversos que ela soube tão bem objetificar. No fundo, aos defensores de uma concepção da perversão como vertente negativa da sexualidade dita normal, foi possível lembrar que a "norma" obtinha sua verdade-ficção aproximativa, e no fim das contas tão sucinta, a partir da dependência absoluta que ela mantém com as ditas perversões.

Léo Bersani se situa nessa prática da reescrita excêntrica e excentrada dos modelos do desejo e da perversão. No entanto, a forma como utiliza o discurso psicanalítico na leitura que propõe

18 Teórica feminista e referência da teoria queer, Judith Butler propôs várias releituras não heterocentradas da psicanálise. Ver principalmente o capítulo "Prohibition, Psychoanalysis and the production of the Heterosexual Matrix" em *Gender Trouble, Feminism and the Subversion of Identity, op. cit.* [No Brasil, *Problemas de gênero: feminismo e subversão da identidade*. Rio de Janeiro: Civilização Brasileira, 2003. Trad. Renato Aguiar.]

19 Ver Juliet Mitchell, *Psychoanalysis and Feminism*, Nova York, Pantheon, 1974.

do S/M segundo Foucault, e do S/M em geral em *Homos*[20], suscita, mais do que qualquer outra coisa, uma renovada vontade de: questionar continuamente o lugar hegemônico e heterocentrado que a interpretação e o discurso psicanalítico podem ocupar no campo do desejo e da sexualidade; fazer um chamado a uma epistemologia generalizada do armário psicanalítico; confrontar o discurso psicanalítico com outras teorizações da sexualidade e com a emergência de uma cultura sexual em que o *sling* disputa (e leva vantagem sobre) o lugar do divã.

Passando pelo *dark room*...

Foucault nunca se expressou publicamente sobre suas práticas S/M na França. Aliás, ele só foi "tirado do armário" [*outé*][21] S/M depois da sua morte. A primeira menção criptografada à sexualidade S/M de Foucault se encontra no *roman à clef* de Hervé Guibert intitulado *À L'Ami qui ne m'a pas sauvé la vie*[22], publicado pela Gallimard em 1990. Na obra, Guibert evoca um certo Musil, adepto do S/M, que é o próprio Foucault. Contudo, em algumas entrevistas que concedeu nos Estados Unidos[23], o filósofo já havia evocado positivamente as práticas S/M gays e lésbicas, empregando termos que davam a entender que tais práticas faziam parte das novas "formas de prazer" que ele reivindicava: "penso que o S/M é muito mais que isso (a revelação ou a descoberta de tendências sadomasoquistas enterradas profundamente no nosso inconsciente): é a criação real de novas possibilidades de prazer que não havíamos imaginado até então".

Ao mesmo tempo, Foucault sempre manifestou uma singular falta de precisão ao designar o que exatamente constitui as

20 Leo Bersani, *Homos*, Cambridge e Londres, Harvard University Press, 1995. Ver o capítulo intitulado "the gay daddy".

21 "*Outing*" é o gesto de revelar publicamente a orientação sexual de alguém, obrigando a pessoa a sair do armário.

22 Publicado no Brasil como *Para o amigo que não me salvou a vida*, trad. Mariza Campos da Paz, Rio de Janeiro, José Olympio, 1995. [N.T.]

23 Ver, entre outras entrevistas, "Sex, Power and the Politics of Identity", entrevista a Gallagher e Wilson, *The Advocate*, n.° 400, 7 de agosto de 1984. [Trad. fr., "Michel Foucault, une interview: sexe, pouvoir et la politique de l'identité", Dits et Écrits, Paris, Gallimard, tome IV, 1994.]

práticas S/M de que fala: "sabemos muito bem que o que essas pessoas fazem não é agressivo; que elas apenas inventam novas possibilidades de prazer utilizando certas partes incomuns do corpo [...]. O que as práticas S/M nos mostram é que podemos produzir prazer a partir de objetos bastante estranhos, utilizando certas partes incomuns do nosso corpo, em situações realmente extraordinárias etc."

Recuperando uma cena evocada por Foucault em uma entrevista a Jean Le Bitoux[24], Léo Bersani propõe deixar essa designação menos vaga, tentando imaginar o que fizeram, num *sex club* estadunidense, dois homossexuais suscetíveis a participar de uma nova economia dos prazeres: "eles tinham acabado de sair da Slot, antiga sauna sadomasoquista de San Francisco, hoje fechada, onde um deles (mas eles poderiam alternar os papéis durante a noite) se submeteu ao chicote e ao *fist-fucking*, feriu e queimou os mamilos do outro."[25]

De minha parte, vou aproveitar a relativa falta de clareza nas formulações de Foucault e propor uma ficção um pouco diferente. Afinal de contas, é sempre interessante estar na posição de achar saber o que, como dizem, as pessoas fazem na cama, ou melhor, fora dela, no *dark room*.

Há outras razões, em forma de pergunta, que justificam esse exercício. O que a expressão S/M engloba realmente? Será que as coisas não ficariam mais claras se diferenciarmos sadomasoquismo de S/M, o sadomasoquismo como categorização psicológica psicanalítica e o S/M definido pela cultura S/M como um jogo de encenação, uma erotização das relações de poder e/ou da dor[26]? O *fistfucking* é uma prática S/M? A resposta está longe de ser óbvia, principalmente se pensamos que um dos bons critérios de que dispomos para diferenciar o que é ou não S/M é a presença ou ausência do chamado sexo genital ou de contato sexual: como então qualificar a penetração de um ânus por um punho em um

24 Essa entrevista inédita, realizada em 1978, foi publicada em *La Revue H*, n.º 2, no outono de 1996.

25 O termo "*soumis*" ["se submeteu"] foi acrescentado pela tradução francesa [citada por Bourcier].

26 Sobre essas definições de S/M, ver principalmente Pat Califia, *Coming to Power. Writings and Graphics on Lesbian SM*, Boston, Alyson, 1981.

ambiente sexual gay? Se acompanhamos as descrições etnográficas feitas por Gayle Rubin da cena S/M de São Francisco, sobretudo do que acontecia na Catacombs[27], os *fist-fuckers* não necessariamente se consideravam sadomasos e vice-versa[28].

Se for preciso dar ainda uma última razão, eu diria, enfim, que me preocupa a forma como descrevemos o que "sabemos" da sexualidade, persistindo a tendência de reforçar os mesmos eixos de categorização: as práticas sexuais e a identidade, ou a dinâmica psicossexual geralmente combinada com uma visão dual da relação sexual e analítica. Gostaria, portanto, de acrescentar a esses critérios, que me parecem ao mesmo tempo psicocentrados e heterocentrados, outros elementos de apreciação, sugeridos por Gayle Rubin[29] e Eve Kosofsky Sedgwick, duas teóricas bastante representativas daquilo que a teoria queer é capaz de trazer sobre a construção do objeto sexualidades, no plural, sobre uma utilização da categoria da sexualidade como possibilidade de sair do regime heterossexual. Portanto, peguei emprestados de Eve Kosofsky Sedgwick, em *Epistemology of the Closet*, os quatro binarismos a seguir: singular/plural; autoerótico/aloerótico; orgásmico/não orgásmico; público/privado.

Voltando agora ao caso dos nossos dois rapazes, carregando no bolso todos esses critérios que mudam um pouco o eixo gênero/sexo geralmente utilizado para definir o objeto do desejo, é possível costurar a seguinte ficção: talvez eles não fossem só dois no *sex club*; um ou outro, talvez os dois, dão o rabo, um deles chicoteia vários outros, um ou outro, talvez os dois, se masturbam sem se ver, olhando uma cena de duas ou várias pessoas, e, se estivessem menos ocupados, ainda teriam feito muito mais coisas... E ainda tenho vontade de dizer que foram embora separados, o que bastaria para tirar as práticas S/M do

27 Catacombs era o nome de um *sex club* semissecreto de San Francisco, destinado à prática de *fist-fucking*. Funcionou de 1975 a 1981 e, mais tarde, de 1982 a 1984. [N.T.]

28 "The Catacombs. A temple of the Butthole", Mark Thompson, *Leather Folk: Radical Sex People, Politics and Practice*, Boston, Alyson, 1991.

29 "Thinking Sex, Notes for a Radical Theory of the Politics of Sexuality", Carole S. Vance (org.), *Pleasure and Danger. Exploring Female Sexuality*, Londres, Routledge, 1984; "Penser le sexe, pour une théorie radicale de la politique de la sexualité", *Marché au Sexe*, Paris, Epel, 2000.

modelo conjugal e binário no qual tentamos encaixá-las, para então analisá-las nos termos da psicodinâmica ordinária do casal.

Mas admitamos que eles foram embora de mãos dadas, para retomar o raciocínio de Foucault na versão francesa da história. A imagem de dois rapazes felizes, diz Foucault, bloqueia a máquina fantasmática de um passante ocasional: "Mas o que existe atrás da felicidade? Nossas potências explicativas não têm mais nada a dizer, e é isso que não é tolerado. Não existe angústia atrás da felicidade, não existe fantasma atrás da felicidade"[30]. Um raciocínio que Foucault poderia ter tido sobre nossos dois rapazes saindo do sex club Slot, como bem restituiu Léo Bersani. Segundo o autor de *Homos*, essa análise de Foucault remete à sua vontade mais global de despsicologizar a homossexualidade e a homofobia. Essa despsicologização faria eco à dessexualização que Foucault evoca, em outro lugar, sobre as práticas S/M. Mas o que se deve entender por despsicologização e dessexualização?

Despsicologização e dessexualização ou ressexualização contrassexual?

A questão que se coloca é saber se essas duas operações não foram descritas em termos não foucaultianos. A ponto justamente de construir um Foucault um pouco "paranoico radical", que tentaria se livrar de todo jeito, mas em vão, da psicologia. Mesmo que se consiga fazer da dessexualização o resultado de uma vontade, essa vontade consiste em se desfazer não do fantasma, mas do fantasma do "psi", isto é, do discurso psicanalítico sobre o sexo. E se a dessexualização se produz, não é exatamente porque assim quer Foucault, mas porque o regime disciplinar sobre o sexo – que é majoritariamente o discurso psicanalítico, devido ao fato de ele ter se fundado na possibilidade de objetificar, categorizar e interpretar atos sexuais – é cego. Daí essa impossibilidade, para alguns passantes, de saber o que vou chamar de ressexualização, da qual acabaram de se tornar culpados os dois rapazes da nossa história. Pois dessexualizar não é simplesmente desgenitalizar, mas ressexualizar, isto

30 *La Revue H*, *op. cit.*, n.º 2, outono de 1996.

é, reafirmar a indissociável relação entre sexo e elo social, sexo e aprendizagem, sexo e política, sexo e geografia.

A análise do que aconteceu no *sex club* pode continuar, resistindo à posição hegemônica do discurso psicanalítico, que produz as fobias de Foucault, e falando daí em diante de ressexualização, para evocar esse prazer "que podemos produzir a partir de objetos bastante estranhos, utilizando certas partes incomuns do nosso corpo, em situações realmente extraordinárias etc."

Essas práticas não se limitam a uma simples redistribuição das zonas erógenas. Podemos, inclusive, questionar a tendência a interpretar a dessexualização de que fala Foucault dentro dos limites do corpo físico. O sexo genital e/ou orgásmico perderia suas privacidades? Há dessexualização aí, somente em relação ao discurso sobre o sexo heterocentrado, somente no contexto de uma visão privativa que não é capaz de dar conta do surgimento de dildos e punhos no rabo.

O fato de essas práticas incomuns acontecerem em "situações realmente extraordinárias", em público e com várias pessoas, em lugares diferentes do quarto e da cama, vai de encontro ao costumeiro confinamento da sexualidade na esfera privada e doméstica. A ressexualização se traduz por uma relocalização e uma ressocialização que possibilitam surgir e se produzir de novo, ainda que de outra forma, a dimensão social, política e epistemológica do sexo[31]. Ela é sinônimo de contraproduções de práticas e de saberes diferentes, de criação de relações diferentes entre as pessoas que fazem sexo juntas. Como lembra Preciado

31 Ver, a esse propósito, as análises de Marc Siegel e Daniel Hendricksen sobre o gueto sexual representado nas histórias de Guillaume Dustan ("The Ghetto Novels of Guillaume Dustan", material impresso do seminário queer do Zoo, 4 de fevereiro de 1999): "A sexualidade no gueto de Dustan não é natural, é aprendida. Muito felizmente, o gueto tem muitos professores: os filmes pornôs, os amantes: 'Penso em Quentin porque foi ele que me ensinou a tirar o dildo antes de gozar, para não machucar o esfíncter' (*Dans ma chambre*, p. 34); os *sex-toys* e si mesmo: 'Isso eu mesmo aprendi sozinho' (*Dans ma chambre*, p. 34). Essa aprendizagem e as aptidões adquiridas dessa maneira são aquilo que confere à sexualidade seu valor emocional. Quando, depois de trepar, um cara diz para Guillaume que está 'emocionado', Guillaume pergunta por quê: 'Ele disse: porque eu fiquei de pau duro o tempo todo sem nem me tocar enquanto te fistava. Eu disse: é normal, porque você fez direito, quando eu dildava meu ex assim, ficava com o pau duro como um louco'" (*Dans ma chambre*, p. 109).

no *Manifesto contrassexual*[32], as delimitações espaciais e temporais, as divisões entre público e privado, doméstico e institucional impostas às práticas sexuais e aos lugares de produção de saber sobre o sexo dependem de uma arquitetura política geral que inclui a gestão do espaço e dos corpos. Todos esses dados são reconfigurados na ressexualização global que acabei de descrever e que podemos entender como uma resistência sob forma de contraprodutividade generalizada, como uma contrassexualidade, para retomar o conceito de Preciado, isto é, uma contraprodução de prazer e de saber contratual que visa a se desfazer do sexo enquanto tecnologia de dominação heterossocial. É isso que o passante "psi" não poderia ver nem saber...

Do *sling* ao divã, ou a psicanálise do chicote

Lendo as análises de Léo Bersani sobre o S/M, podemos apostar que ele não se encontraria nessa geografia contrassexual. Segundo ele, o S/M é profundamente conservador, pois apenas reproduz estruturas de poder opressoras, e não seria senão "pura psicologia". A análise dessas duas teses vai me conduzir a considerações mais gerais sobre esse regime específico de saber/poder que é o discurso psicanalítico.

Entre parênteses: em relação à questão do valor político ou subversivo que se deve atribuir à repetição das estruturas binárias e/ou heterossexuais, trata-se de uma problemática recorrente na crítica gay, lésbica, queer e até transgênero. A discussão interminável sobre a cultura butch-femme ou a cultura drag, para saber, por exemplo, se a repetição dos códigos da masculinidade e da feminilidade é algo subversivo ou não, é ilustrativa desse ponto de vista, principalmente nos debates sobre o filme *Paris is burning*[33]. Seria bastante interessante, aliás, se perguntar com Judith Butler em que medida a repetição e a exibição das estruturas de poder podem ter uma força performativa que não seja

32 Publicado no Brasil: Paul B. Preciado, *Manifesto contrassexual: práticas subversivas de identidade sexual*, São Paulo, n-1 Edições, 2014.

33 Ver Judith Butler, *Corpos que importam*, São Paulo, n-1 Edições/Crocodilo, 2019, e também Jackie Goldsby, "Queens of Language: Paris is Burning", em M. Gever, P. Parmar e J. Greyson, *Queer Looks*, Nova York e Londres, Routledge, 1993.

necessariamente conservadora. Uma força que viria do caráter contratual e linguageiro, e não só indumentário, das práticas S/M. O S/M não evidencia o caráter performativo do poder? Um poder entendido como performance, isto é, como "um processo de repetição que é possível desnaturalizar"[34]?

Mas, voltando à reprovação que Bersani faz contra o S/M em *Homos* – o fato de não propor uma mudança na estrutura das relações de poder –, os diferentes pontos de vista sobre esse assunto não se deveriam à concepção de poder que está pressuposta em cada caso? É significativo que, a partir do momento em que aparece o vocabulário da opressão para falar das alienações sociais ou outras, sejamos frequentemente confrontados a uma visão estrutural, e não relacional, estratégica, produtiva do poder. E podemos nos perguntar também em que medida não se trata de uma característica do discurso psicanalítico, principalmente lacaniano, que tende a promover uma visão extremamente estática e rígida do poder e da lei. O que é certo é que, numa acepção foucaultiana do poder, a estrutura do poder não necessariamente garante a perenidade da sua capacidade de opressão. Ou seja, mesmo que o S/M só faça retomar e repetir, isso não prejudica em nada seus resultados.

A adoção de uma concepção do poder muito severa deságua geralmente numa retórica da subversão, com uma figura estrangeira imposta à noção de poder produtivo: a revolução ou a imposição de mudar – nada menos do que isso – as próprias estruturas do poder ou o campo da opressão. Mas por que esperar do S/M o impossível e até um projeto político? Não estaria aí aquele tipo de proposição-armadilha reservada a todas aquelas e aqueles que construímos como margem?

Para quem for do "tudo é psicológico", admitindo que o S/M tenha a ver com a psicologia, por que deveria ele ter a ver unicamente com um discurso psicológico totalizante e que sempre acaba por condená-lo? É esse discurso que cria uma confusão entre suas próprias categorizações (o sadomasoquismo de Sade, Sacher-Masoch e Freud) e práticas contrassexuais abusivamente

34 Judith Butler, *Excitable Speech: A politics of the performative*, Nova York, Routledge, 1997.

psicologizadas e até patologizadas. Aqui é preciso questionar, novamente, a maneira pela qual o S/M pode ser construído como uma situação psicológica extrema. Quando Mark Thompson, autor de *Leather Folk*, evoca "sentimentos há muito considerados no campo da inferioridade ou de falta de segurança, de dor e de perda, de rejeição ou de abandono familiar, que vêm à tona durante uma sessão S/M", em que sentido isso remeteria a sentimentos estranhos ao sexo ordinário ou conjugal? Ou mesmo ao cotidiano do casamento?

Dizer que o S/M se construiu contra a psicologia é uma crítica produzida pelo discurso psicológico. Foucault não afirma que não há mais fantasmas nos *dark rooms*, o que acontece é que eles não são levados em conta por um discurso disciplinar sobre o fantasma. Eles podem inclusive ser o resultado de uma experimentação técnica ou de um trabalho (o trabalho da bunda, por exemplo), e não de uma disposição psicológica. É por isso que a cena S/M talvez engendre e proponha uma outra relação com a psicologia. Diferentemente do que ocorre no consultório do psi, a psicologia não é a teoria do S/M. Felizmente. Até porque o fato de atribuir privilégios exorbitantes à teoria e ao par teoria/prática, sem falar do par homem/mulher, é uma característica do discurso psicanalítico. A relação que muitos militantes do sexo ou praticantes do S/M têm com a psicologia é puramente instrumental. Em todo caso, a dimensão psicológica do S/M não toma a frente sobre outras dimensões, sobretudo da dimensão social dessa cultura sexual que pratica outras formas de objetificação e de saber-poder distintas daquelas propostas aos pacientes da *scientia sexualis*.

Esboço de uma epistemologia do armário psi

Com a subcultura S/M, estamos diante de um regime diferente de saber-poder sobre o sexo, que envolve as práticas, os lugares e a maneira como circula e se produz o saber sobre o sexo. Esse regime de saber-poder contrasta especialmente com o regime de saber-poder psicanalítico, e será realmente necessário fazer um dia a epistemologia do armário analítico. Seria possível começar distinguindo todos os níveis de saber que têm os pacientes como objetos em potencial: o excessivo recurso à (alta) literatura como referência, a teoria, a prática analítica, a interpretação, a literatura de caso, tudo acontecendo em espaços fechados e pagos que reforçam a privatização do sexual: passamos do quarto para o consultório do psi. Motivo em comum: o leito. Seria preciso questionar esse regime disciplinar que capitaliza em cima da severa manutenção da diferença entre teoria e prática, ignora os dados empíricos e descritivos, produz categorias heterocentradas, especialistas e praticantes que estabelecem relações hierarquizadas sancionadas por uma cultura do segredo e da seita. Um regime que, no contexto de uma economia fechada que tranca o indivíduo isolado dentro da relação paciente-especialistas, esvazia toda dimensão social e política. É possível dimensionar aqui toda a diferença que pode existir entre o armário psicanalítico e uma cultura sexual que se torna espaço de transmissão e de aprendizagem, e não lugar de repetição secreta das alienações.

Voltando à nossa visita ao *dark room*, o que estaríamos tentando fazer ouvir aqui seria então a voz de um sociólogo passante que não vê nenhum inconveniente em analisar os pacientes da psicanálise? Assistiríamos a uma simples mudança de ponto de vista a partir do momento em que o antropólogo ou o sexógrafo se metem no assunto das sexualidades? Não, não é tão simples assim. Uma evolução epistêmica e política não resulta de uma abordagem inter- ou multidisciplinar, nem de uma mudança da posição do observador. Nós assistimos a um desenvolvimento de culturas sexuais que não mantêm relações de dependência com os regimes da verdade do sexo. O S/M degeneriza, des-heterossexualiza, mostrando que é possível pensar a dita relação sexual de uma forma distinta da diferença sexual expressa por uma concepção binária e mesmo "biológica" do gênero. Muito provavelmente, o S/M lésbico permitiu a reação à dessexualização da mulher e mais ainda das lésbicas, assim como a resistência a esse lugar-comum paradigmático das teorias analíticas: a mulher como falta.

A crítica ao heterocentrismo do discurso psicanalítico e de suas categorias se efetua também, e principalmente, no plano epistemológico. Ela incide sobre um regime de verdade do sexo que produz modos interpretativos redutores (que definem posições de saber altas e baixas, excluindo outras possibilidades) e também é profundamente a-social e a-político. Finalmente, se a psicanálise francesa ignorou a teoria queer, o contrário não é verdadeiro. Inúmeros gays, como Léo Bersani, mas também feministas lésbicas, perguntaram-se qual seria a atitude a adotar em relação ao primado da psicologia e como queerizar a psicanálise. Surgiram daí posturas críticas que não são necessariamente se excluem mutuamente: a desconstrução (Judith Butler); a desestabilização, problematizando a disciplina (Gayle Rubin); a retomada e reescrita dos scripts teóricos e interpretativos do ponto de vista da perversão (Léo Bersani, Teresa de Lauretis, Kaja Silverman, Lynda Hart); e, para terminar, a repetição, com Pat Califia e alguns praticantes do S/M.

São muitas as posições críticas que visam a relativizar a posição hegemônica da psicanálise no campo do desejo e da sexualidade, bem como seu modo de produção do saber. Essas posições nos permitirão, talvez, uma inscrição eficaz contra as tentações totalizantes e uma concepção do simbólico desconectada da sua dimensão social e política: como diz Gayle Rubin, "uma relação simbólica específica que precederia toda vida social, seja ela qual for, me parece problemática". Gostaria de acrescentar, lembrando o que a instrumentalização da teoria lacaniana produziu concretamente na Assembleia Nacional e em outros lugares quando da discussão do PAC[35], da família e da filiação: "a imposição de uma relação simbólica especifica que denega sua dimensão política é problemática."

35 *Pacte civil de solidarité*, contrato que duas pessoas, de mesmo sexo ou não, assinam para firmar e organizar os princípios da vida em comum, estabelecendo obrigações e direitos. [N.T.]

Sade não era S/M, mas os Spanner e Foucault, sim

Para B., radikal flogger

Em 19 de fevereiro de 1997, o Tribunal Europeu de Direitos Humanos se deu ao trabalho de considerar o sadomasoquismo como prática sexual desviante[36]. Os guardiões europeus da lei decidiram contra Laskey, Jaggard e Brown, três ingleses que haviam sido condenados à prisão em regime fechado no seu país de origem por terem feito (em privado) práticas S/M. Os policiais britânicos já haviam executado uma ordem de busca e apreensão na casa deles, para confiscar gravações das sessões de S/M. O caso "Spanner" ["chave-inglesa"], como viria a ser conhecido, pelo próprio código utilizado para a ação policial, não nos deixa esquecer – como se fosse necessário – que a política sexual "está em tudo quanto é canto", que ela não é nem invenção nem fabricação das minorias sexuais militantes. A decisão do Tribunal Europeu nos informa sobre a dimensão política e histórica do S/M.

O S/M não é uma prática sexual em si, uma perversão fixa, como queriam Havelock Ellis e tantos outros ainda hoje, mas uma prática que faz sentido de certa maneira, em certo contexto, sob a condição de apontar a dimensão cultural e política da sexualidade e dos gêneros. Talvez não seja inútil voltar então ao S/M como prática político-sexual, tal como foi elaborada e reivindicada pelas bichas e sapatonas depois de Stonewall, na esteira da "revolução gay" dos anos 1970. Uma reflexão sobre o poder e o gênero em detrimento das feministas (essencialistas), um paradigma da subversão que atraiu Foucault de tal modo que se tornaria o primeiro filósofo a fazer apologia do

36 CEDH, Laskey, Jaggard e Brown contra o Reino Unido (19 fev. 1997, caso Spanner). Disponível em: <http://hudoc.echr.coe.int/fre?i=001-62580>.

fistfucking. Toneladas de equipamentos nas costas para passar o fim de semana, uma linguagem específica e rígidos códigos de vestimenta, tudo isso é o S/M, como é também uma parte nada desprezível da história lésbica e gay. O desenvolvimento das práticas S/M, nessa comunidade, não se resume a uma perversão pós-moderna. É um processo representativo da frequência dos conflitos e das problematizações que agitam a esfera homo: nem sempre essencialista, no sentido de que aqueles momentos de fixação identitária e de excessiva "rotulação" passaram frequentemente dos limites. Reafirmar a dimensão política do S/M significa também explicitar a mobilidade e a flexibilidade que podem existir na comunidade queer, reduzir o espectro do comunitarismo e do movimento identitário mal compreendido, sem deixar de lado uma reivindicação mais geral: é preciso combater as instâncias que ditam regras sobre nossos corpos e que tentam sexualizar exageradamente nossas práticas sexuais a fim de diminuir seu alcance político.

Considerando-se o que o Tribunal discute

O que demonstra exemplarmente a prisão confirmada pelo Tribunal Europeu de Direitos Humanos, no caso Spanner, senão o fato de que o âmbito privado também é político? Sem falar na ineficácia do argumento da proteção da vida privada. Na França, a gente adora se vangloriar da separação mantida entre público e privado, assim como tirar sarro dos países anglo-saxões que ditam regras sobre o *date rape* (estupro após um encontro entre pessoas que já se conheciam e se frequentavam) e que podem demitir um presidente por causa de um *blow job* (boquete). Mas é preciso constatar que o privado é sempre investido pelo Estado e que talvez fosse mais interessante inverter o sentido dos ventos, reafirmando *a contrario* a dimensão política e pública do privado, mesmo e principalmente no que diz respeito às questões "sexuais". Pois foi o caráter político do S/M, o fato de que ele seja capaz de gerar uma outra visão das relações entre pessoas, uma dimensão contratual diferente, para não dizer concorrente, uma outra concepção da violência e das relações de poder que motivou a severa decisão do Tribunal Europeu de Direitos Humanos.

As reflexões a seguir abrem mão voluntariamente do enquadramento imposto pelo raciocínio jurídico (situação em relação ao direito penal levada em consideração pela jurisprudência), forçosamente tributário da realidade jurídica. Trata-se aqui de simplesmente retomar o duplo discurso do tribunal (britânico e europeu), suas negações e suas contradições.

Retomando as principais conclusões

Estava claro, desde o início, que os procedimentos penais dirigidos contra Laskey, Jaggard e Brown entravam em choque com o artigo 8 da Convenção dos Direitos Humanos, ao constituir uma "ingerência de uma autoridade pública" na vida privada dos acusados. O problema juridicamente colocado não estava em saber se esta era legítima, uma vez que a lei prevê situações em que a ingerência é justificável. Nesse caso, era possível invocar "a proteção da saúde ou da moral" (§ 2 do artigo 8). Restava apenas debater o caráter "necessário da ingerência numa sociedade democrática". Evidentemente, a resposta dos juízes foi positiva e se concluiu pela não violação do artigo 8 da Convenção dos Direitos Humanos.

A decisão final e a maior parte dos outros julgamentos levados a cabo durante o conjunto do processo se apoiavam principalmente no segundo motivo: "a proteção da saúde", mas é claro que o julgamento se orientou de um ponto de vista moral. No último parágrafo da decisão, aliás, a corte deixa explícito que a proteção moral permanece como uma de suas prerrogativas, e que bastaria argumentar com base nela: "o Tribunal, assim como a comissão, não acredita ser necessário pesquisar se a ingerência no exercício pelos requerentes do direito ao respeito por sua vida privada poderia se justificar também pela proteção da moral. Essa constatação, no entanto, não deve ser interpretada como algo que coloque em questão o direito do Estado de procurar evitar a realização de tais atos (atos sadomasoquistas) em nome da moral" (§ 51).

O que o Tribunal rejeita

Primeira negação: o Tribunal se empenha em negar que "a violência" seja produzida pela sociedade – pródiga em relações de dominação e de poder –, atribuindo sua origem aos perversos e tornando-os responsáveis por sua difusão: "os encontros de caráter sadomasoquista [...] engendram e exaltam a crueldade [...], e a sociedade tem o direito e o dever de se proteger contra o culto da violência [...]. A violência sadomasoquista supõe uma certa crueldade da parte dos sádicos, assim como a humilhação das vítimas [...]. É perverso ter prazer com o sofrimento de outrem. A crueldade é bárbara" (§ 20[37]).

Como sempre, o ponto de vista é aquele do *top*, que o juiz prefere assimilar ao sádico-perverso. É evidente que, com essa concepção de violência, não existe lugar para uma discussão sobre a legitimidade e o caráter não necessariamente nocivo de uma prática sexual consensual. Os requerentes tentaram, sem sucesso, reivindicar a noção de "expressão sexual" (§ 39) junto ao Tribunal Europeu e enfatizar, ao mesmo tempo, o caráter contratual da relação sexual S/M. A todo momento, a violência que poderia ser qualificada como intransitiva ("os atos de violência que o Estado tem o direito de punir, comparáveis a atos de tortura", § 40), remetendo ao par fixo carrasco/vítima, foi equiparada à violência S/M, transitiva, remetendo ao par não fixo dominador/dominado, top/bottom [ativo/passivo], no contexto de uma relação que não é objetivante de maneira unívoca: o objeto pode se tornar sujeito, e vice-versa.

Segunda negação: o sádico não é sadomaso. O Tribunal não quis estabelecer uma distinção entre sádico e S/M. É, na verdade, a referência psiquiátrica que se delineia e se mistura ao fantasma: "perverso", "bárbaro", o sádico tem "práticas, no mínimo, curiosas" (§ 21). Embora não fosse possível encontrar nenhuma situação descontrolada no caso julgado, Lord Jauncey de Tullichettle tenta aterrorizar as pessoas, evocando possíveis "pulsões incontroláveis" como consequência da ingestão de excitantes. O tom é

37 Julgamento de 11 de março de 1993: a Câmara dos Lordes rejeita o recurso de Jaggard e Brown, confirmando a decisão do julgamento (R. vs Brown).

erudito, tentando dar veracidade a uma situação que, como é admitido explicitamente, nada prova que tenha acontecido: "um sádico levado pela excitação sexual, pela bebida e pela droga pode facilmente provocar um sofrimento ou lesões que ultrapassam o limiar do que a 'vítima' tenha porventura aceitado. A Câmara dos Lordes não tem como saber se, como no caso de outros sadomasoquistas, foi isso o que ocorreu..." (§ 21).

A dimensão contratual do S/M é, de novo, claramente apagada. Em nenhum momento é admitida a possibilidade de uma dinâmica que saia da lógica do sujeito totalmente "malvado" que constitui o sádico. O Tribunal não ousa estigmatizar os masos, talvez porque a suposta passividade deles constitua uma ameaça menor para a sociedade (daí a prevalência durante todo o julgamento, por exemplo, do par sádico/"vítima", e não sado/maso), ou resvale em algo que não pode ser dito (há homens masos). No caso dos sádicos, a coisa é mais simples, porque basta representá-los como criaturas tomadas por pulsões inadmissíveis e por uma violência incontrolável, que a sociedade teria o dever de controlar. Afinal, segundo um Lord Jauncey de Tullichettle, claramente tão bem-informado, os acusados estavam "*out of control*" e "parece que a ausência de acidentes graves se deve mais à sorte que ao discernimento" (§ 21).

O duplo discurso do Tribunal

É justamente na questão do controle que o Tribunal tropeça. Ele sustenta um duplo discurso sobre a organização. O Tribunal se recusará a admitir qualquer legitimidade ao aspecto organizado e contratual (controlado, portanto) das sessões, ao qual faz referência continuamente. Paralelamente, ele argumenta no sentido de uma zona generalizada. O fato de as sessões apresentarem certo número de regras e uma disciplina (a sabida existência de uma senha de segurança, por exemplo) acaba sendo uma faca de dois gumes, que suscita a ambivalência dos juízes. Isso porque é perceptível a existência de um efeito de espelho: a organização de uma sessão S/M na casa de Laskey, Jaggard e Brown não ficava muito atrás de uma luta de boxe (§ 29). Mas as lutas de boxe exigem uma "correta organização", assim como as penas de correção ou castigo legal[38]... Quando falamos em estrutura, falamos também em perigo, um poder organizado que será rapidamente estigmatizado através da acusação de proselitismo e da não menos secular acusação de corrupção da juventude: "o risco de proselitismo e de corrupção dos jovens constitui um perigo real" (§ 21). "Considerando-se o caráter organizado das práticas e o pequeno número de acusações que resultaram dos processos, a ingerência não era desproporcional" (p. iii). Dizendo-se magnânimo, o Tribunal reafirma sua capacidade de conter uma estrutura de poder rival: "levando em conta que as infrações cometidas pelos requerentes apresentavam certo caráter organizacional, as medidas tomadas para coibi-las não podem ser consideradas exageradas" (§ 49).

Ainda que tenha ficado provado o caráter contratual das práticas[39], ele se tornará letra morta, já que em nenhum momento o consentimento das "vítimas" poderá ser invocado como meio de defesa. Reivindicando seu direito à gestão dos corpos, dos castigos corporais e das lutas de boxe, o Estado é mencionado pelos interessados a partir do momento em que se apresenta como detentor do "direito incontestável de regular, pelo direito penal, as práticas que provocam danos corporais. É decisão do Estado o nível de dano que pode ser tolerado pela vítima que participa consensualmente dessas práticas" (p. iii).

Uma relação S/M fundada sobre certo tipo de jogo com o poder, a consensualidade e a segurança (um valor S/M que torna imediatamente sem sentido qualquer argumentação sobre o atentado à integridade física do S/M, apontando, pelo contrário, para a impossibilidade de inculpar os envolvidos de "agressões

38 "Nada [...] coloca em questão a reconhecida legalidade dos jogos e esportes corretamente organizados, das penas corretivas e dos castigos legais, das intervenções cirúrgicas justificadas, dos espetáculos que oferecem algum risco etc." (§ 29).

39 "Essas atividades eram livremente consentidas e realizadas em privado, aparentemente sem outro objetivo senão a busca do prazer sexual. Os sofrimentos eram infligidos dentro de certas regras, havendo inclusive uma senha que poderia ser dita pela 'vítima' para interromper a agressão; não foi ocasionada nenhuma infecção nem lesão permanente, assim como ninguém precisou de assistência médica" (§ 8).

e ferimentos[40]", "cumplicidade com agressões e ferimentos" e "ferimentos ilegais"), representa o verdadeiro perigo "prejudicial ao interesse geral" e, nesse sentido, é o modelo adotado pelo Tribunal. A resolução do caso, torcido e retorcido politicamente, faz referência a instâncias jurídicas e psiquiátricas: "os requerentes perderam seus empregos, e o senhor Jaggard precisou se submeter a um tratamento psiquiátrico" (§ 24). Nas suas conclusões, Pettiti, juiz francês, chama a atenção ao se encarregar de tecer a metáfora da contaminação: "a Conferência de Estocolmo destacou os perigos de um laxismo imoderado que pode levar da libertinagem à pedofilia ou à tortura. A proteção da vida privada é a proteção da intimidade e da dignidade da pessoa, e não a proteção da sua indignidade, tampouco a promoção do imoralismo delituoso."

O S/M como metáfora política de uma sexualidade radical sapatona e gay

S/M = Sexo. O S/M funcionou como uma metáfora política para mulheres e homens. Significando a radicalização da sexualidade sobretudo para as primeiras, ele também pode ser interpretado como uma reconquista dos signos da masculinidade pelos segundos. Existem várias maneiras de abordar as questões da chamada *sex war*[41], levada adiante pelas sapatonas S/M e pelas feministas estadunidenses ou inglesas nos anos 1980. Pode-se perguntar sobre a percepção do S/M no contexto feminista estadunidense e inglês e se o S/M é feminista. Aí está outra maneira de polarizar a reflexão sobre a argumentação feminista, e é isso que não farei. Mais do que saber o que significa o S/M para as feministas, prefiro reformular a questão: o que dizem o S/M lésbico, o Les Maudites Femelles – primeiro grupo de mulheres S/M criado em Paris, em 1997 – às feministas, mas também às lésbicas radicais antiqueer, anti-S/M e antidildo? E prefiro questionar, mais

40 A expressão "agressões e sofrimentos" [*coups et blessures*] designa "toda lesão ou atentado à integridade física infligida com o objetivo de prejudicar a saúde ou o bem-estar do outro" (§ 27).

41 Sobre as questões e a cronologia da *sex war*, ver Lisa Duggan e Nan D. Hunter, *Sex Wars. Sexual Dissent and Political Culture*, Nova York e Londres, Routledge, 1995.

amplamente, a relação entre imaginação sexual e política. O que dizem os panfletos anti-S/M, que exibiam mulheres cheias de suásticas nas coxas, distribuídos durante a edição do festival de filmes do Cineffable, em outubro de 1996, quando foi projetado *BloodSisters*, o filme de Michelle Handelman sobre a cena das mulheres S/M em São Francisco? Como o político - as questões ideológicas "internas" dos movimentos feministas e gays - poderia informar o fantasma S/M?

O que se destaca da *sex war* é que o S/M teve o papel de reivindicar pura e simplesmente a sexualidade, isto é, o S/M se tornou apenas o significante mais cáustico e chamativo... de uma sexualidade radical, por oposição ao tipo de sexualidade promovido, em sua maioria, pelas feministas. Uma sexualidade normativa e não raro apagada em proveito de uma sensualidade considerada mais adequada para as mulheres.

As teóricas do S/M, encabeçadas por Pat Califia[42], quiseram recolocar em pauta o fundamento "biológico" e naturalizante da sexualidade feminista/feminina. Não, as mulheres não são mais doces que os homens (sexo *versus* homossentsualismo). Não, as mulheres não são alheias ao poder. Eis que assim se recolocava em primeiro plano a questão do poder e seu exercício, problematizando novamente a equação poder = macho, assim como se restituía um dos combates centrais do feminismo: a igualdade na relação[43]. Em vez da utopia feminista que sonhava com um mundo fora do poder, as sapatonas S/M propuseram uma visão realista das relações intersubjetivas, das possibilidades de simbolizar (a partir dos papéis e encenações) um antídoto ao amor romântico (que separa amor e sexo), bem como de valores

42 Pat Califia é uma das fundadoras do Samois, primeiro grupo de sapatonas sadomaso estadunidense. Conhecida por suas posições e teorizações sobre o S/M, ele publicou um número considerável de artigos, ensaios e novelas. Ele organizou a primeira coletânea de textos publicada pelo Samois em 1981, *Coming To Power: Writings and Graphics on Lesbian S/M*, Boston, Alyson, e coorganizou, com Robin Sweeney, o segundo volume de *Coming to Power: The Second Coming, A Leatherdyke Reader*, Alyson, Los Angeles, 1996.

43 "Ficava chocada com a importância da dicotomia dominação/submissão no S/M e não estava certa de que isso pudesse ser compatível com a igualdade promovida pelo feminismo". Margaret Hunt, "Report on a conference on feminism, sexuality & power: the elect clash with the perverse", *Coming to Power*, *op. cit.*, 3. edição.

diferentes, a exemplo da honestidade. Julia Creet demonstrou como a honestidade é um valor essencial na novela de Pat Califia intitulada "The Hustler", presente em *Macho Sluts*[44]: "Ela [Jackie] me disse: eu não te amo. Eu [Noh] chorava, machucada, liberada, e respondi: pra mim tanto faz. Você nunca mentiu pra mim. Prefiro a honestidade ao amor. Que lema! Mas, sim, era essa a nossa ideia de amor. As pessoas que disseram nos amar nos fizeram sofrer coisas horríveis". Para Creet, "o que é buscado [nesse conto] é a honestidade, um tratamento transparente. A punição é mais digna de confiança que o amor, porque a retórica do amor mascara a ambivalência e a ambiguidade"[45].

Essa recusa dos postulados das feministas essencialistas permitiu às sapatonas S/M reafirmar a "natureza" social e cultural do gênero. Talvez o poder seja codificado como masculino nas nossas sociedades, mas ele pode ser reapropriado por todos e todas: as mulheres não devem ser excluídas do campo da masculinidade. As mulheres feministas que lutaram, no começo do século, para ter acesso a profissões até então reservadas somente aos homens falavam exatamente isso, e, para as sapatonas butch, a masculinidade faz parte da sua identidade.

Segundo Julia Creet, o movimento S/M lésbico pode ser interpretado também como uma luta contra a figura materna[46] moralizadora, que a corrente feminista antipornografia e anti-pro/sexo acabou encarnando: "um dos traços mais marcantes da literatura lésbica S/M e de muitos escritos que tratam do S/M lésbico é que não é a lei do Pai (a mulher enquanto falta) que é transgredida, mas o que eu chamaria de lei da Mãe, a Mãe feminista, a mulher enquanto moralmente superior". Opondo-se às feministas, as sapatonas S/M não se levantaram, portanto, contra a formação de uma nova lei simbólica abusiva e falogocêntrica. A resposta que deram não visava à reconstituição de uma ordem simbólica cujo acesso seria sancionado pela castração e o nome do Pai, para usar a terminologia lacaniana. Na verdade,

44 Boston, Alyson, 1988.

45 "Daughter of the mouvement: the psychodynamics of lesbian S/M fantasy", *Differences*, v. 3, n.º 2, 1991.

46 Essa também é a tese de Ruby Rich em "Feminism and Sexuality in the 1980's", *Feminist Studies*, v. 12, n.º 3, 1986.

as práticas S/M lésbicas permitiram se destacar da "mãe severa" e questionar a formação de uma lei simbólica abusiva, não S/M porque não consciente e não reversível. Uma maneira de afirmar a necessidade de subverter uma lei que não diz o próprio nome. O S/M desfaz uma metáfora política mais antiga, aquela que vê o lesbianismo como a prática das mulheres teóricas que frequentemente desempenham também o papel de mães.

Enquanto metáfora político-sexual, o S/M também serviu para os homens. É o que defende Edmund White, para quem o desenvolvimento das práticas e signos sadomasos nos anos 1970, formando o "sadomasoquismo"[47], pode ser compreendido, entre outras possibilidades, como a vontade de afirmar uma masculinidade[48] até então proibida aos gays a partir do momento em que passaram a ser majoritariamente representados, e até se autorrepresentavam, como seres efeminados[49]. Pode-se perguntar até que ponto o desvio pelo S/M era necessário para codificar a masculinidade. Provavelmente existiam alternativas do ponto de vista da representação para se opor à imagem do homo pré-stonewall, mas o mais chocante nessa história é constatar que, de fato, as sapatonas e bichas tinham uma pauta em comum, ambas questionavam o fato de a masculinidade ser terreno exclusivo da heterossexualidade, com uma repartição imposta dos gêneros correspondendo estritamente ao sexo "biológico". Desse ponto de vista, o S/M provavelmente apenas revela um dos aspectos mais perturbadores do universo gaylesbotrans: que o masculino e o feminino se dividem de maneiras distintas e não necessariamente se baseiam no sexo ou na sexualidade. Para surpresa geral, as lésbicas, trans, intersexo e gays não cansam de mostrar que os gêneros não são uma função nem do clitóris

47 Segundo Gayle Rubin, os primeiros bares para bichas amantes de couro apareceram em meados dos anos 1950, em Nova York, Los Angeles e Chicago. Em San Francisco, o primeiro bar desse tipo (o Why Not) só abre em 1960. É só nos anos 1970 que surgem associações ou grupos S/M politizados. A criação da Sociedade de Janus em San Francisco data de 1974; o grupo Samois surge em 1978 (Gayle Rubin, "The catacombs: a temple of the butthole", Mark Thompson, *Leather Folk. Radical Sex People, Politics and Practice*, Boston, Alyson, 1999).

48 Ver o artigo "sadomachisme" em *La Bibliothèque qui brûle*, Paris, Plon, 1997.

49 Edmund White, entrevista com MarieHélène Bourcier, *Têtu*, n.° 12, março de 1997. Ver também Edmund White, *States of Desire*, Londres, Picador, 1986.

nem dos colhões. E se é verdade que a cultura heterossexual é heterossexista, podemos compreender por que a masculinidade e o poder atrelado a ela foram proibidos às mulheres, às bichas e às sapatonas. O S/M, enquanto prática simbólica específica, permitiu o confronto direto com o poder, bem como permitiu tirar sarro dele, refigurando configurações político-sexuais tais como ativo/passivo, dominado/dominador, objeto/sujeito, quem é olhado/quem olha.

Trata-se de uma simples reprodução das normas e dos binarismos heterossexuais ou de uma imitação distanciada? Deslocamento das estruturas de dominação na esfera homo ou paródia instrutiva?

A utopia S/M segundo Foucault

Foucault respondeu a essas questões. Colocando, sem hesitar, as práticas S/M do lado da reprodução distanciada do poder, "não diria que ele (o S/M enquanto nexo estratégico) constitui uma reprodução, no interior da relação erótica, da estrutura do poder. É uma encenação das estruturas do poder feita por um jogo estratégico capaz de trazer um prazer sexual ou físico"[50].

Não é o caráter lúdico do S/M, no entanto, que motivou o investimento intelectual de Foucault em um tipo de prática tão conhecida por ele,[51] que conhecia até mesmo a subcultura que ela originou na costa oeste dos Estados Unidos[52]: "Após sua primeira visita à Califórnia em 1975, Foucault não escondia sua fascinação pelo leque de prazeres oferecido pela Folsom Street,

50 "Sex, Power and the politics of identity", entrevista com B. Gallagher e A. Wilson, 1982, *The Advocate*, n.º 400, agosto de 1984. Trad. fr. "Michel Foucault, une interview: sexe, pouvoir et la politique de l'identité", *Dits et écrits*, tomo iv, Paris, Gallimard, 1994.

51 Ver Hervé Guibert, *À l'Ami qui ne m'a pas sauvé la vie*, Paris, Gallimard, 1990. Trad. br. *Para o amigo que não me salvou a vida*, tradução de Mariza Campos da Paz, Rio de Janeiro, José Olympio, 1995.

52 Sobre o desenvolvimento da cena S/M lésbica e gay, ver Gayle Rubin, *op. cit.* e David Stein, "S/M's copernician revolution: from a closed world to the infinite universe", *Leather Folk, op. cit.* Ver também Pat Califia, "A personal view of the history of lesbian S/M community and movement in San Francisco", *Coming to power, op. cit.*

epicentro da cena do couro[53], então em franca expansão"[54]. Ele ficou igualmente fascinado pelo uso de drogas nas sexualidades S/M. Foucault pouco se vale da argumentação teórica ou militante que se desenvolve na cena S/M estadunidense. É apenas em raras ocasiões que ele evoca ou valoriza as inversões de poder (o *top* que se torna o *bottom*, o dominador que se deixa dominar) nas relações S/M, para diferenciar estas do sadismo ou do masoquismo ordinários, assim como das relações de poder e de dominação tal como se manifestam e são sentidas na sociedade: "o que me impressiona no S/M é a maneira como ele difere do poder social [...]. Nas relações de poder, a mobilidade é, pois, limitada [...]. Isso significa que as relações estratégicas entre os indivíduos se caracterizam pela rigidez. Nesse sentido, o jogo S/M é muito interessante, porque, mesmo sendo uma relação estratégica, ele é sempre fluido".

De fato, o filósofo das relações de poder e das estratégias de inversão de poder elaborou uma visão política muito pessoal do S/M, a qual se vale sobretudo de uma utopia discursiva. Para Foucault, a prática S/M favorece/deve favorecer a dessexualização, mas também, e de maneira mais paradoxal, a despsicologização, dando acesso a uma criatividade. A dessexualização é uma resposta necessariamente contrária aos saberes dominantes que impuseram a verdade do sexo e numerosas categorias sexuais. A questão é epistemológica; trata-se de se desvencilhar do discurso sobre o sexo e se desfazer da vontade de saber... dos outros. Aquela mesma cuja genealogia é descrita no primeiro tomo d'*A história da sexualidade*. Mas é preciso também se desvencilhar do discurso sobre o desejo, algo facilmente realizado a partir da prática S/M, já que Foucault a situa no campo do prazer: "o S/M [...] é a criação de novas possibilidades de prazer que não havíamos imaginado até então"[55]. É nesse ponto que Foucault e Deleuze divergem radicalmente.

53 No original, "*le centre de la scène cuir*". Aqui e em outras referências à imagem do couro ("*cuir*"), parece haver um trocadilho, via sonoridade, com o conceito "queer". [N.T.]

54 James Miller, *La Passion de Michel Foucault*, Paris, Plon, 1995.

55 *Dits et Écrits*, tomo IV, *op. cit.*

Escapar do desejo, construir o prazer, tal é a equação ideal para Foucault. O S/M rompe com a hermenêutica do desejo da obediência psicanalítica (o desejo a ser interpretado) ou ontológica (o desejo como revelação de um eu escondido). O S/M nos permite sair da esfera do desejo, cheia de discursos, para reivindicarmos uma sexualidade capaz de se criar a si mesma, inclusive nos seus desdobramentos sociais e políticos. Escapar do desejo, construir o prazer, destruir continuamente a identidade: *in fine*, o S/M – assim como o gay em devir – seria uma forma cultural e criadora que desfaz toda e qualquer veleidade identitária.

Halperin conseguiu chegar a uma versão feminista dessa estratégia de prazer – dessexualização/desgenitalização –, ao interpretá-la como uma prática de "re-erotização que faz do sexo masculino um lugar vulnerável, e não um objeto de veneração"[56]. Essa leitura semioperversa (os signos da masculinidade são utilizados para desvirilizar), à qual se acrescenta a dimensão performativa retomada por Butler (eu desempenho os papéis e mimetizo os códigos do gênero à exaustão), constitui de fato um dos quadros teóricos anglo-saxões frequentemente projetados sobre o pensamento de Foucault. Mas Foucault não se interessa pela des-generização – ou *gender fucking* –, isto é, não se interessa por esse jogo paródico e político com os signos da masculinidade que serve para criticar os papéis sexuais e sociais atribuídos ao masculino e ao feminino. Essa postura de evitar os gêneros é, aliás, um dos limites problemáticos do pensamento de Foucault. Tudo se passa como se, para ele, existisse apenas um gênero, o masculino homoerótico, para não dizer antigo, grego...

Os signos da masculinidade não são criticados, são cultivados para podermos nos inventar, diz Foucault, sem explicar precisamente a relação que existe entre essas duas operações. O que se pode dizer é que, em vez de uma flexibilidade do gênero, ele prefere o corpo liberado da referência à feminilidade: "essas parafernálias, todos esses emblemas da masculinidade não têm rigorosamente nada a ver com uma revalorização do macho enquanto macho [...].

56 David Halperin, *Saint Foucault: Towards a Gay Hagiography*, Oxford, Oxford University Press, 1995.

Ao contrário, serão usos do corpo que poderíamos definir como dessexuados, como desvirilizados [...]. Esse novo passo adiante nos liberta da ideia, estrategicamente interessante num certo momento, de que a homossexualidade masculina tem uma relação fundamental com a feminilidade [...] e, consequentemente, é preciso tentar pensar a homossexualidade como uma certa relação com o corpo e com o prazer que, para se tornar inteligível, não necessita se referir à feminilidade[57]".

O sujeito foucaultiano está bem longe do *gender bender*: ele não aproveita em nada a distinção entre sexo e gênero, que estabelece uma descontinuidade radical entre os corpos sexuados e os gêneros social e culturalmente construídos. O travestimento como forma de resistência simbólica e política lhe é estranho, ao passo que é um dos lugares mais familiares para os gays da subversão dos códigos da masculinidade e da feminilidade: "a partir do momento em que a masculinidade é concebida como uma comédia, um estilo puro, a impostura fálica é então exposta como tal e perde sua legitimidade, segundo os partidários do ato de se vestir de uma maneira específica (*drag*). Se seguimos essa lógica, a bicha que gosta de couro e a bicha louca cheia de frufrus podem ambas parecer pós-modernas, adeptas do pragmatismo, que desconstroem a identidade por dentro, de modo a não sacrificar o desejo no altar do essencialismo purista e puritano"[58].

Na verdade, Foucault tenta poetizar, no sentido etimológico (do grego *poein*, isto é, fabricar) e literário do termo, o campo do prazer, um campo que ele gosta de imaginar como virgem de construções, de estruturas e de significações. O prazer é essa palavra que não significa nada porque não lhe foi dado nada para dizer: "me parece que, utilizando a palavra prazer, que no limite não quer dizer nada, que permanece ainda, me parece, vazia de conteúdo e virgem de utilizações possíveis, tomando o prazer como nada mais que um acontecimento, um acontecimento que se produz, eu diria, fora do sujeito, ou no limiar do sujeito, ou entre dois sujeitos, nesse algo que não pertence nem ao corpo

57 "Le Gai Savoir", entrevista com Jean Le Bitoux, *Revue H*, n.° 2, outono de 1996.
58 Carole-Anne Tyler, "Boys will be girls: the politics of gay drag", Diana Fuss (org.), *Inside/Out*, Nova York e Londres, Routledge, 1991.

nem à alma, nem ao exterior nem ao interior, não teríamos aí, tentando refletir um pouco sobre essa noção de prazer, um modo de evitar toda a armadura psicológica e médica que a noção tradicional de desejo trazia em si?".

Poeta do conceito mais que dramaturgo dos corpos, Foucault busca os vocábulos dos novos usos do prazer. Hermético, até mallarmeano, Foucault permanecerá sibilino[59] nas suas alusões às novas práticas sexuais e a uma topografia erótica transformada. A que correspondem então essas "certas partes incomuns do nosso corpo", às quais se dedicam os membros da subcultura S/M? O que são essas "outras fabricações extraordinárias de prazeres que os estadunidenses descobriram com a ajuda de uma ou outra droga ou de instrumentos"? O *fist-fucking* figura no topo da lista das novas formas de prazer segundo Foucault não como simples prática sexual, mas como forma cultural em relação com as formas e lugares de sociabilidade que suscitou (bairros específicos, saunas, reuniões para coleta de fundos, *sex parties*). Apesar disso, paradoxalmente, é a dimensão poética do S/M, e não sua dimensão teatral ou política, que o autor de *Vigiar e punir* mais valoriza.

S/M = *Death*

Na mesma ocasião, Bersani estigmatizou o conservadorismo do S/M e o investimento que Foucault fez nele[60]. Ao invés de contestar as estruturas de poder (simplesmente mimetizá-las não seria suficiente para se distanciar delas), o S/M as reforça e reifica. A crítica do poder deveria nos levar a questionar as estruturas bipolares ou binárias[61] da alienação (dominante/dominado), e

59 Sobre a resistência de Foucault em se fazer claro nas suas formulações sobre as práticas sexuais, ver Léo Bersani, "Is the rectum a grave?", *Aids: Cultural Analysis, Cultural Activism*, Cambridge Mass, 1988.

60 Léo Bersani, "The gay daddy", *Homos*, Cambridge e Londres, Harvard University Press, 1995.

61 "Se admitirmos que a reversibilidade dos códigos no S/M pode conter algum potencial subversivo, uma reversibilidade que recolocaria em pauta as concepções do poder repartidas 'naturalmente' conforme o sexo ou a raça, o que se pode dizer é que os adeptos do S/M respeitam fortemente a dicotomia dominação/submissão nela mesma", Léo Bersani, *Homos*, *op. cit.*, p. 85.

talvez nos levar até mesmo a sonhar com um exercício do poder diferente: "a alternativa a essa macaquice (o S/M) do ideal de dominação da cultura dominante não consiste em renunciar ao poder. A questão está em saber se podemos imaginar relações de poder estruturadas de outra maneira". É a psicanálise que alimenta a crítica de Bersani, e sua maneira de demonstrar o caráter nocivo do S/M se baseia numa interpretação neofreudiana que relaciona os vínculos da dinâmica S/M com a pulsão de morte: "a revelação mais radical e chocante do S/M é que os seres humanos são capazes de renunciar ao controle de seu ambiente a fim de atingir um certo tipo de simulação" [...] "O S/M derruba as defesas em relação à alegria que se pode experimentar com a dissolução de si" [...] "Permitindo que a realidade nua surja para além dos subterfúgios, o S/M atenua a repressão social. Mas, recusando-se a se distanciar das próprias estruturas de poder, em seu apetite pelo êxtase que essas estruturas prometem, o S/M torna-se cúmplice de uma cultura da morte".

Essa acepção de poder, segundo a qual ele produz a tentação da sua abolição ou da renúncia total, é tipicamente freudiana. Ela se articula em torno do primado do masoquismo sobre o sadismo, tal como se formula na segunda tópica freudiana[62]. Embora tenhamos aqui espaço suficiente para empreender uma discussão de teor psicanalítico, não o faremos. Seria uma perda de tempo, como é uma perda de tempo se deixar escandalizar pela equação final, para não dizer terminal, proposta por Bersani: S/M = *Death*. Ou, melhor ainda, S/M = prazer = *death*?: "o problema é que se o bondage, a disciplina ou a dor são fontes de prazer tão extraordinárias, poucas pessoas vão se contentar em se limitar aos encontros de fim de semana"! Como os juízes da corte britânica e europeia no caso Spanner, Bersani fantasia o S/M como uma prática sexual perigosa, já que incontrolável, enquanto se trata na realidade de uma prática sexual muito codificada, disciplinada e que recusa tudo aquilo que possa fugir do controle. O que

62 Ver a distinção entre masoquismo primário como comportamento agressivo voltado contra o sujeito e masoquismo secundário como comportamento agressivo voltado contra o sujeito resultante de uma inversão do sadismo primário. Para os textos de Freud: *Batem numa criança* (1913) e *Além do princípio do prazer* (1920).

reprovam e/ou recusam em relação ao S/M... é precisamente o fato de controlar. Encontramos aqui aquela mesma ideia de zona generalizada, que tem a ver com uma real ambivalência em relação ao fato de que o S/M possa ser organizado.

É melhor voltar a um dos postulados em que se baseia Bersani para psicanalisar o S/M e voltar também às leituras psi que ele inflige aos textos teóricos e militantes oriundos da cena S/M estadunidense. Mais que a ideia de que "tudo é psi" ou de "recurso à força universal da pulsão de morte", o que autoriza Bersani a moralizar o S/M é o fato de estabelecer uma continuidade entre o sadomasoquismo ordinário e as práticas S/M: "tirando os mestres e os escravos do seu contexto (as superestruturas e os critérios de raça), o S/M, a despeito de si mesmo, milita profundamente pela existência de uma continuidade entre as estruturas políticas de opressão e a economia libidinal dos corpos".

O que se recusa aqui é a conhecida ideia, teorizada e reivindicada na comunidade S/M, de que existe uma descontinuidade radical e uma diferença de natureza entre as relações de dominação (eróticas ou não) vividas na sociedade e as relações de poder/dominação ritualizadas numa cena S/M, entre as opções políticas dos S/M e seus comportamentos sexuais. Não há necessariamente uma continuidade entre as relações de dominação que um sujeito S/M possa ter experimentado fora da prática S/M e as relações de dominação que ele experimentará no contexto S/M. Bersani, ao citar aqueles adeptos do S/M[63] que evocam uma forma de continuidade fazendo referência ao caráter catártico ou terapêutico do S/M, reforça implicitamente a ideia de que o S/M não é nada além do sadomasoquismo freudiano e que o S/M psíquico é capaz de dar conta do conjunto de práticas S/M.

É em momentos assim, quando se abre o porão discursivo e epistemológico, que o giro crítico foucaultiano é necessário. O S/M continua sendo pensado dentro das categorias médicas e psiquiátricas do século XIX. A análise de Bersani permanece

63 Mark Thomson, introdução p. xvii e Robert, H. Hopcke, "SM and the psychology of gay male initiation: an archetypal perspective", *Leatherfolk*, *op. cit.*; Geoff Mains, *Urban Arboriginals: A Celebration of Leather Sexuality*, São Francisco, Gay Sunshine Press, 1984.

fortemente animada e inspirada por uma nomeação exógena: foi Freud quem juntou os termos sadismo e masoquismo... E foi Krafft-Ebing quem criou e introduziu em 1886... o termo masoquismo em *Psychopathia Sexualis*, fazendo referência a Sacher-Masoch, e o termo sadismo, em referência a Sade. Já não estamos em tempo de "traduzir" sadomaso sem recorrer nem a Krafft-Ebing nem a Freud? Grandes categorizadores diante da eternidade e dignos representantes de um saber/poder que até hoje causa estragos... Ao menos na França, onde não se passa um ano editorial sem que nos encham os ouvidos com um Sade que não era sadomaso, no máximo sádico? Basta reler algumas páginas d'*Os cento e vinte dias de Sodoma* para se convencer da diferença que existe entre uma relação S/M contratual e o sadismo literário: "Ela anuncia que os próximos são bugres que apenas querem assassinatos masculinos. Ele enfia o cano de um fuzil, carregado com metralha grossa, no cu do menino que acaba de foder, e dispara o tiro esporrando. [...] Ele lhe arranca os colhões e o faz comê-los sem que ele saiba; em seguida, coloca no lugar desses testículos bolas de mercúrio, azougue e enxofre, que lhe causam dores tão violentas que ele morre. Durante essas dores, ele o enraba, e as aumenta queimando-o por todo canto com estopins de enxofre, e arranhando-o e queimando-o nas feridas. Ele prega seu cu numa estaca muito estreita, e deixa-o acabar assim. Ele enraba, e enquanto sodomiza, abre o crânio, retira os miolos, e os substitui por chumbo fundido[64]".

Bersani omite que, no fim das contas, é muito raro encontrar nos textos de Pat Califia ou de outras testemunhas menos conhecidas da cena S/M uma justificação psicológica e/ou catártica para suas práticas. Que o texto de Juicy Lucy, do coletivo Coming To Power – referência na comunidade S/M lésbica e utilizado por Bersani – explicita a diferença que existe entre o S/M emocional e o S/M sexual. Que, no manual de S/M publicado por Pat Califia sob o significativo título de *Guide du S/M lesbien en toute sécurité* [Guia para o S/M lésbico totalmente seguro], fica claro

64 Marquês de Sade, *Os 120 dias de Sodoma*. Trad. Alain François, São Paulo, Iluminuras, 2006.

que o uso do S/M como terapia não é um objetivo em si[65] e que todo uso catártico/psi do S/M deve ser o objeto principal de uma escolha e de uma negociação entre parceiros[66].

Utilizar termos tão carregados, que não dizem respeito ao que são os S/M – sádicos, herdeiros diretos de Sacher-Masoch, mulheres no topo do masoquismo secular –, contribui para propagar confusão. Há mil e uma razões (como podem atestar bichas, sapatonas, sadomasos, bissexuais, transexuais, transgêneros, trabalhadores e trabalhadoras do sexo, minorias sexuais em geral) para se criar sua própria linguagem e optar por uma autonomeação, de maneira a se reapropriar do seu lugar de enunciação (que ninguém mais fale em nosso lugar) e de uma capacidade de saber (que ninguém mais saiba melhor do que nós o que somos e fazemos). Sem dúvidas seria politicamente interessante e pertinente, além de correto, substituir o sintagma "sadomasoquismo" por jogo de poder, *power play*, redefinindo perifrasticamente o S/M como "uma forma de erotismo baseada na troca consensual de poder", como propõe o coletivo Coming to Power. Ou, como mostra, de forma mais lapidar, a equação poder = confiança (*power = trust*).

Ao criticar o neofreudismo de Bersani, afirmamos que Foucault tinha razão de desconfiar da temível ciência/disciplina que a "psi" em geral continua sendo. Isso significa que, para acreditar no potencial subversivo e/ou crítico do S/M, tanto num plano pessoal quanto político, temos que aderir à utopia intelectual e discursiva foucaultiana? Esta última apresenta algo de pós-moderno e teleológico pelo fato de apontar para fora de um campo particular maldito: o da psicologia. A essa visão um pouco defensiva, podemos opor uma percepção mais modesta dos deslizamentos no interior dos campos de saber, a exemplo dos deslizamentos de terra. Quem fala "psi", e como? A voz do seu mestre, no artigo de Bersani. Mas e nas cenas S/M e nos tantos

65 "Ainda que os efeitos secundários do S/M possam ser experimentados como terapêuticos por algumas de nós, não é desejável transformar o S/M em uma terapia", Karen Johanns, "Channels of Communication or Emotional Safet: a View From the Top", *The Lesbian S/M Safety Manual*, Nova York, Lace Publications, 1988.

66 Cynthia Astuto e Pat Califia: "So U wanna be a sadist? How to make it hurt so good in one easy lesson", *The Lesbian S/M Safety Manual, ibid.*

artigos dos membros da comunidade S/M? Como não pensar que se produziu uma apropriação de conceitos oriundos da psicologia em amplo sentido, como "identificação", "figura paterna" ou "materna", "família", "pai e mãe de substituição", como mostra, por exemplo, a terminologia da cena *daddy*? Longe de serem ferramentas reservadas aos psicólogos e sexólogos, essas noções se tornaram os instrumentos preferidos dos S/M, e a exploração "mental", um de seus jogos prediletos. É nessa instrumentalização da psi, do saber e do poder psi que pode se revelar um potencial subversivo, e até uma estratégia de apropriação e de resistência. Para que ficar remoendo as reticências de Foucault quanto ao discurso psi, a partir do momento em que o lugar de enunciação desse próprio discurso mudou e não são mais apenas os médicos e os psicanalistas que podem formular e fazer uso da psicologia? E se uma das forças do S/M fosse – hoje – seu lado couro sintético e kitsch psi, a recuperação dos conceitos (uma psico pop sem psicotrópicos) e a criação de uma linguagem relacional, contratual e sexual específica?

BUTCH

Classificadas como putaria: quem escreve a história das Butchs/Femmes?

Uma assimetria recorrente marca a maior parte das apresentações da história e da cultura lésbica: ou se cria um impasse sobre as lésbicas das classes operárias, ou se faz de conta que a cultura butch/femme é uma especificidade dessas classes trabalhadoras, como se sabe, geralmente sexuais e perigosas. No caso de certos casais "de gênero hétero" pertencentes à média ou à alta burguesia, a atenção vai apenas para a parceira "feminina": Colette sem Missy. As boas maneiras mandam não ficar reparando na dinâmica do casal Stein-Toklas e, em vez disso, maravilhar-se com o faro de colecionador da autora de *Q.E.D*[1]. Fechamos os olhos para as gravatas e os ternos de Jane Heap, Solita Solano, Nancy Cunard, Thelma Wood, Sylvia Beach no campo, em suma, fechamos os olhos para "as próteses da butch", como diz Preciado[2]: o cavalo de Natalie Clifford Barney, a máquina de fazer lambe-lambe, a bicicleta, a moto, sem esquecer o cravo branco no bolso do paletó e o buldogue francês (pois é, já naquela época!). Mais perto de nós, podemos pensar no ícone que se tornou Elula Perrin como anfitriã da boate Katmandou, eternizando no submundo noturno os ternos completos brilhosos e o Rolls Royce branco de Aimée Mori, verdadeira gerentona da boate.

As machonas no armário

O fechamento no armário da cultura operária lésbica butch/femme se deve ao feminismo (incluído aí o feminismo lésbico),

1 *Q.E.D.* ou *Quod Erat Demonstratum* é uma novela de Gertrude Stein em que a autora explora o tema da sexualidade lésbica [N.T.].

2 Paul B. Preciado, "Prothèse, mon amour", Christine Lemoine e Ingrid Renard, *Attirances, lesbiennes butch lesbiennes fem*, Paris, Éditions Gaies et Lesbiennes, 2001.

e também às lésbicas pré ou pós-feministas oriundas das classes abastadas ou que adotam os códigos de historiadore.a.s, mobilizando discursos políticos e metodológicos que têm em comum o fato de objetivar ou instrumentalizar a história das culturas sexuais minoritárias com fins políticos e/ou intelectualistas. O uso que vai ser feito aqui da metáfora do armário deve ser compreendido na sua dimensão epistemológica e performativa, tal como descrita por Eve Kosofsky Sedgwick. A lógica do armário remete a um dispositivo de saber que se vale da censura produtiva, e não apenas de simples questões de apagamento (intencionais ou não): ["não é necessário fazer uma divisão binária entre o que se diz e o que não se diz; é preciso tentar determinar as diferentes maneiras de não dizer essas coisas, como se distribuem os que podem e os que não podem falar delas[3], que tipo de discurso é autorizado ou que forma de poder de decisão é requisitada para uns e outros. Não há um único silêncio, mas vários, e eles são parte integrante das estratégias que sustentam e atravessam os discursos]. A armarização é, em si mesma, uma performance iniciada enquanto tal pelo ato de linguagem que pode ser constituído por um silêncio – não um silêncio em particular, mas um silêncio que extrai sua particularidade de um funcionamento intermitente em relação ao discurso que o cerca e o constitui[4]".

Sem entrar em detalhes sobre a tendência monista e sobre o ideal monogênero do feminismo moderno, nem sobre as exclusões oriundas daí (a ausência do sujeito lésbico como sujeito do feminismo, que só pode ser o sujeito "mulher"[5]), tentemos ver como a armarização da cultura butch/femme deve ser analisada em função de um critério de classe (socioeconomicamente, sociossimbolicamente), sabendo que se trata de levar em conta a transversalidade entre classe, sexo e gênero, e não apenas de acrescentar o critério de classe à análise. A questão é retomar "as construções discursivas e os silêncios construídos no que diz respeito às relações entre raça, identidade e subjetividade nas práticas das homossexualidades

3 Entre colchetes, uma citação de Foucault feita por Sedgwick.

4 Eve Kosofsky Sedgwick, *Epistemology of the Closet*, Londres, Penguin, 1991.

5 Ver a crítica contundente de Monique Wittig sobre a exclusão da política lésbica do feminismo no texto intitulado "Les Questions Féministes ne sont pas des questions lesbiennes" e ver Marie-Hélène Bourcier, "Wittig La Politique", prefácio, *La Pensée straight*, Paris, Balland, 2001. Paris, Éditions Amsterdam, 2007, 2015, 2018.

e as representações do desejo entre pessoas do mesmo sexo[6]". Apesar de termos a tendência de esquecer, aí está a exata definição do posicionamento queer. Razão pela qual é inexato dizer que a "tendência" queer "encontra fortes oposições em algumas lésbicas e feministas, sobretudo as feministas negras nos Estados Unidos", na medida em que ela privilegiaria "os aspectos simbólicos, discursivos e paródicos do gênero, em detrimento da realidade material e histórica das opressões vividas pelas mulheres", como se pode ler no *Dictionnaire critique du féminisme*, publicado na França em 2000[7]. O sucesso ou a visibilidade de certa teoria queer universitária (principalmente a de Judith Butler) não deve esconder o fato de que a crítica e a identificação queer nasceram, em grande medida, das reivindicações das mulheres e lésbicas negras, desejosas de pôr um basta num feminismo puramente branco, burguês e heterocentrado – poderíamos falar até mesmo de um lesbianismo eurocentrado e pouco preocupado com questões de raça e de classe. O texto programático de Teresa de Lauretis que introduz as diferentes contribuições do primeiro número queer da revista feminista *Differences* trata exatamente disto: a tomada de consciência das diferentes diferenças – de raça, de classe, de gênero e de orientação sexual. Em seguida, as críticas que surgiram das feministas negras se levantaram não contra a insustentável leveza da teoria do gênero como performance, mas contra a crítica da identidade operada pela teoria queer. É verdade que esta última tachava um pouco rápido demais toda e qualquer abordagem identitária como essencialista. É com relação à questão política de um "essencialismo estratégico" que agem as minorias de cor (político-sexuais). No que diz respeito à crítica da identidade de gênero enquanto performance experimentada como descorporalizante, é preciso buscá-la junto aos e às transexuais, nas obras de Jay Prosser (*Second Skins: The Body Narratives of Transsexuality*[8]) e de Viviane K. Namaste (*Invisible Lives: The Erasure of Transsexual and Transgendered People*[9]).

6 Teresa De Lauretis, *Differences*, Brown University Press, v. 3, verão de 1991, p. viii.
7 No Brasil, a obra foi publicada em 2009, pela editora Unesp, sob o título *Dicionário crítico do feminismo*. [N.T.]
8 Nova York, Columbia University Press, 1998.
9 Chicago, Chicago University Press, 2000.

À primeira vista, poderíamos pensar que as lésbicas operárias foram enfiadas no armário porque praticavam um estilo social e erótico específico. Mas parece que a classe lésbica operária foi construída desse modo, como receptáculo único de uma cultura que não teria existido em outro lugar, por ao menos duas razões. Primeiro, pelo fato de restringir o acesso à qualidade de sujeito político às feministas burguesas. O critério de classe opera tanto político-sexualmente quanto político-simbolicamente: as lésbicas oriundas das classes operárias são pouco instruídas e, portanto, despolitizadas e, portanto, sexuais; ou então sexuais e, portanto, despolitizadas. O apego que manifestam pelo funcionamento butch/femme é a metáfora de uma preferência política antidemocrática, ao passo que, para a geração de feministas esclarecidas e socialmente emancipadas, o ideal de casal é a igualdade, frequentemente desdobrada em termos de igualdade profissional[10].

Querer esconder o fato de que a cultura butch/femme, enquanto um conjunto de práticas sexuais e de gêneros, existia também nas esferas burguesas, mas inserida numa economia do armário, tendo seus códigos de visibilidade/invisibilidade e de respeitabilidade, é a segunda razão que explica seu confinamento social pelas feministas e pelas lésbicas, politicamente ativas ou não. Pois a rejeição à cultura butch/femme é também a rejeição a certo tipo de espaço, aquele que marca claramente as não concordâncias com o sistema sexo/gênero dominante e que obriga a nem sempre fazer do sexo uma metáfora política.

As machonas na praia

Não deve ser por acaso que tantos esforços foram feitos para estigmatizar, de maneira conjunta, a cultura butch/femme e a cultura de bar, as lésbicas butch/femme e as "lésbicas de boate" [*lesbiennes de boîte*][11]. Essa denominação pejorativa é suscetível de designar de uma só vez as "machonas" [*Jules*], as "sapatonas"

10 "Para elas (mulheres da classe operária), um casal que funciona requer indivíduos dicotômicos, quer se trate de um homem e de uma mulher ou de uma butch e uma femme", Lilian Faderman, *Odd Girls and Twilight Lovers. A History of Lesbian Life in Twentieth Century America*, Nova York, Penguin Press, 1992.

11 Agradeço a Suzette Robichon por ter indicado a existência dessa denominação.

e as lésbicas não políticas nas décadas de 1970-1980. Aqui, utilizo essa expressão num sentido genérico, para evocar as lésbicas que frequentam o circuito lésbico noturno considerado popular. A cultura butch/femme enfrenta as regras da discrição de dois modos. Primeiro, ao associar à visível performance dos gêneros uma dimensão performativa, uma vez que se pratica uma autodenominação diferente, e que esta é proferida no intuito de marcar uma diferença. É justamente o caso de certas butchs nos Estados Unidos dos anos 1950, negras e brancas, que quiseram ser identificadas como "queer", sinônimo de "homo", o que indica a dimensão propositalmente não heterocentrada das culturas lésbicas ditas pré-feministas.

Em seguida, porque, contrariamente aos jardins privativos das lésbicas da Rive Gauche – onde, pode-se afirmar sem grandes riscos, só ocorriam teatralizações caseiras[12] à glória de Safo e das deusas gregas –, seria preciso mencionar os bares de Buffalo, mas também as praias de Riis Park[13] (e não as de Cherry Grove[14]) ou ainda, mais perto de nós, a de Eressos (e não as de Míconos[15]). Esses são espaços privados/públicos, ao mesmo tempo, espontâneos e abertos, expostos e não fechados; espaços de confrontação e de apropriação, e não esconderijos ou festas a portas

12 Sobre os *happenings* nos jardins privativos das lésbicas da Rive Gauche [margem esquerda do Rio Sena, em Paris, onde ficam alguns bairros universitários e progressistas], ver o capítulo V de *Women of the Left Bank, Paris 1900-1940*, Shari Benstock, Austin, University of Texas, p. 177-182.

13 Sobre a praia de Riis Park, ver Joan Nestle, "Lesbian Memories 1: Riis Park, 1960", *A Restricted Country. Documents of Desire and Resistance*, Pandora, 1996 (1ª edição, 1987).

14 Cherry Grove é uma das praias de Fire Island, uma ilha situada a sessenta quilômetros de Nova York e que passou a ser ocupada pelos gays e pelas lésbicas na década de 1930. Sobre a partida das "ladies", as lésbicas "*wasp*" que participaram da fundação dessa comunidade de veraneio, mas que deixaram a ilha após a chegada das "*dykes*", as lésbicas butch das classes operárias, ver Esther Newton, "Just one of the 'boys'", *Cherry Grove, Fire Island, Sixty years in America's First gay and lesbian Town*, Boston, Beacon Press, 1993.

15 Situada na costa oeste da ilha grega de Lesbos, Eressos se tornou a Meca das lésbicas europeias desde os anos 1970. As lésbicas gregas abastadas preferem passar as férias na ilha de Míconos, enquanto Eressos é frequentada pelas lésbicas (gregas ou vindas de outros países europeus) mais "chamativas" ou oriundas das classes populares: as "*freaks*". Em 2000, a prefeitura de Eressos tentou se livrar das veranistas lésbicas, ricas ou pobres, butch ou femme.

fechadas onde são requisitados "calças compridas e smoking"[16]. Colette fará uma descrição pouco benevolente desses lugares secretos de *cross-dressing*, que, no entanto, ela frequentava: "Em favor de insígnias tais como o peitilho plissado, o colarinho engomado, às vezes um colete, sempre uma pochete de seda, eu frequentava um mundo que perecia, à margem de todos os mundos. Se os modos, tanto os bons como os maus, não se alteram há vinte ou trinta anos, o espírito de casta, suicidando--se, minou pouco a pouco a seita debilitada da qual falo, que tentava existir, tremendo de medo, fora de seu ar respirável, a hipocrisia. Ela apelava à 'liberdade individual', colocava-se como igual diante da imperturbável e sólida pederastia. Ela se rebelava, mas apenas a meia voz, o senhor Lépine que sempre disse que não gostava de se fantasiar. Exigia festas a portas fechadas onde se comportava, vestida com calças compridas e smoking, da maneira mais civilizada do mundo. Entendia-se reservada a bares e salões de restaurante [...]. Seus proselitismos intransigentes não atravessavam a rua, não abandonavam o faetonte sem colocar, com o coração disparado, um grande e severo casaco de mulher da sociedade, o qual escondia o terno completo ou a jaqueta bordada".

A descrição de Joan Nestle sobre a ocupação feita pelas lésbicas da praia hétero de Riis, situada nos confins do Brooklyn – que não dispunha da segurança garantida por ilhas como Fire Island ou Cherry Grove –, não deixa nenhuma dúvida sobre seu caráter popular, político e sexual: "eu saía da rua 9 de manhã cedo aos sábados. Estava com meu maiô de banho debaixo do short. Ia até o BMT e embarcava numa viagem de duas horas, de metrô e de ônibus, que me levaria até Riis Park, minha Côte d'Azur, minha Fire Island, minha praia gay. Só lá eu podia estender minha canga e contemplar as butchs que passavam e competiam para ver quem conseguia levantar mais peso. Só lá eu podia ver tatuagens inchadas por causa da força dessas mulheres [...]. Eu me sentava na beira da minha canga, atenta ao menor contato, a qualquer movimento ao redor de mim, observando as curvas da carne, as ereções, os mamilos endurecidos pela irritação ou pelo desejo [...].

16 *Le Pur et l'Impur*, Paris, Hachette, 1971 (1ª edição, 1932).

Passava minhas pernas ao redor da minha amante; ela me jogava no mar e eu mergulhava na água para chupar seus mamilos. Cada vez que meus olhos desviavam do oceano e davam com o muro de concreto que contornava a praia atrás de nós, era obrigada a me lembrar que estávamos sendo observadas: pelos adolescentes de bicicleta que nos apontavam com o dedo, rindo, e por outros observadores mais profissionais que utilizavam telescópios para nos reparar mais de perto. Mas a gente não se deixava abalar. Mesmo quando os guardas resolviam limpar a praia, mandando para o camburão os homens que estavam, era o que diziam, com um calção curto demais, mesmo assim nenhum deles conseguia estragar nosso banho de sol".

Fazem a linha dura em bares e praias, e não nos resorts de Nathalie Clifford Barney e de Colette ou no microcosmo exótico e cheio de aromas de Renée Vivien, porque lá se exibe o sexo, mas também e principalmente, aqueles gêneros lésbicos específicos e ameaçadores que incomodarão tanto Simone de Beauvoir[17] quanto as lésbicas feministas do "movimento",[18] que relegarão tais gêneros aos porões da cultura lésbica. No jornal do coletivo das lésbicas de Lyon, *Quand les femmes s'aiment* [Quando as mulheres se amam], é justamente sobre as "lésbicas de boate" que se baseia a afirmação da existência das butchs e das femmes: "existem vários graus de homossexualidade: algumas são realmente muito mulheres, outras são machonas. É como com os gays, existem os travestis e também os barbudos, viris". É uma exceção que essa afirmação sobre a "lésbicas de boate" apareça nesse jornal em que geralmente só se exprimem as lésbicas brigando com a masculinidade heterossexual – as lésbicas com passado heterossexual. Do mesmo modo, o jornal reflete uma desconfiança real diante da sexualidade percebida como inimiga potencial da coesão política.

O ato de ponderar as práticas dos códigos da masculinidade nas mulheres da Rive Gauche ou no autor de *O poço da solidão*

17 Sobre a estigmatização das "lésbicas de boate" e das butchs por Simone de Beauvoir, *cf. infra*, pp. 134-145.

18 Ver Centre Lyonnais d'Études Féministes, *Chronique d'une passion. Le Mouvement de libération des femmes à Lyon*, Paris, L'Harmattan, 1989.

está atrelado ao fato de ser mediatizado por valores mais estéticos que sociais, e se manifesta de maneira mais metonímica que vital: John, aliás Radclyffe Hall, usa gravata e fuma cigarro, e, entre outras coisas, ostenta um monóculo, assim como Una Lady Troubridge em seu célebre retrato feito por Romaine Brooks em 1924, tudo isso seguindo um critério de elegância que o torna mais uma manifestação idiossincrática do que o gesto de desempenhar um papel. Hall é "John"[19] antes de ser butch, como prova a sugestão, feita por lésbicas estadunidenses, de trocar o termo "butch", considerado deselegante, por *clyffe*. O refinamento no *cross-dressing* ganha em estetismo o mesmo que perde em valor político nesses retratos vivos a dois, em que Renée Vivien toma emprestados os trajes da masculinidade antiga e posa com Natalie Clifford Barney vestida como pajem[20]. A diluição da performance de gênero passa, nessa época, por uma prática cara e socialmente reservada, o luxo da moda. Na rua Jacob, encontram-se não butchs, mas dândis (butchs), que são os precursores desse lesbianismo mundano conhecido como "o *lesbian chic*".

No país dos.as homossexuais, hum... das lésbicas, hum... dos.as invertidos.as

Invisibilizar a cultura butch/femme ou as butchs, circunscrevendo-as em outro lugar, está longe de ser o apanágio do feminismo ou de lésbicas socialmente favorecidas. Encontramos essa ação no que se poderia chamar de historiografia hétero, no duplo sentido que se pode dar a esse termo: heterocentrada e baseada no pensamento hétero, como diria Monique Wittig. O "pensamento hétero", definido por Monique Wittig, remete a um jogo de categorias de pensamento apresentadas como naturais e que são massivamente utilizadas na teoria e nas ciências humanas: "trata-se de 'mulher', 'homem', 'diferença' e de toda a série de conceitos afetados por essa marcação, inclusive conceitos como

19 Foi a própria Radclyffe Hall que se autonomeou John. Sobre a genealogia completa dessa autodenominação masculina, ver Sally Cline, Radclyffe Hall, *A Woman Called John*, Londres, John Maurray, 1997.

20 Foto reproduzida em Andrea Weiss, *Paris Was a Woman*: *Portraits from the Left Bank*, Londres, Harper & Collins, Pandora, 1995.

'história', 'cultura', 'real'". Um dos interesses da historiografia queer está justamente em descentrar o pensamento hétero. Aliás, Wittig nota de passagem como este criou um impasse acerca da recolocação em pauta dessas categorias, operada pelos "movimentos de liberação das feministas, das lésbicas e dos homens homossexuais". Por exemplo, é impressionante ver como Florence Tamagne, em sua história da homossexualidade, evoca os clubes lésbicos berlinenses dos anos 1930[21], o que ela denomina significativamente como "cena feminina", estigmatizando as violações da lei dos gêneros e as atribuindo a classes sociais, com o intuito de nos propor um díptico infalível, em que as lésbicas chiques e cultas serão dotadas de todas essas qualidades cruelmente ausentes na plebe lésbica. Nada mal para uma historiadora formada pela Sciences Po[22]. Se é verdade que "o adjetivo é o dizer do desejo", como diria Barthes, os dois escolhidos pela historiadora para descrever, sucessivamente, as lésbicas chiques e as "lésbicas de boate" nos dizem muito sobre a maneira como os preconceitos político-sexuais informam seu modo de proceder. Semelhante denominação é reveladora, ao mesmo tempo, de uma falta de conhecimento da cultura gay e lésbica, mas também de uma crença firme na "diferença sexual" ("o homem", "a mulher") que não se interessa pela crítica dos efeitos opressivos dos métodos e pensamentos derivados "naturalmente" desse casal "fundador". É um pouco como se falássemos de "heterossexualidade feminina" e de "heterossexualidade masculina", reificando com isso a diferença sexual, ao fazê-la aparecer como algo que sempre esteve lá. É a heterossexualidade, enquanto regime de sexo/gênero particular, que cria as posições homens/mulheres, e não a diferença sexual ("biológica") que justifica a heterossexualidade.

Noblesse oblige, a visita à Berlim lésbica começa pelos templos da distinção: "em geral, os estabelecimentos lésbicos de

21 Florence Tamagne, *Histoire de l'homosexualité en Europe, Berlin, Londres, Paris, 1919-1939*, Paris, Seuil, 2000.

22 Popularmente conhecido como Sciences Po, o Institut d'études politiques de Paris (IEP) é uma instituição voltada para as ciências humanas e sociais (direito, economia, história, ciência política, sociologia, relações internacionais etc.). Gozando de imenso prestígio na Europa, é habitualmente associado tanto à excelência quanto a certo elitismo de seus frequentadores. [N.T.]

Berlim se caracterizavam por uma atmosfera refinada"[23]. Nesses locais, o cuidado estético e doméstico é gritante: o interior do fechadíssimo Club Monbijou é muito "elegante". Assim como o Maly und Jugel, onde "a atmosfera era sabidamente construída pelo jogo de cores entre o grená e o cinza perolado, com quadros leves, poltronas profundas e um piano". A clientela é seleta, não se pode encontrar um lugar mais distinto: a clientela do salão Meyer era "particularmente refinada": "encontrávamos ali, entre as frequentadoras, condessas, artistas, personalidades ilustres"; no Club Monbijou "se reuniam estrelas de cinema, cantoras e a elite intelectual das lésbicas".

Sabendo que o "ambiente" desses clubes era "casto" e conjugal, compreendemos melhor o que os cafés ou mesmo as "espeluncas de péssima reputação" podem ter de decadente, de sexual, de transgressivo em termos de gênero, enfim, de visivelmente lésbico e "de sacanagem". Pois, nesses clubes chiques, nada de drogas, nada de xaveco, nada de sexo, nada de sedução e, sobretudo, nada de mulheres masculinas: tantos desvios reservados às lésbicas mais modestas e francamente "grosseiras", se as julgarmos com a avalanche de conotações negativas e moralizantes que Florence Tamagne dedica às lésbicas oriundas das "camadas populares", "mulheres de negócios, vendedoras, trabalhadoras manuais, funcionariazinhas".

Portanto, é na companhia de uma historiadora parecida com Rodolphe, personagem do romance *Os mistérios de Paris*, de Eugène Süe, que nós prosseguimos, como se ali estivéssemos, na nossa descida aos porões lésbicos: "o café Olala, na Zietenstrasse, é grosseiro demais". "Às vezes, tarde da noite, entram ali cantoras, atrizes, dançarinas conhecidas, mas a atmosfera geral está mais para sórdida", como nos indica nossa guia, que acrescenta, para ilustrar seu adjetivo, uma interpretação bastante pessoal de um trecho de Charlotte Wolff que relata a aparição de uma mulher "que usava um sombreiro preto e parecia um homem"... "Sórdido", "colorido até o ponto da extravagância" (queer?), os epítetos facilmente parecem naturais a partir do momento em que se observa nesses lugares baixos "uma nítida distinção entre as lésbicas

23 *Ibid*, p. 64.

masculinas e as lésbicas femininas", e aonde "muitas mulheres vão travestidas de homem". Mulheres que têm claramente todos os vícios. São alcoólatras: "as alegres megeras só se levantam e vão embora quando já estão bêbadas". São evidentemente sexuais, chegando ao ponto de inventar jogos para favorecer os encontros: "a atmosfera é tosca, sexual, e as brigas são frequentes". Que horror!

Como chegamos a tal ausência de consideração na análise das categorias de gênero e de classe, ou ainda, como podem estas manter ligações tão perigosamente estereotipadas? Por que a historiadora Florence Tamagne não consegue percebê-las como historicamente construídas? Por que negligencia o fato de que elas podem ter sido investidas de maneira estratégica e política pelas minorias estudadas?

Uma resposta parcial se encontra na ausência de reflexividade que caracteriza a autora de uma história da homossexualidade cujo próprio título diz claramente – e não sem arrogância – que toma para si uma velha matéria, sustentada por uma metodologia antiquada que não se refere senão às lésbicas. Em momento algum Florence Tamagne se interroga sobre sua posição com relação ao sistema sexo/gênero dominante, não obstante construído, o que a leva a uma apresentação despolitizada deste e a reproduzir um discurso normativo sobre a sexualidade e os gêneros. Mais do que isso, leva ela a se apresentar como um sujeito neutro e objetivo, ao passo que escreve a história das lésbicas (e dos gays, aliás) de uma posição heterocentrada abusivamente naturalizada.

A historiografia hétero

O discurso sobre o método de Florence Tamagne é tão "hétero" ["*straight*"] quanto sua concepção dos gêneros e das sexualidades. Ela se recusa a operar a mínima revolução epistemológica, já iniciada por outros e por outras tantas disciplinas[24], especialmente ao manifestar um anseio de objetividade com uma candura teórica que dificilmente conseguimos enxergar como genuína.

24 Penso, entre outras, na antropologia e na etnologia, mas também nas ciências ditas duras ou em campos mais recentes, como as ciências do desenvolvimento.

Pois de onde vem, afinal, a fortuna do paradigma da objetividade na pesquisa histórica? Como a dimensão política desse tipo de especificidade pode escapar a uma aluna da Sciences Po que se mostra, é bem verdade, bastante talentosa para objetificar os.as homossexuais estudados.as, que trata com a violência insidiosa do estilo demográfico, entregando-se à observação comparada dos deslocamentos e das transgressões de fronteiras dessas "populações", para empregar o termo usado por ela?

Os modelos culturais da homossexualidade nos anos 1920 e 1930

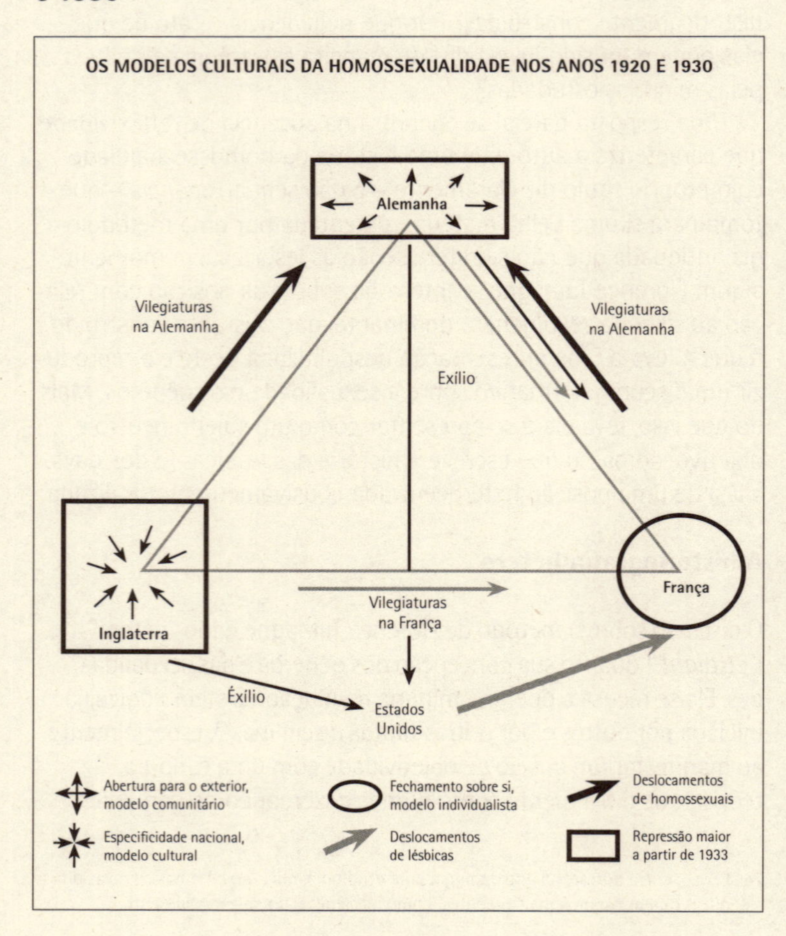

O que poderia motivar a representação, sob a forma de esquema triangular, dos "deslocamentos de lésbicas" e dos "deslocamentos de homossexuais", como aquele estabelecido por Florence Tamagne, num artigo publicado em *Les Actes de la Recherche en Sciences Sociales*[25], que é uma apresentação parcial dos resultados de sua tese publicada pela editora Seuil?

Ponto de partida: a bizarrice que é o quadro de análise comparativa histórico-geográfica típica da Sciences Po. A aproximação de três países metonímicos da Europa gera, ó que descoberta científica!, diferenças e semelhanças: "com efeito, ao comparar três países em um mesmo período, aparecem similitudes e divergências"... Para continuar a jogar o jogo das semelhanças e diferenças, falta escolher um eixo, uma coerência para a semelhança. É a nação que se junta a isso e que permite gerar os modelos de homossexualidade nacionais. As diferenças específicas são suficientes e nacionais, e principalmente acessíveis a quem souber praticar a "observação fina" e macroestrutural dos comportamentos e das mentalidades: "de fato, se pudermos definir um conjunto de dados estáveis para três países, uma espécie de 'fundo comum homossexual', não podemos negligenciar as especificidades nacionais. Fundando-nos sobre suas singularidades, ficamos em condições de definir modelos nacionais interativos. Constatam-se nos três países fenômenos comuns, tanto do ponto de vista do comportamento homossexual quanto do ponto de vista das mentalidades"... Encontramo-nos, assim, com uma homossexualidade à moda alemã, uma à francesa e uma à inglesa. Ganho da operação: as fronteiras ficam preservadas, a tal ponto que agora podemos observar (sem rir) que os homossexuais as transgridem (enfim, os ricos e os intelectuais) e completar o esquema com duas séries de flechas entre os países: a mais grossa para os homens homossexuais, a mais fina para as lésbicas...

Será que conseguimos imaginar um esquema desse tipo mostrando "os deslocamentos de heterossexuais"? Pois eles

25 "Histoire comparée de l'homosexualité en Allemagne, en Angleterre et en France dans l'entre-deux-guerres", *Actes de la recherche en sciences sociales*, nº 125, dezembro de 1998.

também se deslocam, não? Estamos diante de qual tipo de objetividade, quando a preocupação com a exatidão histórica reside em marcar o fato de que as lésbicas e os homossexuais (ousam) se deslocar por toda a Europa, ou melhor, entre três países europeus? O que, no fundo, está sendo identificado aqui? Qual é o valor dessa mobilidade para uma historiadora que se vangloria de ter desenvolvido, para a posteridade, "a modelização dos comportamentos homossexuais" e não pestaneja nem um momento diante dessa formulação behaviorista de laboratório? Qual é a validade de um modo de proceder que confusamente traça a história dos "homossexuais", das "lésbicas", ou quem sabe dos.as "homossexuais"[26], confundindo todos os níveis de construção das definições de "homossexualidade" (orientação sexual, identidade, cultura, gêneros), mas retomando, sem problemas, por sua conta e risco, as denominações médicas – e psicopatológicas – da homossexualidade? E, como se não bastasse, a terminologia da inversão: "Tirando em certos ambientes (*public schools*, grandes universidades, boemia, alta sociedade), não é de bom tom expor sua inversão"[27]; "os universitários praticam o culto da homossexualidade e, no entanto, a inversão é considerada como uma degenerescência"[28]. Sem aspas, por favor. Por que a historiadora fala a língua de Krafft-Ebing? E, por fim, o que pensar dessa teatralização chamativa das nações, das fronteiras e daqueles que as atravessam, quando uma historiadora "omnisciente" arrisca formulações como "as instâncias de decisão são dominadas pelos homossexuais?" para dar conta da "singularidade inglesa"[29]?

"É possível fazer a história da homossexualidade de maneira rigorosa e científica. Gostaria de prová-lo a partir de um exemplo preciso. Escolhi fazer a história da homossexualidade nos anos 1920 e 1930, na Inglaterra, França e Alemanha": toda essa metodologia comparativa altamente científica é sobretudo uma excelente maneira, de fato, de preservar a distância – a

26 Todos esses termos são usados, conjuntamente, no artigo e na obra de Florence Tamagne.

27 "Histoire comparée de l'homosexualité en Allemagne, en Angleterre et en France dans l'entre-deux guerres", *op. cit.*, p. 45.

28 *Ibid.*, p. 48.

29 *Ibid.*, p. 48.

objetividade foi criada para isso, entre outros objetivos "político-científicos" – em relação a objetos de estudo com os quais não podemos nos confundir e, em especial, em relação a um dos aspectos mais perturbadores da cultura gay e lésbica, a saber, a desnaturalização do gênero e da heterossexualidade. Mas ainda tem mais. Os *a priori* em matéria de gênero e de classe, assim como a maneira como Florence Tamagne se coloca como sujeito do conhecimento, têm implicações diretas sobre seu modo de apreender e de selecionar as fontes, o que se traduz, entre outras consequências, por uma desconsideração das butchs e da cultura butch/femme.

Em sua história da homossexualidade na Europa, é flagrante a hierarquização entre fonte escrita e fonte oral, com prejuízo para esta última. Sem falar da hierarquização entre fonte literária e fonte oral. Essa divisão se vê reforçada por uma divisão dos polos subjetividade/objetividade, seguindo um duplo critério: a valorização do escrito em detrimento do oral, conjugada à valorização de certas fontes de enunciação em lugar de outras.

O oral é aproximado da subjetividade, ao passo que a objetividade estaria reservada às fontes escritas (as fontes institucionais, por exemplo!) e à erudita. Mesmo procurando se proteger desse tipo de fonte, a autora não consegue resistir ao canto da sereia da alta cultura escrita, mais digna de confiança. Feita essa divisão, acrescentemos aí duas equações que à primeira vista podem parecer boas: "homossexuais" da média e alta burguesia = grande capital simbólico = fontes e documentos em abundância; "homossexuais" da "pequena burguesia e classe operária" = grau zero da capacidade simbólica escrita = nada de fontes. Sem voltar às questões que essas equações colocam de cara, podemos observar as escolhas no mínimo criticáveis que elas levaram Florence Tamagne a fazer, principalmente em relação à história das lésbicas.

Ao evocar seu modo de tratar as fontes, a historiadora dos homossexuais, ou das lésbicas, ou das invertidas, expõe de maneira igualmente clara os limites de sua razão crítica. Se nos ativermos à classificação das fontes orais que decorre de sua apresentação, deduz-se daí que é uma boa ideia negligenciar as fontes orais, sobretudo quando há poucas entrevistas a realizar.

Um testemunho escrito e "antigo", um arquivo da polícia, por exemplo... vale mais que um testemunho oral recente. Produz-se, assim, uma valorização mágica desse suporte verificativo em si que seria o suporte em papel, valorização essa derivada do raciocínio segundo o qual quanto mais recente é o raciocínio, mais falha é a memória. Apostamos que o testemunho mais antigo é melhor só porque já tem o cheiro de poeira do arquivo do passado, propriedade mantida pelo historiador, e porque instaura uma distância maior entre este e as fontes de enunciação do arquivo. Pois, no final das contas, quem fala no arquivo concebido tradicionalmente, quem o faz falar? É interessante constatar que, para Florence Tamagne, a questão da memória suscetível a erros se coloca principalmente em relação ao testemunho: estariam isentas disso as fontes institucionais (judiciárias, médicas, policiais...[30]) e as fontes da alta literatura (Proust, Colette, Gide...).

Tudo isso nos remete à divisão dos seguintes papéis: o historiador objetivo às voltas com a subjetividade dos testemunhos e dos.as homossexuais, pois estes, mais do que outros, merecem uma leitura crítica severa: "Muitas das obras utilizadas necessitaram de uma leitura crítica. Foram, essencialmente, as memórias e as recolhas de lembranças redigidas por homossexuais. Esses documentos são muito preciosos, pois constituem uma fonte insubstituível quanto ao modo de vida homossexual. Convém, todavia, ser prudente, sobretudo quando as obras foram redigidas vários anos após os acontecimentos"[31].

Raras vezes se viu tanta confiança no modo de ser objetivo e no funcionamento, em proveito próprio e das fontes disciplinares, dos pares objetividade/subjetividade, ciência/memória... Mas raras vezes se viu tanto desprezo pelas reflexões desenvolvidas no campo da historiografia lésbica, por exemplo na questão do arquivo – evidentemente faltante –, no que diz respeito ao trabalho realizado sobre a relação entre subjetividade e história

30 Admitindo que esse tipo de fonte não levanta a questão da memória, o que é falso, elas levantam outras, como apontam muitíssimo bem Davis e Lapovsky Kennedy: falta de representatividade, consideração limitada de pontos de vista diferentes. Cf. Davis M. e Lapovsky Kennedy E., *Boots of Leather, Slippers of Gold. The History of Lesbian Community*, New York e Londres, Routledge, 1993.

31 Florence Tamagne, *Histoire de l'homosexualité en Europe*, *op. cit.*, p. 19.

das minorias sexuais, o qual gerou uma desconstrução salutar das pretensões de objetividade.

Podemos nos perguntar então o que teria levado Florence Tamagne a se privar de uma fonte que sabemos ser crucial para a história das lésbicas (mais ainda para as lésbicas oriundas das classes populares) e de certas minorias, a saber, a fonte oral. Para Davis e Lapovsky, que escreveram uma monografia dedicada à cultura butch/femme dos anos 1930 aos 1950 na cidade de Buffalo, é justamente porque a vida das lésbicas das classes populares não é documentada que resolveram fazer da fonte oral sua fonte prioritária de pesquisa. Afinal, se, como diz Florence Tamagne, havia apenas poucas pessoas a entrevistar – pois se trata mesmo de entrevistas, e não de testemunhos, para não retomar os termos errôneos constantemente utilizados por "nossa" historiadora –, por que não entrevistá-las? Tocamos aqui, significativamente, na situação limite em que não há como se exercer a "leitura crítica" das fontes de que se vale Florence Tamagne: uma situação de interlocução que coloca em cena uma lésbica – quem sabe, talvez uma butch – diante da historiadora, tal como ela se define. Com esses "testemunhos orais", sem dúvida subjetivos demais, difíceis demais, insustentáveis. Como é possível que a historiadora renuncie, nesse caso específico, a corrigir o tiro da subjetividade com a bazuca da objetividade? Por que ignorar que os problemas metodológicos colocados por esse tipo de arquivo suscitaram proposições metodológicas?

É que Florence Tamagne é incapaz de conceber um arquivo oral, provando, de uma só vez, a visão estereotipada que ela possui do arquivo, o valor abusivo que atribui ao escrito e sua visão ingênua – mas, não esqueçamos, geradora de poderosos efeitos de saber-poder – da verdade. É que ela evitou situações de interlocução que, embora perturbadoras ou raras, nem por isso são menos capitais. É que, finalmente, sua fonte preferida é sem dúvida o documento da elite, e não a cultura popular (poucas referências ao cinema ou "aos piores romances de rodoviária"). É que "a verdade" é mínima nas classes operárias, uma vez que ela só pode sair da boca dos livros. É também que as fontes homossexuais em sua maioria são duvidosas, quando não são legitimadas pelo talento, o bom gosto ou, em uma palavra, o esteticismo; quando não respondem a critérios de classe (socioeconômicos e sociossimbólicos). Assim, convocaremos Colette, em vez da cultura butch/femme, e nos apoiaremos em axiomas de uma modernidade impressionante, como "o escritor é a testemunha de seu tempo", ou de outros menos risíveis, como "o romancista homossexual traz sua própria percepção da situação, o romancista heterossexual sempre reflete uma tendência da opinião"[32].

Felizmente, foi-se o tempo em que era possível construir para si uma posição de saber dominante de onde se podia crer autorizado.a a opor a experiência (específica) às operações racionais superiores (mais gerais) sem se expor à crítica. Na realidade, é o fato de colocar em pauta esse tipo de oposição (subjetivo/objetivo) e sua pseudocoincidência com outras (mulheres/homens, homossexuais sensíveis e heterossexuais cartesianos, ocidentais-brancos/não ocidentais-não brancos), a desconstrução dos discursos que as impõem e tiram proveito delas, assim como a centralização da experiência e dos saberes dos "subalternos específicos", que contribuíram para renovar a escrita da história dos que foram apagados pela história, bem como das identidades e das diferenças[33]. Foi o enfraquecimento da ordem baseada na diferença sexual que permitiu não mais contar a história das lésbicas surrupiando aquelas que foram, durante muito tempo, as únicas a querer afirmar explicitamente sua vida sexual e seus gêneros específicos. A história das lésbicas foi contada, durante muito tempo, em função de definições extremamente limitadoras e excludentes da lésbica. A maneira como se escreve a história das lésbicas depende da definição que se faz da lésbica, razão pela qual também se coloca a questão de saber quem escreve a história das lésbicas.

Se é verdade que, como diz Foucault, "a história é, para uma sociedade, uma certa maneira de dar *status* e elaboração a uma

32 *Ibid.*, p. 24.

33 Para uma reflexão útil sobre as noções de diferença e de experiência, assim como os aportes de uma abordagem historiográfica mais relacional que identitária, ver Joan W. Scott, "The Evidence of Experience", *Critical Inquiry*, v. 17, verão de 1991.

massa documental de que ela não se separa"[34], não é muito difícil situar Florence Tamagne e ver que o método por ela escolhido para escrever a história dos.as "homossexuais" ou das "lésbicas" acaba obstruindo um horizonte historiográfico que começava a se delinear e que, no fim das contas, sua obra se inclui na lista das "histórias da homossexualidade" produtoras de silêncios que deveríamos desfazer. Para dar um fim nesse tipo de privilégio epistemológico que se vale do (querer) não-saber e, de modo correlato, com o silêncio sobre/das (lésbicas) butchs, femmes... é preciso desconstruir essa tradição discursiva e trabalhar com métodos que permitem redocumentar a experiência do invisível.

34 Embora não referenciado pelo autor, o trecho foi extraído da obra foucaultiana *L'Archéologie du savoir.* Citamos o trecho conforme a seguinte versão brasileira: *A arqueologia do saber*, Rio de Janeiro, Forense, 2008, p. 8, trad. Luiz Felipe Baeta Neves. [N.T.]

A *lesbeauvoir* entre feminilidade, feminismo e masculinidade

Butch: diversas declinações da masculinidade entre as mulheres, mas também pode se aplicar a qualquer mulher que pratique os códigos do gênero masculino ou das identidades masculinas.
Lésbica butch: declinação da masculinidade e da sexualidade estigmatizadas no capítulo "A lésbica", em prol de uma masculinidade de situação reservada às "lésbicas heterossexuais", as lesbeauvoirs.

Se é verdade que *O Segundo Sexo* pode ser considerado fundador pelo fato de inaugurar uma crítica do sistema de gêneros dominante hétero-bipolar, o capítulo IV do segundo tomo – intitulado "A Lésbica" – apresenta uma fortíssima ambivalência com relação à masculinidade das lésbicas, ao passo que o "protesto viril" das mulheres heterossexuais suscetíveis de se tornarem pontualmente homossexuais é positivizado sem ambiguidades.

Sexo/gênero e protesto viril

À primeira leitura, no entanto, pode parecer excepcional, em 1949, a valorização do que Beauvoir chama de "o protesto viril" ou "as qualidades viris", isto é, a prática realizada pelas mulheres de certos códigos da masculinidade, sejam eles de vestimenta, psicológicos ou políticos. Ela também parece se colocar em oposição à patologização da lésbica masculina, que há mais de meio século estava no auge no domínio científico, assim como no literário.

No domínio científico, em sentido lato, as diferentes classificações operadas por sexólogos tais como Krafft-Ebing – a quem Simone de Beauvoir faz referências abundantes – e Havelock

Ellis[35] estão na origem da aproximação entre masculinidade, lesbianismo e aspirações feministas, como bem lembrou Esther Newton[36]. A medida da perversão para Krafft-Ebing é o grau de masculinidade atingido nas quatro categorias de lésbicas distinguidas pelo ilustre autor de *Psychopathia Sexualis*, que começa a ser publicado em 1886. A patologização da masculinidade entre as mulheres é igualmente muito significativa no domínio literário, com a referência dominante da cultura lésbica que é *The Well of Loneliness*[37], que surgiu em 1928 e no qual John, mais conhecido pelo nome de Radclyffe Hall, reivindica, de uma maneira que nem todo mundo aprecia, uma definição biologizante da "invertida" através do personagem Stephen Gordon, protagonista de forte identificação masculina.

Longe de se comover diante dos exemplos que colocam em questão a divisão e a repartição tradicionais dos gêneros masculino e feminino, Beauvoir parece apreciar sobretudo seu valor crítico. Afinal, a mulher e a lésbica masculinas simplesmente não existiriam se o gênero fosse natural, ou ainda se a relação causal entre um "sexo biológico" que provoca automaticamente a atribuição de um gênero não fosse simplesmente o efeito de uma construção social e cultural. E, de fato, o interesse nada desprezível do capítulo "A Lésbica" consiste em poder gerar uma crítica, no mínimo radical, do sistema de gêneros a que estamos submetidos nas sociedades ocidentais. Basta ler o primeiro parágrafo para se convencer disso. Rapidamente Beauvoir reduz a pó a pseudounidade que existiria, de um lado, entre "sexo biológico" e gênero e, de outro, entre gênero e orientação sexual "correspondente": "há muitas homossexuais entre as odaliscas, cortesãs, entre as mulheres mais deliberadamente 'femininas'; inversamente, numerosas mulheres 'masculinas' são heterossexuais. [...] em sua imensa maioria, as mulheres 'danadas' são constituídas exatamente como outras mulheres. Nenhum 'destino anatômico'

35 Havelock Ellis, "Sexual Inversion in Women", *Alienist and Neurologist*, nº 16, 1895.
36 Esther Newton, "The mythic mannish lesbian: Radclyffe Hall and the new woman", Duberman Martin B., Vicinus Martha e Chauncey Georges Jr. (dir.), *Hidden From History: Reclaiming the Gay and Lesbian Past*, Londres, Penguin, 1989.
37 Publicado no Brasil sob o título *O poço da solidão*, Rio de Janeiro, Record, 1998.

determina sua sexualidade"[38].

Ao afirmar que nem todas as mulheres masculinas são lésbicas (distinção entre a "invertida" e a "virago") e que nem todas as lésbicas são masculinas (há muitas lésbicas femininas), Beauvoir dissocia claramente "sexo biológico" e gênero. Desconecta a masculinidade de toda e qualquer determinação biológica, bem como de suas interpretações patologizantes, das quais participa a teoria da inversão aplicada à lésbica. Trata-se de uma teoria segundo a qual as lésbicas seriam homens prisioneiros de um corpo de mulher, como poderiam provar alguns sinais fisiológicos: clitóris desenvolvido anormalmente, ausência de ancas, tamanho reduzido dos seios etc[39]. Como quem não quer nada, Beauvoir diz assim que a masculinidade não é reservada aos homens. Esta se torna um signo cultural e social acessível a todas. Trata-se de um dado transversal que se pode encontrar igualmente tanto na esfera homossexual quanto na esfera heterossexual. Desse ponto de vista, todas as adeptas do "protesto viril" denunciam um nexo sexo/gênero naturalizado abusivamente.

Vendo a que ponto Beauvoir é fascinada pelo atrevimento social de transgêneros que não são lésbicas, penso em todos esses rapazes evocados por ela e que talvez se identificassem, em nosso dias, como "*female to male*"[40] – a travesti de Steckel, uma mulher "biológica" de identificação masculina e sexualidade heterossexual, ou Sarolta-Sandor, também ele heterossexual. Talvez pudéssemos, assim, ser tentados a concluir em favor do caráter decididamente progressivo e criativo da concepção beauvoiriana dos gêneros.

Mas, se é verdade que para Beauvoir "o gênero é um projeto, uma capacidade, algo que perseguimos, quiçá uma indústria"[41], as mulheres devem, no entanto, permanecer mulheres e praticar a masculinidade com moderação.

38 Simone de Beauvoir, *O segundo sexo: a experiência vivida*, segundo volume, São Paulo, Difusão Europeia do Livro, p. 144. Trad. Sérgio Milliet [N.T.]

39 Margaret Gibson, "Clitoral corruption: body metaphors and American doctor's construction of female homosexuality, 1870-1900", Vernon Rosario A., *Science and Homosexualities*, Nova York, Londres, Routledge, 1997.

40 Transexuais ou transgêneros no sentido "moça" para "rapaz".

41 Judith Butler, "Gendering the body: Beauvoir's philosophical contribution", Garry A. e Pearsal M., *Women, Knowledge and Reality in Feminist Philosophy*, Boston, Unwin Hyman, 1989.

A verdade da sexualidade

Talvez não seja inútil voltar aos numerosos limites em que repousa a modificação do sistema sexo/gênero trazida por Beauvoir. Mesmo tendo em conta o *insight* construtivista desencadeado pela concepção beauvoiriana do gênero feminino, Judith Butler observou muito bem que esta leva novamente a uma concepção moderna do sujeito e reencontra o dualismo cartesiano corpo/espírito[42]. A crítica formulada por Butler - segundo a qual Beauvoir não soube se desfazer de um binarismo que não cessou de produzir construções abusivas dos gêneros (a masculinidade sendo tradicionalmente associada ao espírito, ao passo que a feminilidade é alocada no corpo) - faz valer a utilização da dupla ativo/passivo. É forçoso constatar que, se Beauvoir abre a brecha construtivista, ela o faz de um modo no mínimo assimétrico. A valorização da variabilidade e da mobilidade dos gêneros é de mão única: significativamente, Beauvoir parece pouco entusiasmada com a ideia de que a feminilidade não seja reservada às mulheres. Mas, sobretudo, ela dá prova de uma rigidez singular no que diz respeito à relação sexo/sexualidade, a ponto de promover um determinismo biológico sem falhas quando se trata da questão da sexualidade.

O que se ganha na desnaturalização da articulação sexo/gênero perde-se no que concerne à suposta correspondência entre sexo e sexualidade. Beauvoir postula a existência de um alinhamento estrito entre sexo "biológico" e prática sexual. Além (ou talvez seja preciso dizer aquém) da variabilidade dos gêneros, as mulheres são e permanecem sexualmente passivas, e os homens, sexualmente ativos. Beauvoir pensa como Fernando em *Para minha irmã*, filme de Catherine Breillat. Estamos na presença de um sistema em que prática sexual e gênero, gênero e sexo "biológico" são confundidos: "A homossexualidade da mulher é uma tentativa, entre outras, de conciliar sua autonomia com a passividade de sua carne"; "entre o homem e a mulher, o

42 Judith Butler, *Gender Trouble*, *op. cit.*, p. 143; no Brasil, *Problemas de gênero: feminismo e subversão da identidade*. Rio de Janeiro, Civilização Brasileira, 2003. Trad. Renato Aguiar.

amor é um ato: cada um, arrancado de si, torna-se outro: o que encanta a mulher apaixonada é que a languidez passiva de sua carne seja refletida na figura do ímpeto viril".

A desestabilização da relação normativa entre gênero e sexo convive, portanto, com uma visão do sistema sexo/sexualidade das mais naturalizantes. Essa reviravolta biologizante está longe de ser um caso único no capítulo sobre a lésbica, em que Beauvoir estabelece uma relação no mínimo transformadora com as determinações biológicas e psicológicas suscetíveis de informar sua percepção da homossexualidade feminina.

Mas retornemos mais precisamente aos limites que Beauvoir se impõe e impõe à masculinidade entre as mulheres. Por que ela chega a essa valorização tão circunscrita e circunstancial da lésbica masculina? O que significa essa fascinação-repulsa diante da "invertida" e da virilidade/masculinidade das lésbicas? Pois há claramente dois pesos e duas medidas no capítulo IV do *Segundo Sexo*. Beauvoir vai conter os efeitos da desbiologização e da desnaturalização do gênero masculino por meio de uma distinção implícita entre mulher homossexual/mulher heterossexual e mulher homossexual/mulher homossexual. De um lado, haveria a lésbica mulher heteressoxual e, de outro, a lésbica homossexual, ou a "invertida". Pois, mesmo que Beavouir despatologize a homossexualidade feminina levantando-se contra qualquer destino anatômico e a utilização de pseudocaracterísticas fisiológicas, não é menos verdadeiro que ela reserva sua visão positiva da homossexualidade a uma forma de homossexualidade situacional.

Do bom uso heterossexual da homossexualidade de situação

É chocante ver que, política – quer dizer, feminista – ou não, o que tem graça aos olhos de Beauvoir é uma homossexualidade de situação. O que acaba por definir a homossexualidade como uma fase, um estágio que deve ser abandonado, ou melhor, ultrapassado. Quer seja a homossexualidade adolescente pré-heterossexual motivada pelo medo do sexo masculino, isto é, da penetração causada pela estranheza radical – supostamente – do corpo masculino, quer seja a homossexualidade de situação pós-heterossexual e enganosa: aquela das mulheres heterossexuais que se consolam de seus amores perdidos numa *no man's land* em que florescem as paixões femininas sáficas, doces e passivas, e onde existe um perfeito *continuum* físico e sexual entre corpos supostamente idênticos. De fato, Beauvoir, os psicanalistas e os psicólogos têm em comum o fato de tolerarem a homossexualidade com a condição de que esta se resuma a uma fase, seja ela de ordem política ou psicológica. Beauvoir pensa como Freud.

Todo o esforço de Beauvoir consiste em desbiologizar "o protesto viril" para retirar seu aporte crítico, político e social, de modo a fazer dele uma forma feminista de homossexualidade. E isso em prol principalmente das mulheres heterossexuais, que desse ponto de vista são todas lésbicas, já que sua homossexualidade se torna a metáfora política da revolta contra a dominação masculina, contra o patriarcado. Eis o que explica que as mulheres heterossexuais resultem nas melhores lésbicas e que sejam, também, detentoras do bom uso do "protesto viril". Elas escolheram uma homossexualidade reativa em relação aos homens, numa esfera heterossexual da qual elas se afastam. São, portanto, mais ameaçadoras para os homens, entre outras razões, porque fundam sua homossexualidade transitória a partir deles e mesmo contra eles: "O homem agasta-se mais com uma heterossexualidade ativa e autônoma do que com uma homossexualidade não agressiva; só a primeira contesta as prerrogativas masculinas; os amores sáficos estão longe de contradizer a forma tradicional da divisão dos sexos"[43].

A homossexualidade, para Simone de Beauvoir, apenas adquire valor em seu potencial de contestação temporária da heterossexualidade. De fato, a afirmação que se encontra no capítulo "A Lésbica" e que pode parecer "revolucionária" – segundo a qual todas as mulheres são homossexuais – tem como consequência a exclusão da lésbica "total", aquela que não teve relações sexuais com homens e aquela que se dirige completamente ao gênero dito

43 Simone de Beauvoir, *op. cit.*, p. 196. Necessitamos fazer algumas adequações na tradução citada, de Sérgio Milliet, p. 147.

oposto: a lésbica masculina. Paradoxalmente, a definição expandida da homossexualidade articulada por Beauvoir ocasiona uma rejeição quádrupla das lésbicas: a invalidação delas enquanto sujeito político, a rejeição da sexualidade lésbica exclusiva, a rejeição de uma identidade de gênero masculina constante e, por fim, a rejeição de uma cultura que é fonte de novas formas de sociabilidade. Não é nada surpreendente, então, que ela tenha usado sua posição de diretora da publicação na revista *Questions Féministes* para expulsar as lésbicas políticas levadas por Wittig e para estigmatizá-las. Como suportar que as "dissidentes lésbicas", como Beauvoir as chamava, pudessem trazer à tona o papel que ela tinha desempenhado durante toda sua vida a serviço da heterossexualidade, e analisá-lo finalmente como um regime político sustentado pelo pensamento hétero?

O pênis é o destino

"A maioria das lésbicas recusa o homem *com reticência*". Essa estranha afirmação é também a chave para compreendermos a concepção de Beauvoir daquilo que deveríamos chamar não de lésbica, mas de *lesbeauvoir*. Uma afirmação cuja ambiguidade é reduzida se restituímos seu caráter concessivo: "a maioria das lésbicas recusa o homem com reticência", ao passo que as mulheres heterossexuais o recusam com brio. Assim compreendemos melhor o valor da posição polêmica das mulheres heterossexuais, bem como a depreciação destinada às lésbicas exclusivas: "Mas essa conciliação de sua personalidade ativa com seu papel de fêmea passiva é, apesar de tudo, muito mais difícil para ela do que para o homem: muitas mulheres renunciarão a tentar essa esforço de preferência a consumir-se nele. Entre os artistas e escritores femininos, encontram-se numerosas lésbicas [...]. Não admitindo a superioridade masculina, não querem nem fingir reconhecê-la nem se cansar contestando-a; procuram na volúpia relaxamento, serenidade, diversão [...]"[44]. As lésbicas exclusivas e constantes se desviam, se separam. Evitando o confronto, elas não têm a coragem de uma Isabelle Eberhardt, que "não se sentia

44 *Ibid.*, p. 201. Trad. brasileira citada, p. 151.

em nada diminuída quando se entregava a algum soldado vigoroso"[45]. "O protesto viril", ativo social e culturalmente, é destinado a permanecer passivo sexualmente. De maneira alguma "o protesto viril" deve se degenerar numa "triunfante virilidade", que é aliás "biologicamente" proibida às mulheres e, portanto, às lésbicas.

A rejeição da sexualidade lésbica exclusiva decorre da visão beauvoiriana de uma sexualidade lésbica, tributária de uma concepção masculina heterocentrada da sexualidade. Na realidade, não há muita diferença entre a construção das lésbicas nos filmes pornográficos heterossexuais ou nos filmes eróticos de fim de semana na TV paga e a interpretação redutora e dessexualizada, segundo Beauvoir, do que as lésbicas fazem na cama. Pois ela relega essas últimas às paixões maternais, adocicadas e passivas: "a lésbica gosta muitas vezes de bebidas fortes, de fumos fortes, de falar em linguagem rude, de impor a si mesma exercícios violentos: eroticamente ela partilha a doçura feminina"[46]. Ou, ainda, porque não dá valor algum às práticas de penetração sem pênis. É que a verdadeira sexualidade (heterossexual) é penística, orgânica e realista, aliás antes mesmo de fálica. E a concepção feminista da heterossexualidade feminina, para Beauvoir, é indissociável dos aspectos altamente genitais da dominação masculina que ela mesma combate. Ora, de repente o anatômico se torna de novo o destino: o pênis é, em todo caso, o destino, a medida, o padrão... do "protesto viril": "A lésbica poderia facilmente consentir na perda de sua feminilidade se com isso adquirisse uma virilidade triunfante. Mas não. Ela permanece evidentemente privada de órgão viril; pode deflorar a amiga com a mão ou usar um pênis artificial para imitar a posse: não deixa contudo de ser um castrado"[47].

A irredutível incompletude das lésbicas butch

A concepção da sexualidade lésbica como forçosamente passiva e incompleta, em contraponto crítico à sexualidade masculina

45 *Ibid.*, p. 201. Trad. brasileira citada, p. 151.
46 *Ibid.*, p. 216. Trad. brasileira citada, p. 162.
47 *Ibid.*, p. 203. Trad. brasileira citada, p. 152.

heterossexual, tem relação com a pronta repsicologização das lésbicas masculinas. Após terem sido postas em exposição, elas serão a partir daí submetidas a afirmações de cunho anatômico. E assistimos assim, mais uma vez, a uma dessas reviravoltas biologizantes tão características do capítulo "A Lésbica". Finalmente, é possível encontrar uma causa psicológica para o comportamento das "invertidas".

Mostrando-se no mínimo versátil com relação a certos tipos de saberes "disciplinares", no sentido foucaultiano do termo, Beauvoir toma por objeto as "invertidas" sujeitas a "psicoses" – utilizando como recurso um quadro psicanalítico que ela mesma havia rejeitado repetidas vezes e que, conforme sabemos, não costumava ver com bons olhos. Sandor não foi analisada, mas a autora do *Segundo Sexo* se encarrega disso: "É impressionante, entretanto, que 'detestasse' os homens e amasse particularmente as mulheres idosas. Isso sugere que Sandor tinha em relação à mãe um complexo de Édipo masculino"[48].

E, se ela volta sua atenção para esse "caso" específico, não será porque ele é o símbolo de um desejo que ultrapassa o protesto viril e chegaria à "triunfante virilidade"? "Fixação materna", "narcisismo", as tropas psicanalíticas formam uma legião para cercar "esse tipo de lésbica que nunca se identificou com sua mãe". Embora não costume poupar esforços quando se trata de marcar subjetivamente suas afirmações teóricas, Beauvoir se deixa cair em registros impessoais de enunciação que tendem a reforçar os fundamentos da tipificação exemplar e científica que ela acaba de operar.

Existem, portanto, dois protestos viris, um bom e um não tão bom. Beauvoir termina um capítulo em que se empenhou em desbiologizar a mulher e a homossexual, assim como em atribuir algumas formas de protesto viril de forte implicação social e política às mulheres e a algumas homossexuais, fazendo quase uma caricatura das lésbicas masculinas, da cultura lésbica de bar e, muito provavelmente, da cultura butch-femme. A partir daí, ela passa a criticar violentamente essas homossexuais que se exibem. Beauvoir lamenta que elas "só entre si mantêm relações,

48 *Ibid.*, p. 205. Trad. brasileira citada, p. 153.

organizam espécies de clubes para mostrar que não têm nem social nem sexualmente necessidade de homens. Passam desse modo facilmente a fanfarronadas inúteis e a todas as comédias da inautenticidade. A lésbica representa primeiramente o papel de homem; posteriormente ser lésbica já se torna um jogo; a fantasia transforma-se em uniforme e a mulher, a pretexto de subtrair-se à opressão do homem, faz-se escrava de seu personagem [...]. Nada dá pior impressão de estreiteza de espírito e de mutilação do que esses clãs de mulheres libertas"[49].

A força crítica do travestimento, consciente ou não, reivindicada ou não, será negada a essas lésbicas masculinas que se libertam de maneira equivocada e cometem o pecado existencialista da inautenticidade. Em uma palavra, que não são mulheres – como todos sabem –, mas *lesbeauvoirs*.

A heterossexualidade como teoria e a homossexualidade como prática

Por fim, o capítulo "A Lésbica" é exemplar do comportamento de numerosos textos que "tratam" da homossexualidade numa perspectiva heterocentrada. A lésbica, de acordo com Beauvoir, bem como a homossexualidade em geral e a *lesbeauvoir* em particular, pode servir para criticar a heterossexualidade, mas não deve ameaçá-la enquanto sistema político-sexual dominante. A homossexualidade não pode, de maneira alguma, ser a fonte de uma sociabilidade clivada, diferente, suscetível de transformar a cultura sexual heterossexual ou mesmo de abalar o binarismo que a mantém viva: a oposição construída entre homossexualidade e heterossexualidade.

A brecha aberta por "A Lésbica" diante do restritivo sistema dos gêneros logo se fecha de novo, na medida em que se fortalecem as amarras biologizantes e que se desenha um quadro ideológico e político bastante específico: aquele, que se tornou célebre, do feminismo como teoria e do lesbianismo como prática. O mesmo que iria contribuir para a invisibilização de muitas lésbicas, a começar pelas mais masculinas, no âmbito do Movimento Feminista.

49 *Ibid.*, p. 217. Trad. brasileira citada (adaptada), p. 163.

Em "A Lésbica", assim como em outros discursos de diferentes origens, manifesta-se essa vontade bastante particular de colocar a homossexualidade dentro e fora: de positivá-la e de negativá-la livremente, o que acaba por lhe atribuir, de uma posição discursiva dominante e abusiva, papéis inclusive contraditórios. Uma figura de dominação discursiva frequente e cara aos grandes filósofos franceses. Basta ver o tratamento infligido por Sartre a Jean Genet em *Saint Genet, ator e mártir* (1952), que deveria servir de prefácio à publicação das obras completas do autor de *Nossa Senhora das Flores*. Ao tornar porosa a fronteira entre homossexualidade e heterossexualidade, Beauvoir tem o objetivo de que se recriem imediatamente outras partilhas em benefício de uma cultura sexual normativa e de uma cartografia dos gêneros limitada, reforçando um sistema sexo/gênero que concede uma função crítica à homossexualidade feminina das mulheres heterossexuais e que acolhe "o protesto viril" das lésbicas masculinas. Assim, desconstrói mais a feminilidade do que a masculinidade heterossexual, que permanece praticamente intacta ou é ainda por cima enfeitada por uma aura sexual transcendental. Essa homossexualidade feminina da mulher heterossexual pinta em negativo o retrato de uma Simone de Beauvoir envergonhada de suas várias paixões lésbicas e inteiramente devotada a Sartre. O lastimável sedutor em nome de quem ela ludibria suas amantes, principalmente aquelas que recusam "o homem com reticência", para que Sartre trepe com elas, fazendo jus ao pedante sujo, presunçoso e patife que ele era, bem no centro dos trios que eles armavam[50].

50 Sobre as manipulações de Beauvoir, que leva todas as suas amantes para a cama de Sartre, e a grosseria e as pífias qualidades sexuais do filósofo, ver as *Mémoires d'une jeune fille dérangée*, de Bianca Lamblin, publicadas pela Balland em 1993.

TRANS

Das "mulheres travestidas" às práticas transgênero: repensar e queerizar[1] o travestimento

De quem estamos falando quando utilizamos a expressão "mulheres travestidas"? De George Sand ou de Joana d'Arc? Dos drag-kings passeando na Londres dos anos 1990? Das Testosterone Girls[2] de São Francisco, que se injetam testosterona com objetivos experimentais, criativos ou recreativos, num contexto diferente do da transição e do tratamento hormonal? Ou das *garçonnes* dos Anos loucos? De Claude Cahun[3] ou de Madeleine Pelletier? Será que falar de "mulheres travestidas" equivale a designar corpos "biológicos" nos quais viriam a se inscrever marcas de gênero invertidas? Mas qual é o discurso ou a série de discursos que faz com que tal denominação nos pareça familiar? Quem nos leva a continuar falando assim, como prisioneiros das definições médicas, heterocentradas e centradas nas vestimentas, como subentende o próprio termo travestimento[4]? O que ganharíamos ao utilizar outras denominações, tais como "práticas transgênero"? Ao permitir que a linguagem teórica

1 Nesse contexto, queerizar quer dizer retomar a reflexão sobre o travestimento sem negligenciar mais o ponto de vista e as concepções das minorias sexuais concernidas, que se viram objetificadas pelos discursos médicos, jurídicos e psiquiatrizantes heteronormativos. Também significa levar em conta os aportes da teoria queer para trabalhar com a diferença sexual e os gêneros.

2 A denominação "Testosterone Girls" vem da cena transgênero estadunidense. Para os testemunhos das Testosterone Girls, ver o filme de Jewels Barker, *St. Pelagius, the Penitent and other Stories*, 1997, 10 min, Reino Unido.

3 Poeta, escritora, tradutora, atriz e fotógrafa, Claude Cahun (1894-1954) produziu uma série de autorretratos em que se coloca em cena como homem e como mulher. Cahun é uma referência da cultura drag-king inglesa: quando Della Grace monta seu ateliê drag-king na Universidade de Cambridge, em 9 de fevereiro de 1996, um dos primeiros slides que mostra é uma foto de Claude Cahun.

4 Na *Psychopathia Sexualis* (1886), Krafft-Ebing trata de quatro "casos" de travestismo (todos masculinos), dos quais dois são repertoriados como sendo próximos do fetichismo. Esse médico alemão (1840-1902) é um dos grandes produtores dessas classificações que era comum chamar, à época, de "perversões sexuais".

que utilizamos se deixe deformar pelas posições enunciativas minoritárias, como o movimento transexual ou transgênero? Ou ao questionar a fronteira estabelecida, de um lado, entre teoria e práticas discursivas e, de outro, aquela mantida entre discurso universitário e discurso político?

Essas são algumas das interrogações às quais pretendo responder aqui, mediante o repertório de três modelos ao mesmo tempo de interpretação e de definição do travestimento das mulheres: o modelo médico, o modelo da liberação e o modelo da performance. Outros modelos mereceriam ser passados por nosso crivo, em especial o modelo psicanalítico e o modelo da moda. Fica para outra ocasião.

As "travestidas": a gaiola sexológica em que elas não entram

Embora ainda balbuciante, a genealogia dos discursos que contribuíram para a patologização das "travestidas" confirma a assimetria estrutural da história das mulheres e das lésbicas. De um lado, uma abundância de discursos sobre os homens que se travestem: Krafft-Ebing e Havelock Ellis[5] são os mais conhecidos e influentes. Pelo menos o escritor britânico foi tão consultado quanto Krafft-Ebing sobre a questão das "perversões sexuais", em cuja primeira fila figura a "inversão feminina". Ele foi levado a se pronunciar sobre "o caso" de Radclyffe Hall após a publicação de *O poço da solidão*, para o qual redigira o prefácio a pedido da autora. De outro lado, um silêncio construído em relação às mulheres, uma não existência, ou melhor, uma inscrição vazia.

De certo modo, adquiriu-se o hábito de resumir a perspectiva foucaultiana dos discursos disciplinares – que geraram as identidades sexuais, e não as práticas – a uma crítica das categorizações dos sexólogos, as quais contribuíram largamente para desenhar os contornos da paisagem sexual em que evoluímos desde fins do século XIX e que se revelou determinante e

5 "Sexo-Aesthetic Inversion", *Alienist and Neurologist*, v. 34, nº 1, maio de 1993; *Alienist and Neurologist*, v. 34, nº 2, agosto de 1913; "Eonism and Other Supplementary Studies", *Studies of the Psychology of Sex*, 1926, Filadélfia, F. A. Davis.

coercitiva para as primeiras interpretações do "travestismo". Essa taxonomia em que a diferença sexual é fixada de maneira heteronormativa nem sempre vem "de cima". Especialmente no caso do travestismo, a invenção das gavetas/gaiolas de definição é fruto dos sexólogos triunfantes, mas também de um médico "homossexual" adepto do travestimento, Magnus Hirschfeld[6], que em 1910 será o primeiro a tentar extirpar do travestismo algumas confusões comuns. Tendo em vista esse vai e vem entre os "disciplinantes" e os "disciplinados", essa constante reconfiguração de categorizações de origens diferentes, pode ser interessante observar o que os discursos disciplinares de origem médica e psiquiatrizante retêm do travestismo dos homens para construir o das mulheres.

Segundo o modelo médico do travestimento declinado pelos sexólogos, não é bem que as mulheres travestidas não existam – todos dispõem de testemunhos ou de alguns "casos", inclusive Westphal[7] e Hirschfeld[8] –; o que acontece é que elas não vão entrar no que se poderia chamar de gaveta/gaiola sexológica. Assim, embora disponha da definição do travestismo não exclusiva das mulheres proposta por Hirschfeld, Havelock Ellis substitui o termo "travestismo" por "eonismo", tendo se inspirado na história do cavaleiro Eon de Beaumont, que viveu muitos anos de sua vida como mulher.

Várias razões podem explicar essa nova delimitação do travestimento que termina por excluir as "mulheres travestidas" da tipologia sexológica. Parece claro que a primeira fase da patologização do travestimento se concentrou não no "sexo biológico",

6 *Die Transvestiten: Eine Untersuchung über den erotischen Verkleidungstrieb mit umfangreichen casuistischen und historischen Material*, Leipzig, Max Spohr, 1910. Esse médico alemão fundou, em 1897, o Comitê Científico Humanitário (Institut für Sexualwissenschaft) destinado a ajudar as pessoas consideradas "sexualmente desviantes". Homossexual declarado, Magnus Hirschfeld trabalhou para reformar as leis alemãs em matéria de sexualidade e pela revogação do parágrafo 175. Em 1933, o instituto foi fechado pelos nazistas, que queimaram suas obras em praça pública. Hirschfeld é tido como um dos fundadores do movimento homossexual alemão.

7 O médico alemão (1833-1890) descreve dois casos de "travestimento", entre os quais aquele de uma mulher, em "Die konträre Sexualempfindung", *Archiv für Psychiatrie und Nervenkrankheiten*, nº 2, 1869.

8 Dezessete casos de "travestismo", entre os quais o de uma mulher, são estudados por Magnus Hirschfeld.

constitutivo da identidade sexual ou do gênero[9], mas na estigmatização de uma prática sexual desviante, de uma fonte proibida de prazer, a saber, o prazer sexual despertado pelo uso de roupas ditas do outro sexo. Já se pode ler em Tissot[10] que o onanismo (a masturbação) abrange a homossexualidade e o travestimento. Assim, no século xviii, o travestimento entra na categoria muito aberta das perversões e dos orgasmos antinaturais. Nas definições do século XIX e início do XX, a concepção restrita do travestimento – reduzida ao uso de roupas do sexo feminino por um homem, assim como a uma prática erótica – será reforçada com a aparição da formalização de uma outra perversão tida como unicamente masculina: o fetichismo descrito por Freud[11], ao qual De Lauretis e Grosz dedicaram perversas releituras tão decisivas quanto salutares.

Seria preciso analisar o fato de os prazeres e os desvios sexuais terem sido reservados aos homens, em relação com uma construção bastante precisa da masculinidade e da feminilidade, que se funda, entre outras matrizes, a partir das perspectivas heterocentradas e falocêntricas dos sexólogos e dos psicanalistas. Isso nos obrigaria, aliás, a também responder à questão sobre por que e como a mulher se vê constantemente submetida a uma dialética de sexualização-dessexualização com relação ao "homem". Dessa vez com uma questão secundária, de ordem sexográfica, que evitaria cair na armadilha essencialista segundo a qual as mulheres seriam, com toda evidência, naturalmente menos sexuais que os homens: por que será que as "mulheres travestidas" interrogadas não sustentam o discurso ligado ao gozo da vestimenta?

9 Como será o caso, por exemplo, com Stoller em *Sex and Gender: On the development of Masculinity and Feminity*, Londres, Hogarth Press and the Institute for Psycho-Analysis, 1968.

10 Samuel-Auguste Tissot, *L'Onanisme: Dissertation sur les maladies produites par la masturbation*, 1769, Lausanne.

11 Com seu artigo intitulado "O fetichismo" (1927) e os "Três ensaios sobre a teoria da sexualidade" (1905). Sobre o fetichismo feminino e lésbico, ver Teresa De Lauretis, *The Practice of Love: Lesbian Sexuality and Perverse Desire*, Bloomington & Indianapolis, Indiana University Press, 1994. E Elizabeth Grosz, "Lesbian Fetichism", *Space, Time and Perversion*, Nova York, Routledge, 1995, assim como a análise do filme *Vera*, feita por Judith Halberstam.

Entre parênteses – e isso vai no sentido de uma abordagem construtivista das práticas sexuais e da identidade sexual, assim como de uma crítica ao discurso psicanalítico –, notemos que as "travestidas contemporâneas"[12] e certos drag-kings surgidos nos Estados Unidos, na Alemanha e na Grã-Bretanha no início dos anos 1990 reivindicam o prazer fetichista do travestimento. Como diz Della Grace, "o drag-king também é uma forma de fetichismo. Pessoalmente, eu fetichizo certos elementos masculinos que prefiro encontrar numa mulher. Certas roupas usadas de certa maneira me excitam. Por exemplo, uma [calça jeans] 501. As pirocas lésbicas também são outro exemplo"[13]. E existem teorizações culturalistas e feministas que concluem sobre a existência de um fetichismo feminino e lésbico.

Não é porque as mulheres que se travestem no início do século descrevem sua experiência mais frequentemente como uma liberação social do que como erotização que se deve tirar como conclusão a dessexualização real de sua prática. Talvez não lhes tenham feito as perguntas certas. Provavelmente elas não dispunham de um "script sexual" que lhes permitisse descrever suas práticas e gozos, independentemente do quão diferentes pudessem ser. Resta que o testemunho da "mulher travestida" citado por Hirschfeld faz referência a uma prática de travestimento que é fonte de uma satisfação mais social que erótica. E é precisamente essa dimensão social que não figura, que não pode figurar na definição sexológica – daí o apagamento das "mulheres travestidas" da gaveta "travestimento".

É possível dizer que os benefícios erótico e social coexistem no caso das mulheres travestidas. Afinal, vestir-se como homem é sempre garantia de um conforto social e econômico imediato, como se pode imaginar. Encontramos o mesmo benefício social

12 Dans Stoller, "Tranvestism in women", *Archives of Sexual Behavior*, nº 11, 1982. Uma jovem de 30 anos descreve a maneira como erotiza os jeans Levi's.

13 Della Grace, entrevistada por Ana Papadopoulos, vulgo Marie-Hélène Bourcier (*3 Keller*, nº 20, março de 1996). A paixão pela 501 parece bastante difundida. Ver também o testemunho de Sandy Bernstein, que se define como "crossdresser no sentido feminino-masculino", em um número de um boletim informativo destinado aos transexuais e criado em 1986 ("A Crossdresser's Closet: A Different kind of 'Coming Out'", *FTM*, nº 16, julho de 1991).

"automático" entre transexuais que se consideram bem mais respeitados enquanto homem na vida cotidiana e social. Basta comparar o perfil profissional e a renda das transexuais e dos transexuais. Ou notar que são as transexuais que se encontram na posição de trabalhadoras do sexo, algo não tão frequente no caso dos transexuais. Como afirma Max Valério, um ftm[14] entrevistado por Monika Treut no filme *Female Misbehavior*, de 1992, seu salário começou a aumentar a partir do momento em que passou a viver como homem.

De fato, a função social do travestimento é característica de uma posição, crítica e verdadeiramente feminista, com relação a uma desigualdade fundada sobre a concepção naturalizante e alienante da diferença sexual e da sexualidade. É essa "fibra social e política" que também encontramos entre os drag-kings de Londres, Paris e Berlim, além de Nova York. A imprensa popular[15] se deleitou em fazer uma imagem lúdica e provocadora das drag-kings dos anos 1990, enfatizando sua vida noturna (as noitadas no *Knave* em Londres, organizadas por Jewels Barker e Della Grace[16]), e não sua cultura. Mas basta assistir ao concurso de drag-kings que ocorreu em Londres, em 1995, no âmbito do festival gay e lésbico organizado todos os anos no National Film Theatre, para perceber a dimensão crítica e político-sexual assumida do modo de agir drag-king. O júri do concurso contava com Jordy Jones, que havia vencido o concurso de drag-kings realizado na costa Oeste alguns meses antes, e Della Grace fazia parte dos candidatos. Seria possível dizer o mesmo da cena drag-king atual em Nova York, com os espetáculos de Murray Hill, Dred e de drag-kings que se produzem no *Slipper Room*. No concurso de drag-kings realizado em Londres, em 1995, Hans Scheirl, videasta austríaca radicada em Londres e diretora de filmes cult lésbicos como *Flaming Ears*, escolheu

14 Abreviação utilizada na comunidade transexual estadunidense, que significa "do feminino para o masculino" e designa pessoas transexuais (operadas ou não) e pessoas transgênero.

15 No que diz respeito à imprensa francesa, ver *VSD* nº 947, de outubro de 1995.

16 Della Grace/ Del LaGrace Volcano é fotógrafo e vive em Londres. Suas fotos da cena drag-king europeia e estadunidense apareceram em 1999, em *The Drag King Book*, com um prefácio de Judith Halberstam (Londres, Serpent's tail).

colocar em cena a morte acidental por enforcamento de um deputado conservador inglês S/M, questionando se "o armário da vida privada também é político". O deputado havia morrido ao praticar *bondage* sozinho e às escondidas.

"Travestismo feminista" ou o modelo da liberação e suas perversões

Certa tradição feminista moderna interpretou o tipo de transgressão social constituída pelo "travestimento" como tendo relação com a opressão social das mulheres (acesso proibido a certas profissões, por exemplo). Essa leitura feminista toma a mulher como paradigma de referência e corresponde ao modelo da liberação. Este pressupõe, de partida, certa desnaturalização do gênero, do tipo levado a cabo por Simone de Beauvoir em *O Segundo Sexo*, na medida em que o travestimento permite às mulheres transgredir a fronteira homens/mulheres naquilo que esta tem de socialmente coercitivo.

O modelo da liberação da mulher, aplicado ao travestimento praticado pelas mulheres, está longe de ter perdido sua atualidade. Para ficar apenas num exemplo recente entre muitas possibilidades, Holly Devor[17] se inscreve nessa linhagem, ao considerar as mulheres heterossexuais e as lésbicas "travestidas" como *gender blenders* (pessoas que misturam os gêneros), o que exprimiria de comum acordo uma forma de rebelião contra o patriarcado, uma rebelião que é e deve ser transitória, exatamente como o "protesto viril"[18] de Simone de Beauvoir.

O modelo da liberação gera novas exclusões entre as "mulheres travestidas", devido ao fato de seu eixo central ser a mulher "biologicamente" definida e não raro essencializada, com relação a quem todas as práticas de travestimento devem adquirir seu sentido. Assim, uma "mulher travestida" é uma mulher, antes de ser uma

17 *Gender Blending: Confronting the Limits of Duality*, Bloomington, Indiana University Press, 1989.

18 Para uma análise do capítulo sobre a lésbica que estigmatiza a lésbica butch, ver acima, p. 134-144.

lésbica ou uma lésbica butch (uma lésbica masculina[19]). No modelo beauvoiriano, o "protesto viril" é entendido como uma forma de protesto social e político a serviço da liberação da mulher. Em hipótese alguma ela deve ser confundida com a expressão da lésbica (isto é, segundo Beauvoir, da homossexual não heterossexual que não pratica a homossexualidade de situação), menos ainda com um código erótico (os papéis butch/femme ou o fetichismo da vestimenta) ou uma expressão de gênero. Beauvoir acompanha os sexólogos em sua visão necessariamente dessexualizada do "protesto viril". Com a leitura feminista de Holly Devor, para quem o travestimento das mulheres heterossexuais e das lésbicas é uma crítica de situação que tende a desaparecer com o fim da opressão das mulheres, encontramos esse viés interpretativo frequente no modelo da liberação: mesmo que as mulheres que usam roupas de homem não sejam mulheres heterossexuais, mesmo que elas não sejam militantes ou não se definam como feministas, elas se tornam tudo isso sob o olhar do analista que adota um ponto de vista feminista. O que reconduz frequentemente às descrições dessexualizantes, a uma visão heterocentrada do "travestimento" e, sobretudo, ao esquecimento dos.as trans.

Os sexólogos acabaram excluindo as mulheres da esfera do travestismo, definido como perversão sexual. Ao atribuir ao travestimento um valor polêmico que somente é compreendido em referência à relação homem/mulher no quadro do sistema heterossexual, as feministas construíram o modelo da liberação e sua interpretação do travestimento com base na Mulher, invisibilizando culturamente as lésbicas e os.as transexuais. O modelo da liberação produz, por sua vez, normas, fronteiras e "perversões".

Essa vontade de impor normas ao travestimento é perceptível nas diversas análises que tomaram os drag-kings como objeto. Para algumas mulheres heterossexuais e algumas feministas, os ateliês de drag-kings (como Drag King for a Day, organizados por Diane Torr ou Annie Sprinkle nos Estados Unidos dos anos 1990) conseguiram preencher a função positiva dos grupos de tomada

19 Butchs são mulheres, mas também homens, biologicamente definidos.as e que praticam um registro de identificação masculina ou reivindicam uma identidade masculina.

de consciência feminista dos anos 1970. O objetivo do seminário de Diane Torr era ensinar a se passar por um homem durante 24 horas (tapando os seios, colando pelos e vestindo roupas adequadas[20]) e de passar uma noite na cidade como um homem. Uma oportunidade de constatar as mudanças de atitude muito concretas e os privilégios que nossa sociedade confere imediatamente à masculinidade, em detrimento da feminilidade.

Mas esses ateliês também eram frequentados por lésbicas masculinas, transgêneros[21] ou por ftm (*female to male*), isto é, por participantes da identificação masculina ou não necessariamente feminina. É Johnny Science, um rapaz trans, que ensina a Sprinkle e a Torr as técnicas de masculinização nesses ateliês de Nova York. E são justamente essas pessoas que se encontram excluídas do valor liberatório do "travestimento", em sua definição feminista emancipacionista. Elas se veem censuradas por serem vetores da opressão masculina e acusadas de reproduzir, de maneira alienada, os modelos espúrios da opressão patriarcal. E isso tudo por mulheres heterossexuais e lésbicas que fazem parte de uma tradição feminista naturalizante, mas também materialista. A recepção do filme *Virgin Machine* (1998), de Monika Treut, é um bom exemplo da construção da "perversão drag-king" com relação ao modelo da liberação. A sequência do filme em que vemos Ramona, uma mulher "biologicamente" definida, representar um homem de masculinidade exagerada e machista que simula um orgasmo com a ajuda de uma garrafa de cerveja foi lida não como uma contestação em matéria de normas sociais e de gênero, mas, ao contrário, como um reforço das normas de gênero e de seu potencial opressivo. É o mesmo tipo de leitura em referência ao modelo de liberação/opressão que fez com que, recentemente (em julho de 1999), um grupo de feministas de Berlim (entre as quais estavam lésbicas feministas) que festejava a publicação de um guia lésbico se reunisse para

20 É este, aliás, o roteiro retomado por um reality show, *Boys Meet Girls*, do canal britânico Channel Four, que mostra um grupo de rapazes e um grupo de moças convidados a viver no "gênero oposto".

21 O termo "transgênero" surgiu para se distanciar da denominação "transexual". Ele pode designar transexuais ou pessoas que, por razões variadas, não desejam recorrer a uma cirurgia de mudança de sexo.

saber se deveria ou não autorizar a presença de Johnny Berlin, um drag-king berlinense que se apresenta como Elvis Presley[22].

As feministas partidárias do protesto viril homeopático, simbólico e emancipatório não foram as únicas (longe disso) a rejeitar certas formas de identificação masculina. Também as lésbicas, ocupadas com a denúncia da opressão social das lésbicas masculinas, tenderam a dar uma interpretação restritiva do travestimento e a não levar em conta o fato de que mulheres vistas como mulheres e que levaram uma grande parte ou a totalidade de sua vida como homens talvez não fossem lésbicas, mas transexuais ou transgêneros.

Billy Tipton, por exemplo, levou toda sua vida adulta como homem. Nascido em Kansas City, no Missouri, em 1914, aos dezoito anos pegou emprestados alguns documentos do irmão, deixou a casa da família e realizou diversas turnês nos Estados Unidos ao lado do trio de jazz que tinha fundado. Ele se casou três vezes e, segundo suas parceiras, nunca lhes "revelou" sua anatomia feminina. Com sua última mulher, Kitty Oakes, adotou três filhos. Morreu por não ter ido ao hospital curar uma úlcera, certamente por medo de ser reconhecido como mulher[23]. Billy Tipton era uma "mulher travestida" amante de música, uma lésbica, um homem ou um transexual? Um homem, respondem o próprio interessado, seus filhos e suas diferentes mulheres, assim como a comunidade transexual estadunidense[24].

Teena Brandon mudou seu nome para Brandon Teena ao chegar a uma pequena cidade do Nebraska, onde viveria como homem heterossexual, o que o fez ser estuprado e assassinado em 1993. Brandon Teena era uma "mulher travestida", uma

22 Agradeço a Suzette Robichon por essa anedota.

23 Ver a biografia de Tipton escrita por Diane Wood Middlebrook, *Suits Me: The Double Life of Billy Tipton*, Nova York, Mariner Books, 1998.

24 "Tira as mãos daí, Billy era um de nós, era um homem" (*TNT: Transsexual News Telegraph*, nº 1, verão de 1993). Resposta na imprensa popular estadunidense à morte do jazzman: Tipton era uma mulher. Billy Tipton, mas também Brandon Teena, Jack Bee Garland (vulgo Babe Bean) fazem parte da longa lista de transexuais ou transgêneros exumados recentemente pelo movimento transexual e transgênero estadunidense. Ver, em especial, as obras de Lou Sullivan, *From Female to Male: The Life of Jack Bee Garland*, Boston, Alyson, 1990, e de Leslie Feinberg, *Transgender Warriors: Making History from Joan of Arc to RuPaul*, Boston, Beacon Press, 1996.

lésbica, um homem ou um transexual? Uma lésbica, segundo a jornalista do *Village Voice*[25], Donna Minkowitz, que suscitou a ira da comunidade transexual estadunidense, em especial do *female to male* Jordy Jones, para quem Brandon Teena era transgênero[26]. A imprensa gay francesa retomou em coro a ideia de que Brandon Teena era lésbica por ocasião do lançamento na França de *Meninos Não Choram*, o filme de Kimberly Peirce que rendeu um Oscar para Hilary Swank em 1999. Uma Hilary Swank que, na cerimônia, soube tranquilizar seus colegas. Ela pode ter interpretado muito bem seu papel, mas o que fez ainda melhor foi, *a contrario*, e uma vez terminado o filme, uma performance da arquifeminilidade. Não dava para fazer algo mais sexy nem mais feminino: ela estava feia no filme porque Brandon devia ser feio também. E isso vale um Oscar. Hilary, como foi falado, voltou a ser mulher com a ajuda do marido, ator como ela, acostumado com a comédia da heterossexualidade. E, ainda assim, que transgênero essa Hilary! Ao nos mostrar, não sem algum despudor, que ela própria não conseguiu continuar nesse lugar (quanto sofrimento!) e que deixou a identidade masculina, a verdadeira mulher, a "melhor atriz" recompensada por um "papel de falso garoto" nos mostra também o furo do século: os gêneros são apenas papéis, performances de gênero.

Brandon Teena não se identificava como lésbica, pelo contrário. Ser tomada como lésbica era, na realidade, uma de suas maiores angústias, já que se identificava como um rapaz heterossexual[27]. Além dos fenômenos de reapropriação por vezes selvagens[28] que utilizaram como objeto essas figuras de "mulheres travestidas" no seio de diversas comunidades político-sexuais estadunidenses, se as respostas divergem tanto, isso talvez também seja o sinal de uma clara necessidade de repensar

25 Donna Minkowitz, "Love Hurts", *Village Voice*, 19 de abril de 1994.

26 Jordy Jones, "FTM Crossdresser Murdered", *FTM*, nº 26, fevereiro de 1994.

27 Ver Marie-Hélène Bourcier, "Brandon Teena a vécu l'enfer de la transphobie et pas celui de l'homophobie. *Boys Don't Cry* ou le mélange des genres", *Libération*, 12 avril 2000.

28 Sobre as diferentes identidades atribuídas a Brandon Teena, vale ler a excelente análise de Jacob C. Hale, "Consuming the Living, Dis (re)membering the Dead in the Butch FtM Borderlands", *GLQ*, v. 4, nº 2, 1998, Duke University Press.

o "travestimento" nos planos teórico, filosófico e historiográfico. De compreendê-lo como uma manifestação, entre outras, da desestabilização das fronteiras delimitadas entre os gêneros (uma das principais evoluções da cultura sexual ocidental na atualidade), o que obriga a desnaturalizar e desconstruir o sistema binário sexo/gênero heterossexual e pensá-lo em função de uma reconfiguração das identidades de gênero, das identidades e das práticas sexuais. É bem possível que não tenhamos compreendido tudo a respeito de Joana d'Arc... Os partidos nacionalistas e de extrema-direita vão adorar saber que Joana talvez fosse trans.

A gaiola semiológica: fetichismo da vestimenta e performance do gênero

A expressão "travestimento", além de obrigar a olhar basicamente para a vestimenta, pressupõe que existe uma verdade do gênero: aquela que poderíamos travestir. Essa afirmação só pode ser compreendida de um ponto de vista heterocentrado, no âmbito do sistema de relação sexo/gênero imposto pelo regime heterossexual. Um regime no qual reduzir o travestimento à semiologia da vestimenta também permite pressupor a existência de um sexo "biológico" separado (entronizado pelo "é menina"/"é menino"), indiscutível e natural, ao qual vêm se sobrepor vestimentas discordantes em matéria de gênero. É essa articulação normativa entre categoria de sexo e categoria de gênero que leva a considerar o travestimento como simples inversão, no contexto de um sistema binário que estabeleceu uma concordância entre sexo e gênero e que naturalizou essas duas categorias. Existe um terceiro modelo de interpretação do travestimento que, diferentemente dos dois primeiros descritos acima (o modelo médico e o modelo da emancipação), não é dependente da verdade do sexo e de uma repartição ortodoxa das marcas de gênero. Esse modelo é o da performance. Ele teve seu desenvolvimento na teoria queer a partir de uma reflexão sobre o drag (o travestimento).

Problemas de gênero: Feminismo e subversão da identidade, de Judith Butler, um dos textos de referência da teoria queer, propõe uma conceitualização do gênero como performance.

Segundo Butler, o gênero é performance e performatividade[29]. Existem apenas performances da masculinidade e da feminilidade. Consequentemente, a performance de gênero está longe de se limitar às vestimentas e aos "casos" de travestis repertoriados. A crítica queer do sistema heterossexual levada a cabo por Butler se situa no prolongamento da crítica feminista dos gêneros. Apoiando-se em Foucault (análise da disciplina) e no Derrida da desconstrução (análise textual e releitura das teorias da performatividade), Butler propõe uma interpretação radical do travestimento, que seria essa possibilidade de imitação-repetição infiel das normas em matéria de gênero: "ao imitar o gênero, o *drag* revela implicitamente a estrutura imitativa do próprio gênero – assim como sua contingência"[30].

A própria possibilidade do travestimento constituiria a prova de que o gênero é apenas ficção e performance, no sentido teatral e linguístico do termo. De que, em variados graus, somos todos "travestis". Segundo Butler, o pretenso original constituído pelo modelo heterossexual (a um sexo feminino corresponderiam os índices do gênero feminino) não existe. As exceções à regra heterossexual que são as práticas transgênero observáveis na esfera gay e lésbica (com os drag-kings e as drag-queens, por exemplo) não são exceções, mas a prova de que essa regra é arbitrária e normativa, tratando-se de uma "produção disciplinar do gênero [que] leva a efeito uma falsa estabilização do gênero, no interesse da construção e regulação heterossexuais da sexualidade no domínio reprodutor"[31].

Nessas condições, "ser um homem", "ser uma mulher" consiste em realizar performances da masculinidade e da feminilidade: "esses atos, gestos e atuações, entendidos em termos gerais, são *performativos*, no sentido de que a essência ou identidade

29 Em suas obras seguintes, Judith Butler afina a relação que estabelece entre performance e performatividade. Ver *Bodies That Matter*, de 1993, traduzido no Brasil como *Corpos que importam*, São Paulo, n-1 Edições/crocodilo, 2019, e também *Excitable Speech: A Politics of the Performativity*, de 1997.

30 Judith Butler, *Problemas de gênero: Feminismo e subversão da identidade*, Rio de Janeiro: Civilização Brasileira, 2003, trad. Renato Aguiar, p. 196. Todas as citações da obra seguirão essa edição.

31 *Op. cit.*, p. 194.

que por outro lado pretendem expressar são *fabricações* manufaturadas e sustentadas por signos corpóreos e outros meios discursivos. O fato de o corpo gênero ser marcado pelo *performativo* sugere que ele não tem *status* ontológico separado dos vários atos que constituem sua realidade"[32].

Com essa definição do gênero como performance, vemos nitidamente que falar de "mulheres travestidas" apenas tem sentido se pretendemos permanecer fiéis à definição etimológica de travestimento (do latim "trans-vestire"). Ela é redutora, porque não leva em conta nem mesmo o conjunto dos atos e signos que fazem parte da performance de gênero, a exemplo das operações repertoriadas por Marjorie Garber: o ato de se vestir, a nomeação, a performance e o *acting out*[33]. Aquela definição também é tributária de uma ideia normativa e heterocentrada das expressões de gênero. E, de fato, as práticas transgênero, se dermos a esse termo o sentido de "que transgridem as fronteiras habitualmente impostas em matéria de gênero, incluindo as performances de gênero", não consistem em excentricidades ou inversões de vestimenta isoladas. É isso o que dá a ver, talvez de maneira demasiado próxima ou espetacular, o drag-king ostentando um dildo ou substituto do tipo (a garrafa de cerveja no filme de Monika Treut, um apêndice que levanta quando Hans Scheirl se abaixa). Ele faz pensar que a masculinidade é uma performance, inclusive o pênis. Desde *Loves Bites*[34], a presença dos dildos é constante nas fotografias de Della/Del LaGrace Volcano. Como observa Judith Halberstam, ao comentar a reação de uma jornalista de *Village Voice* que tinha assistido a um ateliê de drag--king ministrado por Annie Sprinkle mas não quis colocar meias em sua cueca (packing): "o que Solomon não entendeu é que o pênis, assim como a sexualidade, tornam-se artificiais e construtíveis a partir do momento em que se coloca em questão a naturalidade do gênero"[35].

32 *Op. cit.*, p. 194.

33 Marjorie Garber, *Vested Interests: Cross-dressing and Cultural Anxiety*, Nova York, Routledge, 1992.

34 A presença dos dildos é frequente nas fotografias de Della/Del La Grace Volcano, desde *Loves Bites*, Londres, GMP Publishers Limited, 1991. Ver também o catálogo da exposição *Della Grace* de 1996, Bregenz, Vorarlberger Kunstverein, 1.

35 Judith Halberstam, "F2M: the Making of Female Masculinity", Laura Doan, *The Lesbian Postmodern*, Nova York, Columbia University Press, 1994.

Trans-gêneros

Falar de "práticas transgênero", em vez de "mulheres travestidas", permite não reproduzir os recortes e as exclusões que são operados pelas categorias médicas e ideológicas relativas ao travestimento; permite não fechar as expressões de gênero em categorias que não fazem jus às experiências e à maneira como se identificam todas aquelas e todos aqueles que praticam registros de identificação masculinos/femininos ou que participam da performance masculina/feminina. Mas, sobretudo, optar por uma denominação como "práticas transgênero" também ajuda a quebrar os quadros epistemológicos que formaram nossa apreensão dos gêneros e que continuam a informar a percepção e a reflexão dos historiadores, sociólogos e antropólogos – "experts" em cultura e sociedade... Afinal de contas, a maior parte deles, de nós, continua a trabalhar com base em categorias como a mulher e o homem, o masculino e o feminino, mas também com os nexos culturalmente construídos que mantêm essas categorias. A partir do momento em que aceitamos falar de práticas transgênero, admitimos que nós também estamos em plena performance e, portanto, que nós nos tornamos parte do objeto/do sujeito de estudo.

Judith Halberstam provavelmente tem razão em dizer que é hora de destruir a retórica binária do trans- e do cross- (quer se trate de *cross-dressing* ou de *cross sex*), já que essa maneira de ver as categorias e fronteiras leva novamente a uma lógica bipolar e instaura uma alternativa coercitiva, obrigando a estar de um lado ou do outro, a "passar" de um lado ou do outro. Ainda segundo Halberstam, ganharíamos em conceber todas as técnicas de alteração do corpo (quer sejam de ordem ideológica, cirúrgica ou outra) como sendo também tecnologias de gênero e em situar os casos ditos excepcionais de "travestimento" com relação a tecnologias de gênero praticadas livremente ou até mesmo aconselhadas, a exemplo da cirurgia estética.

Talvez se possa dizer também que o "travestismo", enquanto gaveta impossível para as mulheres ou enquanto gaiola demasiado aberta, assinala suficientemente a própria característica relativa à identidade sexual: essas categorias não funcionam e estão sempre em crise. O que mostra o esforço de Hirschfeld, que tentou extirpar o travestimento da barafunda homossexualizante[36]. O que atesta também o status do travestimento, percebido durante muito tempo como uma subcategoria, um grau inferior do transexualismo. Marjorie Garber chega a pensar que está aí uma das funções mais efetivas do "travestismo" na cultura: apontar a crise da categoria. A crise que se produz quando as fronteiras entre categorias se tornam instáveis.

De fato, é interessante notar como o "travestismo" coloca em crise a gramática heterossexual dos gêneros e, com a teoria queer, a própria noção de gênero. Se a visibilidade cultural de certas práticas de gênero é uma história pontilhada, isso talvez ocorra porque a demonstração da masculinidade como performance foi invisibilizada. Ao passo que, inversamente, sempre se cobrou da/A m/Mulher que exagerasse na artificialidade-performance da feminilidade. Foi preciso tempo e uma certa alteração da construção da masculinidade para que pudesse ser mostrado que também a masculinidade não é senão performance. É o que parecem dizer também os ftm que seguem de perto os drag-kings, propondo versões da masculinidade ou das práticas de gênero nas quais uma operação cirúrgica, como a faloplastia, não é mais um ponto de passagem obrigatório, conforme atesta o filme *Trappings of Transhood* (1998), do diretor trans Christopher Lee.

A crise da categoria ganha também o campo universitário, no qual poderia ocorrer essa revolução copernicana mínima que consistiria não mais em fazer a história, mas também a sociologia, a literatura, a antropologia do ponto de vista das produções disciplinares, porque todas elas controlaram a posição das "mulheres travestidas" e porque, como espero ter começado a dizer aqui, outra coisa se dava em relação à desconstrução da masculinidade. Essa perspectiva também permitiria conceber as práticas de gênero do ponto de vista daqueles que as praticam e que não economizam em categorizações. É o que me leva a terminar este texto como Leslie Feinberg (que se define como He-She) começa sua obra intitulada *Transgender Warriors:*

36 Hirschfeld dedicou muita energia criticando a doxa psiquiátrica segundo a qual todos os travestis também eram homossexuais e/ou fetichistas.

Making History from Joan of Arc to RuPaul[37]: "Mesmo que eu defenda o direito de qualquer um de utilizar o termo travesti(da) enquanto autodefinição, utilizo apenas raramente o termo neste livro. Mesmo que certas publicações e organizações trans ainda utilizem 'travesti' ou a abreviação TV nos seus títulos, muitas pessoas rejeitaram esse termo, porque ele evoca conceitos próximos da patologia psicologizante, do fetichismo sexual e da obsessão, ao passo que essa forma de expressão de si não tem nada de doentia. E as indústrias médicas e psiquiátricas sempre definiram travestis como homens, mas também existem muitas mulheres crossdressers [...]. Porque todo o nosso espírito, a essência do que somos, não é conforme aos estereótipos estreitos em matéria de gênero, muitas das pessoas que, no passado, foram compreendidas como crossdressers, travestis, drag-queens ou drag-kings se definem hoje como transgênero. De fato, nossas comunidades recolocam em questão todas as fronteiras e restrições em matéria de sexo e de gênero. O cimento dessas diversas comunidades é a defesa do direito de qualquer um definir a si mesmo. Enquanto escrevo este livro, a palavra 'trans' é utilizada cada vez mais, na comunidade transgênero, como um termo que unifica uma coalizão. Se o termo já tivesse obtido seu reconhecimento popular, eu teria intitulado este livro *Trans Warriors*. Mas como o termo 'transgênero' é ainda mais facilmente reconhecido por todo mundo, utilizo-o aqui em seu sentido mais inclusivo: em referência a tod*s *s combatentes trans que levaram adiante suas batalhas, que se rebelaram durante toda sua história, e que hoje se mobilizam para ter a coragem de lutar por suas identidades e suas vidas. *Transgender Warriors* não é uma história exaustiva das pessoas trans, nem mesmo a história do nascimento e do desenvolvimento do movimento trans moderno. No lugar disso, é um novo olhar para o sexo e o gênero na história e para as interações entre a classe, a nacionalidade, a raça e a sexualidade. Será que todas as sociedades reconheceram apenas dois sexos? Será que as pessoas que transgrediram as fronteiras dos sexos e dos gêneros foram sempre demonizadas? Por que a mudança de sexo ou o *cross-dressing* estão ligados a instâncias jurídicas?".

37 Leslie Feinberg, *op. cit.*

Foucault, e depois? Teoria e políticas queer entre contrapráticas discursivas e políticas da performatividade

Tendo parcialmente saído das reflexões pós-modernas e pós-estruturalistas, a teoria queer se distingue delas por ter engendrado uma repolitização inédita do campo sexual, ao propor uma crítica hiperbólica dos centros de formação das identidades sexuais e de gênero normativas e das formas de intervenção na economia política dos discursos disciplinares, que são maneiras de colocar em questão tanto os regimes da verdade quanto o biopolítico. De fato, a teoria queer não problematiza nem politiza somente o corpo, mas também – e aí está sua forte dimensão epistemológica – o saber e a produção de verdade, ou seja, as relações saber-poder. As formas e os lugares de ação política decorrentes dessa concepção crítica do poder e da política das identidades desencadeiam uma mudança de cultura política severamente criticada por certas correntes feministas ou por pensadores gays[38] que a reprovam por seu potencial... despolitizador.

Trata-se de um retorno, então, à questão pós-identitária e ao gênero de práticas políticas geradas por ela, passando pela queerização de Foucault, que desempenha um papel incontornável nessa história. Tendo em vista que é melhor falar de contrateoria queer ou, melhor ainda, de contrapráticas discursivas queer para quebrar a restrição epistemológica que impõe a divisão teoria-prática. A denominação "contrapráticas discursivas" tem o mérito de não designar a teoria pela exclusão da prática, e vice-versa.

38 Ver *Homos*, em que Léo Bersani coloca em questão a "desgayzação" causada pela teoria queer e pela identificação queer, além de desmantelar as pretensões políticas do "queer". Ver o capítulo "The Gay Absence", uma crítica dos diferentes artigos de Michael Warner, *Fear of a Queer Planet, Queer Politics and Social Theory*, Minneapolis University of Minnesota Press, 1993.

Definições e novas versões da in-versão

Não é tarefa simples localizar o surgimento da teoria e das práticas políticas queer, mesmo nos Estados Unidos, onde se pode ter a impressão de que "foi onde tudo começou". A teoria queer dispõe de referentes recalcitrantes. Foucault, grande totem *a posteriori* da teoria queer, provavelmente não se reconheceria nessa designação. Judith Butler, proclamada rainha do queer[39], contou numa entrevista que foi durante um jantar numa conferência sobre estudos gays e lésbicos organizada nos Estados Unidos que ela descobriu ter se tornado, sem saber, um dos figurões da teoria queer. Butler se designa antes de tudo como feminista, mesmo que tenha tido um papel central na teoria queer. É preciso somar a isso que muitas vozes - mulheres e lésbicas[40] não brancas, como Anzaldúa, transexuais e transgêneros - se levantam não sem razão contra uma "classe" acadêmica que, no fim das contas, só tem olhos para "o queer" chique, do qual teria feito uma moda intelectual reservada aos privilegiados, os gays brancos oriundos das classes médias, que se dariam ao luxo de dissertar sobre as minorias das minorias. O enfoque de certas teorias queer sobre as sexualidades em detrimento dos gêneros é um problema levantado por feministas, transexuais e transgêneros. Afinal, em vez de permitir a articulação de uma política das diferenças que leve em conta os múltiplos níveis de opressão, a teoria queer terminaria por nivelá-los. A esse sentimento de despossessão expresso por diferentes minorias, é preciso acrescentar os fenômenos de despolitização favorecidos pelo grau de abertura semântica do termo. David Halperin lembra também a fraqueza do termo, exposta a numerosas apropriações

39 "Gender as Performance", *Radical Philosophy*, nº 67, verão de 1994. Entrevista feita por Peter Osborne e Lynne Segal (apostila dos seminários do Zoo, 1998-1999).

40 Ver o artigo muito severo de Gloria Anzaldúa: "To(o) Queer the Writer: Loca, escrita y chicana", em Betsy Warland, *InVersions: Writings by Dikes, Queers and Lesbians*, Vancouver Press Gang, 1991. Mas também as críticas dos transexuais e transgêneros, com Viviane Ki Namaste e seu texto "Tragic Misreadings: Queer Theory's Erasure of Trangender Subjectivity", em *Queer Studies: A Lesbian, Gay Bissexual and Transgender Anthology*, de Brett Beemyn e Michey Eliason, Nova York, Nova York Univesity Press, 1996. O fato de ignorar os múltiplos níveis de opressão é a principal queixa dessa antologia crítica da teoria queer.

exógenas e sem nexo com qualquer forma de opressão sexual. Na França, assistimos à chegada desse tipo de apropriação com "o boom do queer", simbolizado pelo cadastro do termo no Instituto Nacional da Propriedade Industrial (INPI) feito por Thierry Ardisson em janeiro de 1999. Em outros lugares, a promoção de uma visão do queer ao mesmo tempo ecumênica e pautada pelo marketing se traduziu, de maneira significativa, por um discurso que enfocava principalmente os heterossexuais enquanto alvo comercial, para incluí-los num pansexualismo generalizado ou numa heteroflexibidade muito "*in*".

Dar uma definição do termo também é difícil. Recentemente, adquiriu-se o hábito de consultar o dicionário de inglês para constatar que "queer" já quis dizer algo como "bicha vagabunda!" e, por extensão, "bizarro, esquisito". Pode-se dizer, sem muito erro, que alguns já foram chamados de "queer!", mas que a violência absurda da afirmação dificilmente pode ser restituída fora do inglês. Para soar corretamente, seria preciso encontrar a maneira de expor a genealogia da força performativa dessa ofensa. O certo é que outros se reapropriaram da significação estigmatizante do termo e, dessa reapropriação, nasceu uma teorização da sexualidade oriunda das minorias gays e lésbicas que rapidamente ultrapassou a esfera homossexual, a ponto de virar do avesso as concepções que se podia fazer do sujeito e da identidade gay ou lésbica.

O posicionamento queer resulta de uma desconstrução das identidades sexuais: "inverter a posição do 'homossexual', que de objeto se torna sujeito, é pois colocar à disposição das lésbicas e dos gays um novo tipo de identidade sexual, caracterizado por uma falta de clareza no conteúdo definido. Agora o sujeito homossexual pode reivindicar uma identidade sem essência [...]. A identidade (homo)sexual pode, de agora em diante, constituir-se não como substância, mas de maneira oposicional, não a partir do que ela é, mas levando em conta de onde ela é, além da maneira como opera. Aqueles que ocupam, de maneira consciente, um lugar marginal como esse, que assumem uma identidade desessencializada e de pura posição são, rigorosamente falando, queer, e não gays"[41].

41 *Saint Foucault: Towards a Gay Hagiography*, Nova York, Oxford University Press,1995.

Falar de identidades ou de essência queer é, pois, uma contradição em termos. Existiram apenas identidades de posição ou posições queer. Queerizar os espaços, as disciplinas, os modos de saber-poder heterocentrados e ao mesmo tempo guardar na memória a ancoragem político-sexual do termo – tal poderia ser o programa de um "sujeito queer" obrigatoriamente "mau aluno", antiassimilacionista e "*out*", que busca explorar os recursos da margem[42] e permanece atento às discriminações, sejam estas produzidas fora ou dentro da comunidade político-sexual. A respeito disso, ele afirma: "o objetivo é principalmente conceber a homossexualidade como uma posição a partir da qual é possível conhecê-la, concebê-la como uma possibilidade legítima de saber. Segundo essa visão foucaultiana de 'um saber gay', de uma ciência gay, a homossexualidade não é uma coisa qualquer, mas uma posição excêntrica que deve ser amplamente explorada: um local potencialmente privilegiado para criticar e analisar os discursos culturais"[43].

Estudos gays & lésbicos e identidades

O surgimento da teoria queer, nos anos 1990, coincide com o questionamento da identidade gay definida unicamente pela escolha do objeto sexual, visão em vias de se tornar hegemônica, subestimando a importância de outros traços identitários ou das sexualidades alternativas: por exemplo, as práticas S/M. Afinal de contas, os estudos gays e lésbicos emergentes chegavam a conclusões desestabilizantes também para a identidade homossexual. Mary McIntosh[44] e Jeffrey Weeks[45], seguidos por

42 Para uma reflexão sobre a lógica da construção da margem, dos limites, das fronteiras e sobre a desconstrução das oposições binárias homo/hétero, dentro/fora, ver a introdução de Diana Fuss à obra que ela organizou: *Inside/Out, Lesbian Theories: Gay Theories*, Routledge, Nova York, 1991.

43 *Saint Foucault: Towards a Gay Hagiography, op. cit.*

44 Mary McIntosh, "The Homosexual Role", *Social Problems*, v. 16, nº 2, 1968.

45 Jeffrey Weeks, *Sex, politics and Society: The Regulation of Sexuality since 1800*, Londres, Longman, 1991.

Jonathan Katz[46], David Halperin[47] e George Chauncey[48], mesmo seguindo caminhos sem dúvida diferentes, convergiram para uma visão bastante construtivista da homossexualidade. A partir daí, estava-se a um passo de afirmar o caráter profundamente social, histórico e cultural da produção das sexualidades. Esse passo foi dado rapidamente e logo foi acompanhado de uma espetacular reviravolta de problemática, com uma série de estudos sobre a construção do par homossexualidade/heterossexualidade, no qual a heterossexualidade é descrita como algo que produz a homossexualidade, especialmente ao lhe atribuir um papel de termo marcado e a ser estigmatizado, de modo a se impor, por contraste com ela, como natureza ou realidade objetiva.

Ao colocar a sexualidade em perspectiva genealógica, Foucault já havia aberto o caminho, embora sua investida não tenha chegado a uma reconsideração precisa ou nominal da heterossexualidade – a primeira a tratar da heterossexualidade como regime político foi Monique Wittig. A perspectiva queer também se traduziria por uma reconstrução do objeto... a ser desconstruído. Não se tratava mais de privilegiar um trabalho com a homossexualidade, mas de questionar as sexualidades em geral e de repensar a marginalidade, examinando mais de perto como o regime heterossexual normativo não pode existir sem as sexualidades queer[49].

O desenvolvimento da reflexão sobre a identidade sexual também conduz a uma crítica dos paradigmas de referência políticos e teóricos unívocos, indiferenciadores e normativos a

46 Jonathan Ned Katz, "The Invention of the Homosexual", *Gay/Lesbian Almanach*, Nova York, Harper & Row, 1983, e *The Invention of Heterosexuality*, Nova York, Dutton, 1995. [No Brasil, *Invenção da heterosexualidade*, Rio de Janeiro, Ediouro, 1996. Trad. Clara Fernandes.]

47 David Halperin, *One Hundred Years of Homosexuality and Other Essays on Greek Love*, Routledge, Nova York, 1990.

48 George Chauncey, "From Sexual Inversion to Homosexuality: Medicine and the Changing Conceptualization of Female Deviance", *Salmagundi*, nº 58-59, outono e inverno 1982-1983, e *Gay New York: Gender, Urban Culture, and the Making of the Gay Male World, 1890-1940*, Harper & Collins, Nova York, 1994.

49 Sobre esse assunto, ver Eve Kosofsky Sedgwick, *Epistemology of the Closet*. [No Brasil, o artigo que dá nome ao livro está disponível como "A epistemologia do armário", *Cadernos Pagu*, Unicamp, n. 28, 2007, pp. 19-54, em tradução de Plínio Dentzien.]

longo prazo. Um exemplo desse questionamento é, certamente, a crítica pós-feminista endereçada a uma corrente feminista que pressupunha um "nós" feminista homogeneizante, a referência a uma categoria universalizante e/ou essencializante - A(s) Mulher(es)[50] -, suscetível de negar a complexidade da identidade e de se tornar a fonte de múltiplas exclusões, especialmente de raça e de classe. Um feminismo que se tornou muito dessexualizante ou normativo. Uma guerra do sexo cuja pedra fundamental foi a discussão sobre a pornografia e o S/M, e que opôs feministas pró-sexo e feministas antissexo nos anos 1980 e 1990, nos Estados Unidos e na Inglaterra. Com toda a sua acuidade, esse debate foi prolongado, cada qual a seu modo, pela antropóloga Gayle Rubin[51] e por Eve Kosofsky Segdwick[52], que lançaram os pilares de uma abordagem crítica pós-feminista das sexualidades que não é nem heterocentrada nem naturalizante[53]. A cultura S/M representou uma ameaça para a maioria dos gays, porque ela questionava o critério de gênero na definição da identidade sexual, visto que os gays que praticam S/M podem ter relações sexuais exclusivamente com homens, mas, com frequência, definem sua identidade sexual prioritariamente com relação às práticas S/M. Evoca-se frequentemente a guerra do sexo, que opôs as feministas antipornografia que tratavam de rejeitar as sexualidades marginais. Mas, ainda que sob formas diferentes, a rejeição do S/M e de outras sexualidades (a cultura do couro ou dos *fist-fuckers*) também é uma realidade na comunidade gay. A abundância de referências anglo-saxônicas sobre as infradiscriminações e os debates que agitaram a comunidade gay e lésbica estadunidense não prejudica em nada a inexistência desse tipo de polêmica na França. Simplesmente, como todos sabem, é difícil trabalhar essas questões aqui. Se a guerra do sexo não explodiu de maneira espetacular na França, não faltam tensões

50 Ver os primeiros capítulos de *Problemas de gênero: feminismo e subversão da identidade*, e de *Technologies of Gender*, de De Lauretis.

51 "Thinking Sex: Notes for a Radical Theory of the Politics of Sexuality", *Pleasure and Danger: Exploring Female Sexuality*, org. Carole S. Vance, Nova York, 1982.

52 Ver a introdução de *Epistemology of the Closet*.

53 Sobre esse assunto, ver "Sexual Traffic", entrevista de Gayle Rubin com Judith Butler, em *Feminism Meets Queer Theory*, org. Elizabeth Weed & Naomi Schor, Bloomington, Indiana University Press, 1997.

no seio da comunidade lésbica e da comunidade gay para que se possam traçar as resistências que surgiram com a aparição das sexualidades ditas "hard"[54]. No que diz respeito especificamente às lésbicas e ao S/M, basta ver o teor dos panfletos anti-S/M que apareceram durante o festival de filmes lésbicos do Cineffable, *Quand les lesbiennes se font du cinéma*, em 1996.

Essa reorganização do pensamento sobre as sexualidades, os gêneros e a articulação sexo/gênero se operou por meio de uma releitura e uma repolitização constante de autores franceses: Michel Foucault, mas também Monique Wittig, Jacques Derrida, Jacques Lacan, Gilles Deleuze e Jean-François Lyotard, para citar apenas alguns. Logo, a teoria queer também seria esse hipertexto constante que se fez e se refaz na esteira da desconstrução. Desse ponto de vista, pode parecer bastante inócuo tentar apreender as teorias e as práticas queer em termos de influência (no sentido Estados Unidos/França) ou, pior ainda, de diálogo ou de tradução (no sentido literal do termo) entre países e nações.

Queer made in France: Foucault

Sem dúvidas, ninguém foi objeto de uma releitura queer e de uma instrumentalização tão fortes quanto o autor da *História da sexualidade*. A concepção de poder elaborada por Foucault não lhes é estranha. Em realidade, ela é um dos pontos de partida – mas não o único – da teoria e das práticas políticas queer.

Diferente do modelo de inspiração liberal, que localiza o poder nas instituições judiciárias e nas leis, e das análises marxistas, que perseguem a opressão na esfera econômica em função do Estado burguês e dos benefícios de uma classe dominante, Foucault propôs pensar o poder em termos de relações de poder suscetíveis de serem produzidas em toda parte. Isso quer dizer inclusive num nível micro e, talvez, sobretudo no lugar onde pensamos não encontrá-lo, de tanto que adquirimos o hábito de nos concentrarmos sobre os efeitos de poder estruturantes e tidos como conhecidos.

54 Ver o *3 Keller* nº 24, de julho a agosto de 1996.

Para Foucault, o poder não é uma substância que se possui, mas uma relação que se exerce; não é o apanágio dos possuidores ou dos dominantes. E, sobretudo, ele não é exercido de um modo majoritariamente repressivo, mas produtivo: o poder obriga a fazer, ele mais enquadra do que proíbe de fazer uma coisa. Assim, a sexualidade e as identidades sexuais são o produto das diferentes categorias oriundas dos saberes disciplinares. O corpo e a verdade são políticos, a sexualidade é "o conjunto dos efeitos produzidos no corpo, nos comportamentos, nas relações sociais por um determinado dispositivo que se vale de uma tecnologia política complexa".

Segundo Foucault, portanto, a concepção de poder não concerne tanto a indivíduos oprimidos ou passíveis de opressão, mas à maneira como os indivíduos ou as identidades sexuais puderam ser produzidos culturalmente, além da medida em que estas são a resultante dos saberes-poderes disciplinares (a *scientia sexualis* em seu conjunto). Ela leva o questionamento político a enfocar o corpo e, de maneira indissociável, a verdade e seus modos de produção. Eis a dimensão epistemológica da análise foucaultiana. A partir daí, se os saberes-poderes estão em toda parte, como oferecer uma resposta? Quais são as soluções foucaultianas, as outras contrapráticas discursivas possíveis, tal como descreve David Halperin, um grande queerizador de Foucault?

Saberes, poderes, resistências e contraproduções

Segundo o autor de *Saint Foucault*, os saberes-poderes estão em toda parte, mas a resistência está contida no poder. Assim, lutar contra o poder não quer dizer se libertar dele, mas lhe opor uma resistência. É ilusório, portanto, se situar fora-do-poder. A primeira forma de resistência consiste em combater a vontade de saber. Como? Construindo uma relação diferente com, justamente, o poder, o que pode se traduzir como uma nova relação com o arquivo e a verdade (o modo de proceder genealógico). O trabalho intelectual, o ato de frequentar os documentos podem resultar numa experiência e numa transformação: ir em direção ao documento para mostrar como uma verdade se estabeleceu; transformar a relação que temos com nós mesmos e com nosso universo cultural. Em uma palavra, com o saber e os efeitos de saber-poder, já que, ao identificar certos mecanismos de poder, seria possível se desvencilhar deles ao percebê-los de maneira totalmente diferente.

Combater a vontade de saber e construir uma relação diferente com o saber também consiste em questionar a circulação do saber e sua difusão, assim como tentar modificá-la. Trata-se de criar novos dispositivos de saber, suscetíveis de alterar certa configuração das relações de poder. Segundo Halperin, Foucault queria permitir e, eventualmente, inspirar uma prática crítica e política que não procedesse dos saberes científicos ou teóricos, dos saberes de especialistas, mas de saberes tidos como menores. A criação do Grupo de Informação sobre as Prisões (GIP), por exemplo, pretendia facilitar a emergência de novos circuitos de saber que pudessem mudar as relações estratégias existentes entre os governantes e os governados.

O objetivo do GIP não era fazer proposições de reforma do sistema penitenciário francês, mas reunir e disseminar informação, de modo que esta incomodasse o máximo possível. Os questionários distribuídos aos prisioneiros deviam servir para eles relatarem suas experiências, para identificar problemas ou abusos específicos. Tratava-se de propagar essas fontes de informação e de permitir – àqueles que habitualmente são objeto dos discursos dos especialistas, àqueles de quem se fala e que permanecem em silêncio sobre a própria experiência – que falem em seu próprio nome, de modo que se tornem senhores da formulação de suas necessidades. Que os falados falem, que resistam aos efeitos de dominação social e simbólica, que os objetos do discurso se tornem sujeitos de seu próprio discurso e de suas políticas.

Uma outra maneira de combater a vontade de saber consiste em praticar deliberadamente a reversão dos discursos disciplinares. Segundo Foucault, o discurso é ao mesmo tempo um efeito de poder e um ponto de resistência, logo, um instrumento possível. O exemplo de "discurso reverso" dado em *A vontade de saber* é a retomada pelo movimento emancipacionista alemão das categorias médicas utilizadas no século XIX para patologizar a homossexualidade. Literalmente retomadas, essas categorias que desqualificavam os homossexuais forneceriam uma legitimidade que lhes tinha sido recusada até então. Halperin invoca o Act-Up[55], do qual Foucault seria a não teoria. Na origem de uma mobilização desenfreada e sem precedentes contra os médicos, os seguradores, os bancos de sangue, os laboratórios, os sistemas de segurança social ou algo equivalente, os pesquisadores, o sistema penitenciário, os empregadores, os proprietários, as mídias etc., a militância do Act-Up seria um exemplo de resistência, de inversão de poder tornada possível pelo próprio funcionamento deste.

De fato, parece que, para Foucault, a reversão não é uma contraprática discursiva fundamental. Foucault aparenta ter passado mais tempo procurando os meios de escapar aos discursos que de recusá-los. E a solução foucaultiana é parte desse tipo de estratégia: depois de ter desconstruído os saberes, constrói-se permanentemente um si mesmo, uma relação consigo. É preciso se inventar, se criar, fazer o cultivo de si, desenvolver um estilo de vida, uma tecnologia de si, uma ética de si. Foucault dá poucos exemplos de realizações coletivas, e Halperin se pergunta se essa estilização de si não seria da ordem de um neodecadentismo ou não estaria ligada a um individualismo exacerbado. Não, ele responde de maneira cortante, pois a modelagem de si é impessoal. Essa concepção do si mesmo a ser cultivado é uma arte de viver, uma *tekhné* que não deve resultar numa identidade pessoal. Trata-se, antes, de uma relação de reflexividade. Não se trata de uma substância, de uma essência, mas de uma oportunidade estratégica. Trata-se de um trabalho que permite escapar às determinações sociais e psicológicas.

De fato, é possível preencher as lacunas deixadas por Foucault ao atribuir a essas tecnologias de si um valor sociológico e sexual que poderia fazê-las corresponder a certas formas de sociabilidade e de sexualidade oriundas da cultura gay e S/M. A menos que se pense que essas formas se referem a usos, no final das contas, bastante clássicos da filosofia e da homossexualidade, que terminariam por ser entendidas por Foucault como duas

55 Sigla de *Aids Coalition to Unleash Power*, grupo político fundado em Nova York em 1987 e que atua internacionalmente para combater a epidemia da aids e suas consequências, especialmente nas comunidades homossexuais [N.T.]

tecnologias da transformação de si, visões modernas da ascese e do exercício espiritual. Isso significaria se apoiar em figuras discursivas ou modelos tomados à tradição filosófica clássica, socrática ou de outros tipos dignos de realizar a aliança entre homossexualidade e filosofia. Barthes também foi olhar por esse lado, chegando a Santo Inácio de Loyola e dissertando sobre as comunidades religiosas, das beguinas aos cartuxos, não sem passar pelo monte Atos.

Outras soluções, mais intelectualistas e elitistas que as contraproduções discursivas, são acrescentadas por Halperin à lista foucaultiana: a apropriação criativa e a ressignificação, a apropriação e a teatralização, a exposição e a desmistificação. As estratégias de Halperin remetem às dimensões críticas e performativas da resistência e das identidades, enraizando-se sem ambiguidade na cultura popular e na cultura gay. Prova disso é a referência ao *camp*, compreendido como uma estratégia de resistência cultural, fundada na consciência partilhada de que estamos presos num sistema complexo de significações sociais e sexuais. O *camp* propõe resistir a isso de seu interior, por meio da paródia, do exagero, da teatralização, da tomada em sentido literal dos códigos tácitos que regem nossa maneira de viver e a representação (os códigos da masculinidade, por exemplo). Acima de tudo, as estratégias de Halperin não se furtam à problemática de gênero, a grande ausente das teorias de Foucault – que permanece colado na esfera homossexual e homoerótica.

Políticas queer

Uma vez queerizada nos Estados Unidos e de volta à França com outra cara, a teoria foucaultiana se torna mais eficaz para o desenvolvimento das (micro)políticas (sexuais). A concepção de poder produtivo e as contrapráticas neofoucaultianas resultam em formas de intervenção e na criação de lugares políticos que acarretam uma mudança de cultura política, o que em parte explica as críticas suscitadas pela teoria e pelas políticas queer.

De certa maneira, a perspectiva queer é fundamentalmente enganosa, pelo fato de sugerir a ruptura com modelos políticos decerto bastante valorizados, mas que não necessariamente deram prova de sua eficácia. Ficou claro, com os casos de Halperin e de Foucault, que a teoria e as políticas queer são estranhas a uma retórica da liberação ou da revolução.

O dever de resistir pode parecer menos sedutor, menos "glamuroso" que a empreitada de libertar a si mesmo ou o mundo. Do mesmo modo, o abandono do modelo emancipacionista atinge tudo, especialmente os campos ou as práticas que se poderia pensar estarem ligadas ao domínio exclusivo da libertação ou da liberdade individual: a sexualidade ou o *coming out*, por exemplo. Ora, para Foucault, a própria ideia da libertação sexual, diante da qual haveria algum interesse em se libertar de pulsões sexuais pré-existentes a uma repressão social, é parte integrante do discurso sobre o sexo. Assim, é inútil procurar reconstituir a sexualidade como um objeto de saber legítimo, ou mesmo continuar a concebê-la como um dado individual ou psicológico, como um elemento de desenvolvimento ou de descoberta pessoal. Da mesma maneira, o *coming out* tomado estrategicamente não é uma libertação em si, mas um reposicionamento diferente no jogo de relações de poder que vai alterar o anterior, expondo-o a novos perigos e novas coerções. O próprio fato de ser cada vez mais frequente sofrer a injunção ao *coming out* por parte das mídias é a prova do caráter reversível dessa prática. Em maio de 1999, o Ministro dos Esportes britânico, Tony Banks, pediu oficialmente a jogadores de futebol ingleses que saíssem do armário[56].

Bem se vê que, com uma concepção estratégica e produtiva do poder, a valorização pela subversão também se torna difícil, tanto no plano político no sentido clássico do termo quanto no plano político-sexual. Todas as formas políticas tidas como radicais não são mais indispensáveis, e talvez se tornem duvidosas. Assim será com o modelo revolucionário. No que diz respeito às soluções separatistas ou utópicas, elas saem do campo do poder produtivo a partir do momento em que se articulam com base numa concepção de poder diferente. Elas geralmente enfatizam a opressão em detrimento da resistência e desembocam em soluções de tipo abolicionista. É o caso de certas correntes do

56 "Grande Bretagne, invités à se révéler pour lutter contre l'homophobie, le ministre en appelle aux footballeurs gays", *France Soir*, 18 maio 1999.

lesbianismo radical – inspirado pela crítica marxista da heterossexualidade formulada por Monique Wittig – que objetivam a erradicação de um sistema opressivo (o patriarcado ou a heterossexualidade), o qual seria oportuno combater do exterior (posicionamento separatista). Eis aqueles que pressupõem haver interesse em se situar fora do regime heterossexual para agir politicamente e que pensam que isso é possível.

A abordagem queer está situada de maneira diametralmente oposta ao sonho abolicionista, porque se funda na ideia de que os instrumentos que estão à disposição para combater o regime heterossexual vêm da heterossexualidade. Esse regime de saber produz opressão e possibilidade de resistência, e portanto é possível explorar a falibilidade intrínseca do regime heterossexual compulsivo. Em que pese o risco de parecer menos heroicas em suas proposições políticas, mais realistas ou mais modestas, ou mesmo capitalistas ou cúmplices do sistema, as contrapráticas discursivas – a ressignificação lembrada por Halperin, por exemplo – podem tomar emprestados circuitos de difusão, tais como as mídias, ou fazer parte da constituição de estilos de vida específicos[57].

57 Sobre esse tipo de argumento e de debate, ver os seminários do Zoo de 1998 e 1999, em especial o encontro de 15 de maio de 1999, em que intervieram várias lésbicas radicais. Assim como os panfletos antiqueer distribuídos durante a edição de 1998 do festival *Quand les lesbiennes se font du cinéma*, retomados na apostila dos seminários do Zoo (1998-1999), onde se lê que: "o poder heterossexual é tamanho, que não basta que os homens estejam ausentes fisicamente para que um evento cultural seja verdadeiramente de espírito não misto, quer dizer, que o referente homem ou gay esteja totalmente ausente, assim como a simbologia falocrática. É necessária uma decisão deliberada para que um festival lésbico seja realmente não misto e, portanto, faça parte da criação de uma cultura lésbica autônoma. Ora, essa decisão não foi tomada nesse festival, que faz apologia da sexualidade dominante do heteropatriarcado, com suas características: – Comércio da sexualidade e mercado do sexo; – Apologia do corpo objetificado e instrumentalizado; – Culpabilização e ridicularização daquelas que recusam essa visão: as antiquadas e "mal comidas"; Predominância da simbologia fálica (ex: objeto/dildos; linguagem/"Eu te como"). Atualmente, esse tipo de ótica ou de *laisser-faire* em nome da liberdade e da diversidade se inscreve num movimento mais amplo que se chama ideologia QUEER. Antissocial e antifeminista por excelência, a teoria queer nega as relações de poder existentes e, assim fazendo, neutraliza qualquer contestação destas [...]. Uma vez que, aqui, nós tivemos a força e o prazer de criar um movimento de lésbicas autônomas e feministas, vamos zelar para mantê-lo e não vamos ceder em nada à ideologia heteropatriarcal e à teoria queer". (Assinado: "Lésbicas feministas, lésbicas radicais e todas aquelas que aprovam esse texto").

Além de abandonar brutalmente os grandes desígnios políticos e de localizar as lutas dentro dos regimes disciplinares, a perspectiva queer gera formas de manifestação política que, embora tenham como objetivo uma visibilidade exacerbada, podem se tornar invisíveis em longo prazo. Como consequência do axioma foucaultiano segundo o qual "o poder está em toda parte", as críticas e as lutas não são exercidas necessariamente nas arenas políticas tradicionais. Ao tentar se colocar estrategicamente em toda parte e fazer do corpo um lugar de lutas políticas em toda parte – especialmente onde a pseudoseparação público/privado é fonte de tecnologias de controle social e político –, há fortes chances de que os ativistas queer ganhem os centros comerciais ou painéis publicitários e, do mesmo modo ou talvez pior, a Assembleia Nacional[58]. A paradoxal invisibilidade dessas ações vem do fato de que a resistência aos poderes se faz num nível micro, fora dos circuitos clássicos da política tradicional. E, de fato, se é difícil completar a lista dos ativistas queer além do Act-Up[59] e do agora mítico *Queer Nation*, isso provavelmente se deve a seu posicionamento geopolítico ínfimo e ao tipo de ação que esses coletivos militantes levaram a cabo. Também pelo fato de quase sempre se constituírem *ad hoc* e não *a priori*, com base em objetivos pontuais muito específicos e não necessariamente com uma base identitária.

58 Pelo fato de constituírem espaços públicos heterocentrados que reforçam as normas em matéria de desejo e de consumo erótico, além de proscreverem toda forma de manifestação sexual alternativa sem, com isso, deixar de tirar proveito da homossexualidade ou do homoerotismo enquanto produto e argumento publicitários. Sobre esse tipo de ação nos Estados Unidos, ver Lauren Berlant e Elizabeth Freeman, "Queer Nationality", na obra *Fear of a Queer Planet*, de Michael Warner.

59 Também seria preciso falar de todos estes coletivos com denominações significativas: aslut (Artists Slaving under Tyranny), doris squash (Defending Our Rights in the Streets, Super Queers United against Savage Heterosexuals); ghost (Grand Homosexual Organization to Stop Televangelists); hi mom (Homosexual Ideological Mobilization against the Military); labia (Lesbian and Bisexuals in Action); queer planet (grupo queer para o meio-ambiente); queer state (grupo queer em relação com as instituições governamentais); quest (Queers Undertaking Exquisite and Symbolic Transformation); shop (Suburban Homosexual Outreach Program); united colors (grupo para os queers não brancos).

Políticas da performatividade

Numerosas práticas contradiscursivas tiram mais proveito de uma lógica de exibição hiperbólica, de visibilização extrema de um grupo ou de uma minoria invisibilizada, ou ainda de uma instituição (a polícia, a Igreja com as *Sœurs de la Perpétuelle Indulgence*[60], por exemplo), do que de uma lógica estrita de confrontação. O Act-Up visibiliza os excluídos, assim como realidades indesejáveis: a morte de pessoas soropositivas no meio de uma conferência internacional sobre a aids que reunia laboratórios e autoridades científicas. Num estilo mais performativo que confrontativo ou realista, o militante britânico de *Outrage* dá gritos altos ou lança um "eu tenho aids" contra o policial que o ameaça ou o agride, e raramente adota o estilo viril que levaria a afrontar as forças da ordem com um "vou quebrar tua cara".

Aqui se encontra uma postura foucaultiana: recusar se implicar nos termos colocados por uma forma de autoridade ou um regime disciplinar e, em vez disso, buscar a posição estratégica que permite exibir seus mecanismos. Essa maneira de se posicionar em relação às formas de autoridade é indissociável da dimensão decididamente teatral e performativa das ações políticas queer, que, aliás, lembram *in fine* o caráter fundamentalmente performativo do político. Como se se tratasse de desempenhar, de alguma maneira, a performance da performance. Em suma, a teoria e as práticas queer reservam um lugar importante às políticas da representação e da performatividade, traduzidas como operações de desnaturalização dos sexos, dos gêneros, dos regimes disciplinares e, portanto, de repolitização. Sem esquecer que os recursos da performatividade, explorados abundantemente pelas minorias sexuais, certamente não lhes pertencem. O *coming out* e a afirmação identitária – estratégicos ou não –, que estão na base desse tipo de ação política, estão sendo muito praticados na França, há um ano ou dois, pela direita conservadora homofóbica, lesbofóbica e transfóbica, que adotou os códigos de uma afirmação identitária heterossexual. Prova disso é

60 Grupo lgbtqia+ que parodia uma organização religiosa tradicional, como o convento das Irmãs do perpétuo socorro. [N.T.]

a manifestação *Génération Anti-Pacs*[61], ocorrida em Paris em 31 de janeiro de 1999, na qual se viam brotar slogans dignos de um "orgulho hétero": "Somos héteros", entoavam os manifestantes, enquanto outros colavam cartazes que tinham uma identidade visual parecida com os do Act-Up e onde se podia ler "Pacs = bichas". Não seria chocante se as *Sœurs de la Perpétuelle Indulgence* logo tivessem a surpresa de ver um desfile de outras irmãs ordenadas por Christine Boutin, haja vista a primeira tentativa de exibição edificante realizada perto da Assembleia Nacional por militantes anti-Pacs. Ali pudemos assistir a uma ceninha digna dos mistérios da Idade Média, com virgens aterrorizadas pelo Pacs sob os olhos satisfeitos dos deputados. Embora a inspiração retórica geral pareça se valer mais da vitimização e de uma martirologia – cujo primeiro episódio seria Christine Boutin recebendo o dom das lágrimas pela Assembleia Nacional, durante as discussões sobre o Pacs em janeiro de 1999, seguido por uma retribuição desse martírio com uma chuva de rosas que sairia do presidente da Assembleia Nacional em pessoa –, Deus não nos salvará da reversibilidade do socorro e da performatividade.

Digamos que elas são frequentemente traduzidas como puras operações simbólicas, linguísticas ou textuais ineficazes pelos experts na dominação simbólica que é fragilizada, em suas práticas hegemônicas de saber-poder, por aquele tipo de contra-prática discursiva. Sem dúvida não é indiferente que "um dos maiores intelectuais franceses", familiarizado com a miséria do mundo, seja aquele que mais prontamente zomba "do radicalismo de campus que, em sua forma extrema, pode se juntar com certo feminismo (mas esse raciocínio também valeria para os gays), analisando o corpo feminino como o produto de uma construção social performativa, até o ponto de acreditar que basta mudar a linguagem para mudar a realidade"[62]. Pierre Bourdieu provavelmente está tanto mais disposto a ocultar os efeitos positivos

61 São várias as organizações que se opõem ao direito estabelecido pelo Pacs, em especial o grupo *Génération Anti-Pacs*, algumas ordens religiosas e bancadas políticas. A deputada católica Christine Boutin é uma das líderes dos movimentos de oposição ao Pacs. [N.T.]

62 Ver "Quelques questions sur la question gay et lesbienne", em Didier Eribon, *Les Études gay et lesbiennes*, Paris, Centre Georges Pompidou, 1998.

de uma forma de resistência subjetiva que jamais se confundiria com uma afirmação individual ou carnavalesca, pois se realiza no terreno da cultura popular e no campo acadêmico, além de colocar em pauta o papel do intelectual francês tido como o único capaz de enxergar, com sua interpretação altaneira, o conjunto dos movimentos sociais e de perceber o horizonte vanguardista do alto de seu promontório. Sublinhemos, de passagem, que essa maneira de explorar os recursos da performatividade faz parte de um tipo de contraprática discursiva distante de Foucault, que desconfiava da linguagem e da fala. De fato, ele jamais soube fazer a distinção entre sexo-história, sexo-significação e sexo--fala. Para Foucault, a desconstrução do discurso sobre o sexo era mais uma história do sexo falado que do sexo que fala.

Questionamento da imagem que se pode fazer do poder, das formas de ação e da eficácia política, investimento forte nas políticas da representação e da performatividade – a lista das técnicas políticas queer permaneceria incompleta e mesmo incompreensível se não se acrescentasse o próprio questionamento da noção de sujeito (político) que decorre da abordagem foucaultiana dos discursos e de sua concepção de poder produtivo.

Política da identidade pós-identitária

A concepção de um sujeito como produto dos discursos, como local construído (para não dizer sobreconstruído), a definição do sujeito queer pode soar como a promoção de um vazio ou de uma impossibilidade política. Como fundar uma ação política sobre um nós instável e em construção? O que pode constituir o princípio ativo do "sujeito" pós-moderno? E, por assim dizer, por que jogar fora o bebê (as identidades nascentes) junto com a água do banho essencialista[63]?

63 Alguns dos argumentos trazidos por Diane Griffin Crowder durante sua apresentação no curso de Nicole-Claude Mathieu, École des hautes études en sciences sociales, 19 de março de 1999. Para remediar a dissolução do sujeito político nas teorias pós-modernas, Diane Crowder propõe definir um sujeito ou uma identidade "lesbigay", que evitaria a armadilha do essencialismo e que se construiria com antídotos reflexivos, sucessivos e conscientes que poderiam constituir uma desconstrução suficiente da heterossexualidade.

Várias feministas ou lésbicas opõem à crítica da identidade oriunda da teoria queer a identidade como necessidade política. Elas se insurgem principalmente contra o antiessencialismo radical da teoria queer[64], que, em sua promoção de uma identidade sem essência ou performativa, impede que as minorias tirem proveito dos recursos da afirmação identitária. A teoria pós-moderna estaria, assim, na origem de uma sobrefragmentação das causas e do sujeito político[65] que tornaria impossível a ação política. A morte do sujeito político, que seria consagrada pela teoria queer, se deveria também à maneira como esta se furta às relações sociais do sexo e das formas de opressão concretas, assim como a sua promoção de operações discursivas como instrumentos políticos válidos. Essa tomada de posição remete à oposição que teria desunido, de um lado, o feminismo ou o lesbianismo radicais e, de outro, o feminismo pós-moderno, quiçá desconstrutivista. Para umas, a "realidade"; para outras, o "simbólico".

De fato, a teoria queer faz "desaparecer" o sujeito da ação política, para os partidários de uma visão ontológica ou humanista do sujeito e do conhecimento. Mas esses não se referem – e não sem nostalgia – a uma visão do sujeito como senhores e possuidores da identidade? Eles seriam desestabilizados pela desconstrução da noção de sujeito, ou então eles temem perder os privilégios que lhes confere uma concepção humanista, universalizante ou unificadora do sujeito da política? Em uma palavra, qual tradição discursiva eles defendem? Sobretudo na França, onde a teorização e as formas políticas queer constituem um questionamento severo do hipócrita modelo igualitário republicano. A percepção dos limites das categorias identitárias não é necessariamente um convite para evitar tirar proveito estrategicamente de uma afirmação identitária. E podemos questionar se uma relativa falta de segurança de definição "idêntica" não

64 O mesmo argumento atravessa numerosas análises. Podemos encontrá-lo, em filigrana, nas análises de Leo Bersani e nas análises bissexuais. Ver Ruth Goldman, "Who is that Queer queer? Exploring Norms around sexuality, Race and Class, in Queer Theory", *Queer Studies, A Lesbian, Gay Bisexual and Transgender Anthology.*

65 Louise Turcotte, "Théorie queer: transgression ou régression", e Nicole-Claude Mathieu, "Dérive du genre/stabilité des sexes", *Amazones d'hier, Lesbiennes d'aujourd'hui*, nº 24, outubro de 1996.

é a última garantia de uma potencialidade oposicional maior e, no fim das contas, menos opressiva. Eis outra maneira de dizer que não há qualquer razão para que a essência ou a identidade precedam a existência da teoria e da ação política.

O SABER QUEER

O saber queer[1]. Epistemopolítica dos espaços de saber e das disciplinas: o ponto de vista subalterno

Por ser francesa, ainda que minha cultura sexual e política me leve a me identificar como transnacional, também sou tocada pela questão da tradução do termo "queer". Afinal, ele circula na França, onde foi objeto de um pedido de registro de propriedade intelectual, onde o coletivo Le Zoo[2], do qual faço parte, o difunde e onde esses vários anos de prática e de discurso queer nos têm exposto a uma forte pressão por definição. Por alguns instantes, vou me submeter a essa pressão por definição, o que nos permitirá ver em seguida os desenquadramentos epistemológicos que daí advêm, na perspectiva de criação de departamentos universitários sobre gêneros e sexualidades.

A primeira retradução do termo "queer" parte do centro definidor de "queer": do termo "queer" como sinônimo de bicha, boiola e, por extensão, sapatona...

Trata-se de uma tradução literal impossível, característica talvez da tradução da injúria em situação e de seu correlato: um poder performativo exercido por uma minoria estigmatizada, sem a qual a concatenação improvável "teoria queer" nunca teria existido.

1 Essa intervenção a duas vozes com Paul B. Preciado foi feita em Beaubourg, no dia 25 de junho de 1999, como parte da mesa-redonda "Os estudos gays, lésbicos e queer: novos métodos, novos objetos, novas questões", reunindo o greh (Groupe d'Études et de Recherches sur l'Homosocialité et les Sexualités), Le Zoo e os Cahiers Gay-Kitsch-Camp.

2 Primeiro coletivo queer criado na França, em 1996, Le Zoo organizou até o ano 2000 uma série de seminários queer em Paris e em cidades do interior, dedicados às releituras e traduções queer de Foucault, Derrida, Wittig, Deleuze, e com a preocupação de tornar disponíveis os textos de referência não traduzidos: Halperin, Butler, De Lauretis, Sedgwick, entre outros. Para mais detalhes sobre o trabalho do Zoo, ver *Q comme Queer*, Lille, Gay Kitsch Camp, 1998.

Logo, a tradução: lixo, tarado, bicha, anormal, sapatona, cuzão, demente, bizarro!

Para tornar perceptível toda a força dessa tradução aproximativa, seria preciso reunir ainda todos os atores da designação-ação: seria necessário que outra pessoa além de mim se dedicasse a repeti-la, capitalizando a partir daí, nos termos de Judith Butler, a força da autoridade que "dissimula sua historicidade", uma força performativa que depende, também ela, da repetição ou da citação de um conjunto de práticas que preexistem e que é a condição de sucesso de tal ato de linguagem. Para que eu diga o que "queer" quer dizer, seria preciso que eu em seguida falasse e produzisse o *Milagre da rosa* de Genet: que os cuspes virassem flores. "Assumo a pena por minha própria conta e falo", diz Genet, e essa é a cena performativa queer. Mas falta explicar como esses vocábulos propícios a designar e isolar o abjeto puderam passar por uma reapropriação positiva pelos agredidos, que constituíram daí uma teoria queer, uma teoria abjeta, uma teoria do abjeto, uma teoria "cuzona".

Para responder parcialmente a essas interrogações, pode ser útil demorar um pouco numa segunda retradução do termo "queer" presente no campo teórico. Essa utilização do termo foi várias vezes mencionada como a primeira ocorrência, mas tem a ver também com outro aspecto fundamental da teoria e da práxis queer: as políticas da representação. Teresa de Lauretis seria, portanto, a primeira a ter trabalhado com a expressão "queer theory" na sua introdução ao número da revista *Differences*[3] publicado no verão de 1991. O termo "queer" havia chegado a ela num colóquio sobre cinema e vídeo queer que aconteceu nos Estados Unidos, em 1989. A julgar pelo teor das intervenções publicadas depois do evento[4], "queer" era nesse contexto apenas sinônimo de "gay e lésbica". Teresa de Lauretis lhe daria um significado bem diferente, sem nada dever a Judith Butler, que viria a ser chancelada (pelos outros) como a rainha da teoria queer.

3 "Queer Theory, Lesbian and Gay Sexualities", *Differences*, verão de 1991, v. 3, p. iii-xviii.

4 Teresa de Lauretis (org.), *How Do I Look. Queer Film and Video*, Seattle, Bay Press, 1991.

Essas "anedotas" mostram bem que se tem mais a ganhar abordando o termo "queer" através de sua cadeia de reapropriações do que recorrendo ao viés de uma definição fechada. O que aponta também para o fato de que o termo se deslocou da esfera nominal para a esfera adjetival, até verbal, e que tenha passado de uma ofensa para a teoria queer ou o cinema queer. É, aliás, esse movimento que ocorre no texto de De Lauretis, no qual ela atribui objetivos para a teoria queer e para o substantivo "queer".

Para De Lauretis, longe de ser um termo genérico que diluiria as identidades ou resumiria a enumeração "gay, lésbica, bi, trans", o termo "queer" permite criticar a locução "gay e lésbica" e, ao mesmo tempo, manter distância de toda identidade tornada hegemônica e monolítica, essencialista ou naturalizante. Paradoxalmente, destaca De Lauretis na revista *Differences*, "nossas diferenças são menos representadas pelo acoplamento discursivo da locução politicamente correta 'lésbica e gay'. Ao contrário, elas são reduzidas na maior parte dos contextos em que se utiliza essa expressão".

Um dos papéis da teoria queer e do termo "queer" seria, portanto, mostrar e desconstruir os fracassos da representação, os contínuos silêncios em relação à especificidade das lésbicas no discurso contemporâneo gay e lésbico, em relação à especificidade das lésbicas e gays não brancos. E, é preciso acrescentar, em relação à especificidade de transexuais e transgêneros comparados aos gays e às lésbicas... Utilizando o termo "queer", seria possível re-marcar as diferenças. Com a teoria queer, o objetivo seria conceitualizar as interseções de identidades e de opressão em contexto.

Desse modo, De Lauretis lembrava, em termos que talvez não sejam tão distantes daqueles de Sedgwick em *A epistemologia do armário*, que as ferramentas da desconstrução queer permitem que nos livremos do peso dos discursos disciplinares ou das visibilidades impostas a partir da dialética ignorâncias/saberes, discurso/silêncio. Uma dialética que assujeitou, historicamente, os.as homossexuais. Mas todo grupo que pratica a linguagem identitária é suscetível de abusar dela à sua maneira. Trata-se, portanto, de desconstruir os discursos da identidade quando eles próprios constroem silêncios. É a *mise en abyme* da lição genealógica foucaultiana: "Não se deve fazer divisão binária entre o que se diz e o que não se diz; é preciso tentar determinar as diferentes maneiras de não dizer, como são distribuídos os que podem e os que não podem falar, que tipo de discurso é autorizado ou que forma de discrição é exigida a uns e outros. Não existe um só, mas muitos silêncios e são parte integrante das estratégias que apoiam e atravessam os discursos"[5]. Trata-se de perguntar quem tem o poder de falar de quê, de pensar uma política da enunciação. É a reflexão-ação sobre a performatividade.

Esse trabalho sobre as construções discursivas (inclusive os silêncios construídos), essa constante redelimitação das zonas de exclusão, a crítica da predominância de certas categorias de análise em detrimento de outras, como gênero, raça ou classe... fazem da teoria queer uma teoria da produção da marginalização e da margem, pelo fato de ser "*in*" e "*out*"[6].

O termo "queer" é uma ofensa, uma interpelação que produz as posições do sujeito abjeto em certo tipo de discurso homofóbico. "Queer" designa então "o outro", o de fora da normalidade heterossexual. "Queer" constrói uma exclusão específica que dá segurança para a identidade heterossexual. O termo "queer" também foi reutilizado por microgrupos políticos como *Queer Nation* (1990), *Gran Fury* (1988) em Nova York, *Outrage* (1990) em Londres, *Lesbian Avengers* (1992) ou ainda *Act-Up* (1990), como parte de uma estratégia de autodenominação e de autoprodução de visibilidade por certas minorias sexuais que se levantaram contra o discurso homofóbico institucionalizado e também contra as práticas de assimilação e de normalização dos setores conservadores da comunidade gay. "Queer" recobre, então, práticas de ressignificação e de recodificação antihegemônicas e performativas cujo objetivo é definir espaços de resistência aos regimes da normalidade. Ora, essa possibilidade de ressignificação das posições designadas como abjetas vale também para o espaço universitário e acadêmico.

5 *Histoire de la sexualité 1: La Volonté de savoir*, Paris, Gallimard, 1976. [Edição consultada: *História da sexualidade 1: a vontade de saber*, Rio de Janeiro, Graal, 1999, trad. Maria Thereza da Costa Albuquerque e J. A. Guilhon Albuquerque.]

6 Ver o prefácio de *Inside/Out: Lesbian Theories Gay Theories*, Diana Fuss (org.), Nova York e Londres, Routledge, 1991.

Queerizar a disciplina

A crítica queer das sexualidades e dos gêneros advém de uma abordagem epistemológica que investiga os regimes de saber e de verdade, assim como seus respectivos funcionamentos performativos. Uma vez que a identidade sexual é sempre performativa, as normas heterossexuais produzem, nessa instituição de saber que é a universidade, identidades "internas", "straight", e excluem certas subjetividades consideradas "externas" ou "queer": gays, lésbicas, transexuais, bissexuais, transgêneros. Em resposta à paralisia que tomou conta do sujeito pós-moderno ou pós-estrutural, preso a sistemas disciplinares de poderes/saberes sobreprodutivos, a teoria queer afirma a necessidade do "mau sujeito" como reação ao sujeito soberano que procura controlar e dominar intencionalmente a ação e a linguagem. Esse "mau sujeito" reivindica novas formas de representação política nas democracias capitalistas, mas produz também uma crítica ao discurso universitário, à construção dos objetos de saber e, sobretudo, à disciplina. A disciplina é performativa na medida em que constrói o objeto que pretende descrever. É possível estender a crítica à formação da identidade também para a disciplina e para seu caráter hegemônico, normativo ou naturalizante.

Ora, as disciplinas não se baseiam de fato em concepções ontológicas do homem e da mulher, dos gays e das lésbicas? Não são o produto do regime epistêmico heterossexual que acabamos de descrever e que leva logicamente à exclusão dos sujeitos queer e dos objetos de estudo queer do campo universitário e do saber em geral? Não se fundam em modelos discursivos (como a objetividade, por exemplo) que podem ser lidos como um efeito disciplinar, no sentido foucaultiano do termo? Novas pesquisas que surgiram, como a sexografia, mas também uma historiografia, uma sociologia ou uma antropologia "queer", têm em comum o fato de mostrar que oposições aparentemente tão naturais ("objetividade/subjetividade", "sujeito/objeto", "privado/profissional") e a valorização de certos objetos de estudo em detrimento de outros, considerados subalternos, são também maneiras de reproduzir a distinção-repartição público/privado, heterossexual/homossexual nos discursos e nos espaços de saber, isto é, no campo das ciências humanas, assim como no recinto concreto da universidade, que foi dessexualizada.

Nesse contexto, o objetivo do sujeito da teoria e da práxis queer é permanecer "*out*" (fora) quando ele está "*in*" (dentro). Ele carrega menos a memória dos "homossexuais" do que a memória das operações de corte e de exclusão: ele ocupa mais propriamente uma posição queer, antes de uma posição gay ou lésbica. Mais que apostar na pluridisciplinaridade, ele é capaz de apostar numa total promiscuidade entre disciplinas, de modo que elas se friccionem e não se estabilizem, para que possamos perceber a partir daí suas dimensões políticas e os silêncios construídos em contexto. De modo que uma disciplina como a história, por exemplo, tão suscetível de se tornar naturalizante, acolha formas historiográficas diferentes, advindas da subjetividade gay, lésbica ou trans, e que ela seja capaz de favorecer o encontro entre Foucault e Spivak.

Por uma historiografia queer

O que Spivak diz dos "subalternos" (aqueles que não fazem parte da elite, os diversos grupos sociais subordinados), ao retomar o trabalho do coletivo de historiadores indianos[7] que decidiram reescrever a história colonial do ponto de vista da insurreição camponesa, também vale para os "subalternos" das minorias sexuais. O objetivo de uma historiografia estratégica, de posição, não é redescobrir o passado, menos ainda conseguir alcançar – no sentido de redescobrir ou formar – a consciência dos subalternos. Isso seria se confundir sobre o fato de essa consciência ser uma ficção cujos contornos se tornam perceptíveis a partir dos documentos e dos textos da elite, que tratam de formar "o Outro", o subalterno, ou que tentam explicar os motivos de sua revolta.

Já Gayatri Spivak traça as linhas gerais de uma historiografia que faria parte da "desconstrução afirmativa", capaz de se opor à violência epistêmica decorrente da objetificação dos "subalternos" por essa disciplina que é a história. Primeiramente, é preciso não se deixar enganar jamais pelas ficções humanistas do sujeito

7 Ranajit Guha (org.), *Subaltern Studies IV: Writings on South Asian History and Society*, Ranajit Guha (org.), Nova Delhi, Oxford University Press, 1985.

que estão na própria base das ciências humanas e que ameaçam reaparecer na cadeia de falsa causalidade proposta pelas grandes narrativas políticas e históricas: o sujeito subalterno é, então, reconhecido a partir do momento em que faz passar sua "existência" por uma causa, ao passo que é o efeito, a produção de uma ficção, de um regime de discursos disciplinares. Num segundo momento, é preciso manter os pés firmes contra as grandes narrativas lineares feitas de "transições" e de "progressões" em direção a um futuro radiante (da opressão à libertação, por exemplo) e opor a isso, historiograficamente, a retomada das rupturas e das descontinuidades, das confrontações e das exclusões[8]. Num terceiro momento, é preciso não acreditar nunca na origem, na anterioridade ou na novidade de uma verdade, mas sim perceber a lógica daquele excedente que opera nas mudanças, nos deslocamentos discursivos, na construção das oposições binárias (perverso/militante, homo/hétero), pois, se o espaço para a mudança (que é necessariamente uma adição também) não existisse na função anterior do signo-sistema, a crise não poderia vir a desembocar numa mudança. A mudança na função-significação gera excedente para a função precedente: "o movimento da significação acrescenta alguma coisa [...], mas essa adição [...] acaba reduzindo, suprindo uma falta do lado do significado".

Os "estudos queer"

Seria preciso multiplicar as análises críticas das disciplinas hegemônicas, mas é perceptível desde já que, tendo em vista o recentramento epistemológico e político delas, os estudos queer não têm por função escrever um novo capítulo da história geral ou contar a história das sexualidades desviantes. Numa perspectiva queer, a desconstrução da margem se torna central, constituindo nela mesma uma categoria de análise que visa colocar em perigo a estabilidade opressora do sujeito das ciências humanas.

8 "A história efetiva expõe não os acontecimentos e os atores apagados pela história tradicional; em vez disso, ela desnuda os processos e as operações graças aos quais esses apagamentos se produziram", Jennifer Terry, "Theorizing Deviant Historiography", *Differences*, v. 3, n. 2, 1991.

A teoria queer desemboca portanto naquilo que poderíamos chamar de "saber queer"[9], o qual pode ser definido como uma intervenção política e cultural em resposta a práticas institucionais que privilegiam saberes heterocentrados que estão longe de afetar somente o campo da sexualidade ou os "homossexuais". As formas contemporâneas e democráticas de censura funcionam produzindo regimes discursivos, mas também indizíveis, silêncios aos quais poderíamos opor espaços universitários com o objetivo de tratar: da epistemologia da sexualidade e dos gêneros; da não conformidade sexual; das políticas da representação; de uma análise da produção dos discursos e das práticas homofóbicas, transfóbicas, lesbofóbicas; de uma desconstrução do ponto de vista branco etc.

Se a teoria queer permitiu desconstruir e politizar exageradamente os recursos da performatividade, o saber queer e a queerização do saber se apresentam como uma das críticas mais radicais de nossos usos das categorias de gênero, de sexo, de pensamento, mas também de nossas práticas de saber e da maneira como se transmitem, se adaptam e se difundem os saberes normativos na nossa sociedade.

9 No original, *queer savoir*, como no título desta seção. A expressão parece jogar com o célebre título de Nietzsche, *Die fröhliche Wissenschaft*, que é comumente traduzido em inglês como "*The gay Science*" e, em francês, como "*Le gai savoir*". Em português, a tradução canônica do título nietzscheano é "*A gaia ciência*", o que não remete imediatamente ao campo semântico dos adjetivos "gay" e "gai". [N.T.]

ESPÉCULO DOS OUTROS BURACOS

Sexual trouble: queering the sex/gender system Rubin, Butler & Haraway

Acabamos nos habituando um pouco à eficácia da distinção sexo/gênero do pensamento feminista a ponto de esquecermos seus aspectos reificantes, às vezes renaturalizantes em relação ao sexo dito biológico, às vezes essencializantes em relação ao gênero mulher e à feminilidade, defendidos por certas correntes feministas. Poderíamos chamar isso de generocentrismo. Decerto, porque histórica e politicamente as feministas permitiram desde cedo uma visão construtivista dos gêneros, a fim de tentar modificar a assimetria das relações de poder em matéria de gênero. Nem mesmo antropólogos e psicólogos, que praticavam tal distinção desde os anos 1950, atribuíram-se tal tarefa política. Mas essa crítica dos gêneros ou das "relações sociais de sexo", para retomar a fórmula materialista francesa, não se realizou em detrimento de uma visão construtivista do sexo e das sexualidades?

A teoria queer dos anos 1990, com seus "antigêneros" que seriam como E. K. Sedgwick com seu *Epistemology of the closet*, publicado em 1990, e Gayle Rubin – aquela do "Thinking Sex", de 1984[1] –, tentou estender (sobretudo via Foucault) o gesto construtivista e desconstrutivista aos "esquecidos do gênero", isto é, ao sexo e às sexualidades e, portanto, a este eixo menos popular: sexualidades/gêneros. Com a reformulação do gênero como performance e performatividade em *Gender Trouble*, publicado em 1990, Judith Butler, se não sai da esfera do gênero, evidencia a falibilidade produtiva do binarismo sexo/gênero imposto como princípio de inteligibilidade universal. Expõe assim os vínculos

1 "Thinking Sex, Notes for a Radical Theory of the Politics of Sexuality", Carol S. Vance, *Pleasure and Danger, Exploring Female Sexuality*, Londres, Pandora Press. Primeira publicação na obra de R. Rayna Reiter: *Toward an Anthology of Women*, New Haven, Yale University Press, 1975.

deste com a manutenção do gênero como cultura e do sexo como natureza, e com isso se pode ouvir o eco homólogo do não menos célebre par "corpo e espírito".

Devemos compreender a chegada dessas reformulações nos anos 1990 como abordagens construtivistas radicais? Descentradas, uma vez que não *straight*? Em cruzamento com este outro binarismo – redutor – da cultura sexual moderna: homossexualidade/heterossexualidade? Como uma reação aos efeitos dessexualizantes das sobras universitárias da revolução sexual? Essas reformulações assinalam que, a partir de agora, é preciso levar em conta os homens, as mulheres e também todo o resto? Pode-se dizer que, para essas três feministas queer, é forçoso reconhecer que o "sistema sexo/gênero" não se sustenta mais frente à proliferação dos sexos, das sexualidades e dos gêneros? O que sobrou então das antigas paixões que ligavam tão intimamente sexo e gênero?

Voltemos a duas manifestações dessa crítica da centralidade da noção de gênero. Refazendo o percurso de Gayle Rubin, que vai do célebre texto "The Traffic in Women" – verdadeira análise da opressão gerada pelo "*sex/gender system*" e também crítica a um marxismo que tende a esquecer as opressões de gênero – até "Thinking Sex", que marca uma virada de 180 graus, já que esse texto constitui uma injunção a um "retorno ao sexo", a uma heterotopia sexológica urbana dissociada da análise da opressão de gênero. Esse percurso é um exemplo límpido dos efeitos da queerização do binarismo sexo/gênero pelas sexualidades. Mostrando como *Gender Trouble* também se vale do *sexual trouble*, haja vista a maneira como Butler dá um basta nas concepções representativas e simplesmente construtivistas dos gêneros, derrubando o "par" sexo/gênero com sua definição performativa dos gêneros e do sexo. Deveríamos falar também da axiomática de Sedgwick, que visa explorar os recursos de uma análise separada entre sexualidade e gênero[2]. Mas isso fica para a próxima.

2 Ver "Axiomatic", introdução de *Epistemology of the closet*, e também o texto intitulado "Gender criticism: What isn't Gender".

De Thinking Sex a Making Sex, dos Nambikwara a São Francisco: Gayle Rubin em guerra contra Lévi-Strauss, Lacan e... as feministas

> *"Quero contestar a afirmação de que o feminismo é ou deveria ser o lugar privilegiado da teoria da sexualidade. O feminismo é a teoria da opressão de gênero."*

Essa é a nova palavra de ordem de Gayle Rubin em "Thinking Sex" (1984), quase dez anos depois de "Traffic in Women", publicado em 1975. Como chegamos a esse ponto? A pensar que seja absolutamente necessário separar gênero e sexualidades, e que talvez nem precisemos da categoria de gênero. Que seja necessário fazer disso eixos de análise distintos, não por simples comodidade, mas porque somos confrontados com funcionamentos sociais distintos? Quase vinte anos depois das lutas e das teorizações feministas dos anos 1960-1970, depois da dita "revolução sexual", por que uma tal afirmação na boca de uma feminista lésbica que se tornou lésbica S/M? "Traffic in Women" já não tinha se tornado um clássico dos *women's studies* e dos *feminist studies*? Como a análise do gênero se tornou tão central para Rubin e outros teóricos e ativistas queer[3]? Por razões conjunturais, que remetem ao heterocentrismo excludente e assumido das feministas dos anos 1970-1980, mas também à própria ambiguidade do binarismo sexo/gênero, que opera na verdade em três termos, não em dois, sendo que o sexo pode se desdobrar em sexo (sexuação) e nas sexualidades (orientação sexual).

Em "Traffic in Women", Rubin pratica o dualismo sexo/gênero e a equação gênero = opressão de maneira bastante clássica: o gênero funcionaria em relação a um sexo "biológico" preexistente. Se olharmos de perto as três formulações sucessivas do

3 Principalmente para Teresa de Lauretis. Ver o primeiro capítulo de *Technologies of Gender* e o prefácio do número de *Differences* consagrado à teoria queer (v. 3, verão de 1991, "Queer Theory, Lesbian and Gay Sexualities", Brown University Press, p. i-xviii).

que ela chama o sistema sexo/gênero, as duas primeiras vão nesse sentido. Esse sistema é definido como "o conjunto das disposições graças às quais uma sociedade transforma a sexualidade biológica em produtos das ocupações das mulheres". Rubin esclarece, em seguida, que "cada sociedade tem um sistema sexo/gênero – um conjunto de disposições graças às quais o material bruto e biológico do sexo humano e da procriação é formado pela intervenção humana e social e satisfeito de maneira convencional".

Nessas duas definições, "sexo" tem o sentido de sexuação e remete também à diferença sexual preexistente à sua culturalização, numa acepção que podemos encontrar nas feministas dos *women's studies*. Nota-se que começa a despontar um sentido em que sexo remeteria também à sexualidade, mas esta se confunde rapidamente com a questão da troca de mulheres, a designação dos parceiros sexuais autorizados e a procriação. A pista de análise segundo a qual o sexo, assim como a comida e os automóveis, é suscetível à produção e à reprodução, isto é, que pode ser transformado em produtos, permitiria alargar a questão da política da reprodução do sistema sexo/gênero. Pode-se entrever aqui uma investigação mais marxista que antropológica ou histórica à moda de Weeks ou de Foucault: "a produção industrial das identidades sexuais e das sexualidades", e como transformá-las. Mas essa pista permanece um esboço. Em compensação, com a terceira formulação, o transbordamento do sexo pela sexualidade, fica patente o esfacelamento do binarismo sexo/gênero: "qualquer que seja o termo que utilizemos, o que importa é desenvolver conceitos que permitam descrever adequadamente o surgimento social da sexualidade e a reprodução das convenções do sexo e do gênero".

A demonstração de "Traffic in Women", no entanto, permanecerá centrada numa análise da produção dos gêneros e, mais particularmente, da opressão do gênero feminino, com a análise da filiação. Rubin evidencia o caráter simultaneamente binário, arbitrário e heterocêntrico do sistema do parentesco/filiação em Lévi-Strauss, que permite a institucionalização dos casais heterossexuais e das desigualdades entre homem e mulher. Sua descrição do sistema do parentesco baseado na troca de mulheres é uma teoria da opressão das mulheres. Paralelamente, ela também mostra como se passa da fêmea à mulher, segundo Lévi-Strauss, e como as teorias psicanalíticas são outros tantos aprendizados normativos da feminilidade com Lacan, em cumplicidade com a teorização do parentesco de Lévi-Strauss. A antropologia estrutural de Lévi-Strauss e a psicanálise estrutural de Lacan são teorias "feministas" fracassadas.

Em Lacan, assim como em Lévi-Strauss e seu estruturalismo paralisante, chega-se a uma sexualidade feminina limitada, *straight*, bem como à designação de um lugar masoquista como encarnação da feminilidade. Em 1975, a utopia teórica e política de "Traffic in Women" está portanto na intenção de modificar a cadeia filiação-educação-opressão-masoquismo. Seu objetivo político é mudar as estruturas de parentesco, evitar a reprodução do sistema sexo/gênero na sua dupla dimensão subjetiva e social, psicanalítica e antropológica: "o feminismo deve conclamar a uma revolução no parentesco"; "o sistema sexo/gênero deve ser reorganizado pelo viés da ação política". Os atores dessa mudança são as feministas, cujo mote não soaria mal ao Deleuze & Guattari de *O Anti-Édipo*: "*women unite to off the œdipal residue of culture*!".

O que muda com "Thinking Sex", publicado em 1984, mas cuja redação se estende de 1977 a 1979? Em matéria de objetivo político, passou-se da crítica das formas do parentesco pré-moderno e moderno às formas de sociabilidade e de sexualidade da comunidade S/M de São Francisco, tendo como consequência um projeto de reestratificação sexual e social. O motor é a sexualidade, ou melhor, as sexualidades e as práticas sexuais que geram prazer e sociabilidade. A transformação sexual é fator de transformação social e cultural. As manifestações reconhecidas da sexoetnogênese, no meio urbano das sexoculturas e das subculturas, alimentam esse milagre sexológico. Rubin estabelece uma continuidade entre o surgimento e a formação de comunidades urbanas de "desviantes" sexuais, atestadas desde o século xviii ocidental: as *molly-houses* de Londres, as primeiras comunidades S/M nos Estados Unidos nos anos 1950[4], que começam

4 *Sexual Politics, Sexual Communities : the Making of a Homosexual Minority, 1940-1970*, Chicago, University of Chicago Press, 1983, e *Coming Out Under Fire: The History of Gay Men and Women in World War II*, Nova York, The Free Press, 1990.

a ser mais conhecidas graças aos trabalhos de historiadores gays como John d'Emilio e Allen Bérubé. Uma das grandes evoluções da época moderna não é o deslocamento dos.as invertidos.as e dos.as homossexuais do hospício ou dos hospitais para a cidade? As duas guerras mundiais não favoreceram a constituição de agrupamentos homoeróticos? Rubin atribui a essas microculturas a capacidade de uma reestratificação social que se ergue contra a estratificação social normativa. Ela chega a ver nisso uma astúcia do regime moderno do sexo: "a modernização do sexo" gerou um sistema de etnogênese sexual ininterrupta, como um gigantesco "discurso reverso" à moda de Foucault.

O investimento nessa sexoetnogênese pós-fordista urbana apresenta a vantagem de resolver o problema que Rubin se colocava em "Traffic in Women", a saber: como se livrar da relação entre produção da sexualidade e o sistema de parentesco/*kinship* moderno. Após ter pensado que precisava tentar dissociá-los e que Foucault atestava essa disjunção histórica, Rubin esclareceria[5] que se trata não de uma sucessão ou de uma ruptura entre dois sistemas, mas mais propriamente de concorrência, de multiplicação dos modos com coexistência-transformação do modelo de filiação dominante. A novidade é que, se esse sistema sexo/gênero dominante continua afetando os gêneros, as sexualidades perversas podem escapar dele, podem até dispensar a dita questão dos gêneros. Gayle Rubin bebe aqui claramente, ainda que não de maneira explícita, da cultura S/M e do *fist-fucking*. Vários escritos e manifestos S/M[6] que aparecem nessa época insistem na redução da pertinência do gênero dos parceiros nas práticas e nos contratos S/M, inclusive no caso do primeiro grupo lésbico S/M, Samois, fundado por Pat Califia e Gayle Rubin em 1978, na cidade de São Francisco.

5 Numa entrevista de Judith Butler: "Sexual Traffic", Elisabeth Weed e Naomi Schor, *Feminism Meets Queer Theory*, Bloomington e Indianapolis, Indiana University Press, 1997. Publicada em francês em *Marché au sexe*, com uma bela capa exotizante, Paris, EPEL, 2001. Também publicada em português, como "Tráfico sexual – entrevista", *Cadernos Pagu*, Campinas, SP, n. 21, p. 157-209. Disponível em: https://eriódicos.sbu.unicamp.br/ojs/index.php/cadpagu/article/view/8644617

6 *Coming to Power: Writings and Graphics on Lesbian S/M*, Boston, Alyson Publications, 1981; Geoff Mains, *Urban Arboriginals: A Celebration of Leather Sexuality*, São Francisco, Gay Sunshine Press, 1984.

Essa promoção das sexualidades não normativas e pós-genitais como fator de mudança política e social, ao participar de maneira mais eficaz na luta contra as opressões, vai ao encontro de uma severa crítica dos feminismos dos anos 1970-1980 e sua obnubilação do gênero como categoria de análise. Trata-se, de fato, de tomar distância em relação a uma abordagem feminista monogênero, centrada na mulher (equação gênero = mulher = opressão), mas também em relação à disjunção da sexualidade positiva e as sexualidades nas quais essa abordagem desembocou no fim das contas. É necessário constatar que o feminismo sexual foi apagado. Pior ainda, somente certas práticas, certas situações sexuais suscetíveis de se tornar o paradigma, para não dizer o símbolo da opressão das mulheres, foram bem-vistas aos olhos das feministas. Bem antes da explosão dos movimentos antipornô em 1983, encarnada de maneira espetaculosa por MacKinnon e Dworkin, o centro da cena político-sexual feminista em geral, não apenas nos Estados Unidos, era ocupado pela questão da consensualidade em relação ao estupro. Era patente a exclusão da sexualidade e das sexualidades diferentes ou não *straight*, identitárias ou não (lésbicas, fetichistas, S/M). Propagandeado por ocasião da famosa conferência do Barnard College, em 1982, que foi um dos momentos calorosos da "*sex war*", "Thinking Sex" se opõe às cruzadas dos anos 1977-1978 contra o sexo em público e a prostituição, assim como ao feminismo antissexo e antipornô que começa com a marcha de São Francisco contra a pornografia em 1978, reunindo mais de 10 mil feministas, seguida da publicação da antologia *Take Back the Night* em 1980[7].

Para Rubin, nos anos 1980, saímos dos Nambikwara e da utopia feminista fora do poder patriarcal e caímos em São Francisco. Os "inimigos" da heterotopia sexológica urbana não são mais somente Lacan e Lévi-Strauss, mas também as feministas que se opõem à transformação sexual e aos.às trans, as feministas a favor da estratificação sexual e social normativa e contra a re-estratificação sexual e social dos desviantes. Uma vez que, a partir de então, os atores da revolução ou da re-estratificação são os queer de todo

7 Laura Lederer e Adrienne Rich, *Take Back the Night: Women on Pornography*, New York, William Morrow, 1980.

tipo, os anormais, os desviantes e perversos assumidos e orgulhosos do que são. O feminismo *straight* antissexo monogênero fundacionalista não é o lugar privilegiado da teoria do "sistema sexo/gênero". Rubin vai inclusive mais longe: não se pode derivar o sistema social do sexo do sistema do gênero. É preciso separar a teoria do gênero e a teoria das sexualidades na reflexão, porque socialmente existem de modo patentemente separado: "contrariamente ao que disse em 'The Traffic in Women', penso agora que é essencial separar analiticamente gênero e sexualidade, de maneira a fazer jus à sua existência social separada". Rubin quer marcar uma autonomização radical, ao mesmo tempo analítica e política, criticando assim a necessidade de uma relação de expressão entre gênero e sexo (diferença sexual), entre gênero e sexualidades, entre gênero e subculturas sexuais. Uma maneira de dizer que os gêneros não mais produzem a sexualidade.

Optando por uma resposta sexológica e fazendo uma aposta nas práticas sexuais e na emergência das subculturas e/ou das comunidades sexuais pós-industriais, Rubin pensa ser possível levar em conta a estigmatização de todas as identidades sexuais, algo que o feminismo monogênero não fazia e não queria fazer. Isso a levará a se apoiar no argumento da extrema variabilidade sexual, algo que se encontra também em Kinsey e em certos sexólogos do século XIX, como Ellis, trazendo o risco, não sem alguma ingenuidade, de revalorizar a contribuição deles. Levada agora pelo unissexismo foucaultiano, ela passa ao largo de uma outra "invasão" não menos subcultural: a proliferação, a variabilidade (também constatada sociológica e politicamente) das identidades de gênero, de Mae West às culturas drag-queen, drag-king, butch-femme, passando por Myra Breckinridge nos anos 1970. Sem contar que parece muito difícil riscar totalmente as relações sexo/gênero, no sentido de sexualidades/gêneros nas subculturas queer. E é necessário constatar que suas referências em matéria de etnogênese sexual pouco se servem das culturas lésbicas. Seu trabalho sobre as lésbicas não aparece em lugar algum da sua pesquisa publicada anteriormente sobre os *leathermen*[8].

8 Ver sua tese de doutorado: *The Valley of the Kings: Leathermen in San Francisco, 1960-1990*, Universidade de Michigan, 1994.

O cozido e o (re)cozido: sexo/gênero entre construtivismo e performatividade butleriana

> *O "sexo", essa designação que se supõe a mais crua, se revela sempre já "cozida"...*[9]

Em Butler, a redução do par sexo/gênero e a desnaturalização do sexo em relação ao gênero, entendido como o lugar da construção cultural e social, se operam, por assim dizer, de dentro. Pelo menos num primeiro momento, isto é, em *Problemas de gênero*. Não será mais assim a partir de *Corpos que importam*. Esse trabalho de desconstrução, agora no sentido derridiano do termo[10], não se confunde com uma simples ressocialização ou uma reculturalização do sexo. Se fosse apenas isso, Butler não seria lá muito original. Na verdade, pareceu muito rapidamente, e não somente para as feministas, que o sexo dito "biológico", cromossômico ou gonadal também poderia ser submetido a uma crítica capaz de evidenciar suas convenções culturais, sua genealogia histórica, sua natureza discursiva. Nesse sentido, os trabalhos de Laqueur[11], Fox Keller[12], Fausto-Sterling[13] e as análises das concepções (oh!) tão estéticas, construtivistas, assassinas dos critérios dos médicos encarregados de readequar os intersexo

9 Judith Butler, *Trouble dans le genre; Pour un féminisme de la subversion*, Paris, La Découverte, 2005.

10 "Assim, o debate entre o construtivismo e o essencialismo perde de vista por completo a questão da desconstrução, pois a questão nunca foi se 'tudo é construído discursivamente'; esse ponto essencial, quando feito, pertence a uma espécie de monismo discursivo ou linguístico que recusa a força constitutiva da exclusão, do apagamento, da forclusão e da abjeção violentos e de seu retorno destrutivo dentro dos próprios termos de legitimidade discursiva". *Corpos que importam*, São Paulo, n-1 Edições/Crocodilo, 2019, trad. Veronica Daminelli e Daniel Yago Françoli, p. 29.

11 *Making Sex: Body and Gender From the Greeks to Freud*, Cambridge, Harvard University Press, 1990; *Inventando o sexo: corpo e gênero dos gregos a Freud*, Rio de Janeiro, Relume Dumará, 2001.

12 *Reflections on Gender and Science*, New Haven, Londres, Yale University Press, 1995.

13 *Myths of Gender: Biological Theories about Women and Men*, Nova York, Basic Books, 1985, e *Sexing the Body: Gender Politics and the Construction of Sexuality*, Nova York, Basic Books, 2000.

(Money[14], para citar só um) mostram bem como é difícil fazer coincidir natureza/cultura e sexo/gênero. É de se perguntar se não se deveria abrir mão da distinção sexo/gênero. Ao final, se a resolução construtivista concerne o sexo e o gênero, não se deveria agrupar tudo num *packing* do gênero? Seria tudo gênero.

Em vez de jogar fora apressadamente tal distinção, talvez não seja inútil se debruçar sobre os tipos de relação que se quis estabelecer entre as duas noções. Os modos de relação que foram culturalmente impostos entre a diferença dos sexos dita "biológica" ou "natural" e sua tradução cultural são numerosos, e a teoria queer ajudou a reformulá-los. Como lembra Butler em *Gender Trouble*, nosso sistema sexo/gênero heteronormativo pressupõe uma relação de causalidade e uma relação de expressão entre sexo e gênero. O sexo dito "biológico" causaria o gênero: uma menina "biologicamente" definida se tornará uma menina. O gênero exprimiria o sexo: a masculinidade é a expressão "natural", lógica, do sexo masculino. Assim são as heteronormas de gênero. Pouco importa se tenham tentado fazer – de novo, Lacan – leis a partir daí, de ordem simbólica ou de qualquer outra: são apenas normas, cuja falibilidade é evidente. Não tem um dia em que esse perfeito sistema binário que alinha sexo, gênero e orientação sexual (dessa vez oposta) não falhe. É, aliás, o que leva Butler a destacar que a possibilidade de relações discordantes entre sexo e gênero mostra bem a pseudonaturalidade da atribuição normativa dos gêneros. Entre o sexo dito "biológico" e o gênero, quanta porcalhada, quanta tradução equivocada, *mistranslations*, e não só no caso da drag-queen ou do drag-king. Butler rompe com a relação de expressão unívoca entre gênero e sexo. Onde Rubin insiste na proliferação das identidades, das comunidades e das subculturas sexuais, Butler insiste na proliferação das reiterações perversas (das identidades) de gênero. No primeiro caso, a distinção sexo/gênero e a diferença sexual se veem transbordadas pelas sexualidades; no segundo, "a

14 John Money et al. , "Micropenis, Family Mental Health and Neonatal Management: a Report of Fourteen Patients Reared as Girls", *Journal of Preventice Psychiatry*, v. 1, n° 1, 1981 ; John Money e Anke A. Ehrhardt, *Man & Woman, Boy & Girl*, Baltimore, Johns Hopkins University Press, 1972.

diferença sexual" pena para conter os múltiplos desdobramentos do gênero que estão longe de se reduzir a homem/mulher, masculinidade e feminilidade. Com a butch, a masculinidade deixa de ser exclusiva ao homem; com a drag-queen, a feminilidade não é mais o apanágio da mulher.

Isso quer dizer, finalmente, que a proliferação dos gêneros continua contando com a manutenção de algo como um sexo e suas expressões múltiplas, bizarras, queer? A releitura butleriana da distinção sexo/gênero e da expressividade do gênero não resulta numa simples justaposição de duas construções sociais e culturais: a do sexo e a do gênero. Nem em um inchaço hipertrófico da esfera dos gêneros que atropelaria a do sexo ou dos dois sexos. Na verdade, não se trata tanto de sociologizar ou de culturalizar o sexo como o gênero, mas de fazer aparecer que a "natureza" pré-discursiva ou pretensamente não discursiva do sexo é uma produção indispensável do gênero: "fica claro daqui em diante que esse domínio pré-discursivo em que se estabelece a dualidade do sexo é uma das garantias dessa mesma dualidade e da estabilidade interna do sexo. Dizer que o sexo é produzido enquanto dado pré-discursivo significa dizer que essa produção é um efeito desse aparelho de construção que é o gênero".

E é optando por uma concepção performativa dos gêneros e dos sexos que nos afastamos consideravelmente da abordagem estritamente construtivista e do *topos* da construção. Dizer construção também significa dizer fundação, fundamento, solo, resíduo, base, materialidade, uma temporalidade progressiva, sedimentação possível na representação, andaime: é a dimensão de alvenaria, para não dizer de concreto armado, do construtivismo em estado bruto. Dizer produção performativa também significa dizer produção, ressignificação sem referente, derivações sem original, cópias infiéis, acumulações de produções discursivas, exploração do poder produtivo (e não proibitivo) naquilo que ele autoriza de reiteração, sabendo que está ele próprio condenado a disfarçar suas repetições para fazer existir a norma como natureza intemporal. Dizer que os gêneros-sexos são imitações sem original expõe o funcionamento da norma que quer se fazer passar por lei, mas exibe ao mesmo tempo o fato de ser possível se reapropriar desse funcionamento repetitivo e performativo. É verdade que as produções de gêneros-sexos são reguladas e contidas, mas não são congeladas: aí está toda a diferença de uma concepção discursiva estrutural dos gêneros e do sexo. O *pack* performativo é pós-estrutural e mais plástico que o *pack* construtivista. Ele é diferente do *pack* construtivista na sua temporalidade. Esta não funciona por blocos (a infância, os estratos freudianos, a sociedade, diversas determinações sociais escalonadas e linearizadas no tempo em relação ao indivíduo), mas por apropriação da força performativa, cuja historicidade disfarçada está na origem da sua iterabilidade. Essa apropriação não leva nem a um antes nem a um depois da lei (os paraísos pré-discursivos e subversivos). Estamos dentro. Os "invasores", como tantos *body snatchers*, estão entre nós, nas cidades e na matrix heteronormativizada. Onde Rubin aposta no *doing sex*, Butler aposta no remake infiel, no *doing* e no *undoing gender*. Ela se situa do lado do círculo produtivo da norma que coexiste, e mesmo alimenta, o poder estritamente proibitivo da lei.

Butler se defende bem contra os construtivistas radicais, interpondo o gesto desconstrutivista para se esquivar do monismo ou do linguisticismo que colocaria gênero e sexo homologicamente no mesmo nível de construção. Ela acrescenta uma camada a mais de desnaturalização do sexo em *Bodies That Matter*, insistindo no seu processo de materialização normatizada: *sex matters*. Daí em diante, em vez de ficar frente a duas construções paralelas ou sucessivas, dependentes uma da outra, se perguntando quem traduz quem, podemos fazer tudo a partir do sexo: "a questão não é mais de que forma o gênero é constituído como e por meio de certa interpretação do sexo (uma pergunta que deixa a 'materialidade' do sexo fora da teorização), mas mediante que normas de regulação o próprio sexo é materializado. E de que maneira o fato de entendermos a materialidade do sexo como algo dado supõe e consolida as condições normativas para que se dê tal materialização?"[15]. Tanto quanto este também é performativo, a reiteração das normas de sexo abre espaço igualmente para a ressignificação ou a rearticulação, exatamente como o gênero: "a construção [...] é em si um processo temporal que

15 Judith Butler, *op. cit.*, p. 31.

opera pela reiteração de normas; no decurso dessa reiteração, o sexo é produzido e ao mesmo tempo desestabilizado"[16].

É preciso renovar, aqui mesmo, a acusação de "monismo"? Para evitar o monismo linguisticista, teríamos caído num monismo performativista: tudo é performativo. Na verdade, essa performativização do sexo tem a vantagem de introduzir um terceiro elemento em relação ao binarismo sexo/gênero. Não se trata mais do sexo na acepção de Gayle Rubin, nem das sexualidades, mas do corpo. *Bodies that matter.* Um corpo que é também ele redefinível, desbiologizado, dessubstancializado, redesignado, que não se situa mais no primeiro termo das oposições restituíveis corpo/gênero, matéria/gênero, orgânico/gênero. Se o sexo não é a superfície puramente biológica de inscrição cultural do gênero, o corpo não é um envelope de carne, uma materialidade biológica preexistente na qual se inscreveriam as determinações do mundo exterior. O transbordamento do sexo pelo corpo não limitado organicamente é interessante por mais de uma razão. Permite que nos descolemos de vários recortes corporais modernos: por exemplo, aquele que isola as partes sexuais e genitais para reforçar a diferença sexual heterocêntrica. Permite também, por assim dizer, "desinstalar" o processo de procriação e de reprodução do seu suposto envelope carnal e maternal.

A corporalidade não poderia ser limitada ao que estamos habituados a isolar como corpo. Nosso corpo é um conjunto de fronteiras movediças e devidamente policiadas, produzidas por normas e tecnologias de saber-poder (o normal e o anormal, o vivo e a morte, o privado e o público, o orgânico e o não orgânico, o humano/o não humano, o limpo e o abjeto), e não mais segundo o eixo interno-interioridade/exterior. O corpo não pré-existe. Como quem não quer nada, com esse tipo de corpo precisamos de novos sexos e de espéculos de um novo gênero...

16 *Op. cit.*, p. 31.

Espéculo dos outros buracos: Haraway

A queerização do par sexo/gênero nos leva alargar cada vez mais os limites da desnaturalização: primeiro o gênero, depois o sexo, então o corpo. Quem será o próximo? Não nascemos mulher/homem, nos tornamos, mas não a partir de um sexo. E não são transgêneros, transexuais e *daddies* que dirão o contrário. Essa queerização nos incita a tomar consciência do fato de que, a cada vez que se coloca uma barra em sexo/gênero, que se continua a separar sexo/gênero, que se reifica a distinção, está se fazendo uma política, eu diria até uma epistemopolítica, que não tem nada de reservada. Os psicólogos não resolveram acreditar na diferença sexo/gênero quando isso lhes convinha, para ter a autorização de fazer um tratamento preventivo no caso de crianças detectadas como possíveis desviantes de gênero (menino dito "efeminado")? Novos campos, novas ciências, novas disciplinas se abriram e continuam competindo entre si (psicologia, sexologia, endocrinologia...), em função de se afirmarem biologizantes ou construtivistas em qualquer dos dois lados da barra.

É preciso então analisar esse par diabólico em função de sua utilização, do significado que lhe damos, mas também das partilhas e dos "de fora" que ele desenha, o que permite capturar as questões entre disciplinas, as lógicas político-sexuais que as atravessam, as evoluções dos feminismos e dos pós-feminismos. A teoria queer, por sua vez, sempre tentou passar pelos "de fora" constitutivos internos (o sexo para o gênero) ou externos (as sociossexualidades e o corpo para o sexo/gênero). Ao não dar atenção (no melhor dos casos) para imperativos estruturais lacanianos, ela mirou o caráter normativo da utilização dessa distinção. E é verdade que, no lugar da ontologia generalizada da falta que afeta a sexualidade feminina, ela chegou a uma proliferação de possibilidades, ao contrário do feminismo da diferença sexual e de todo feminismo especular.

O objetivo político do feminismo especular foi, sem dúvida, a reapropriação e a defesa do corpo (meu corpo me pertence), o *empowering* graças aos grupos de *raising consciousness*. Sua arma simbólica foi o espéculo e o espelho para explorar, redescobrir e amar o próprio corpo. Mas tudo isso constituiu também um fator de renaturalização, de rebiologização, de relimitação do corpo e da sexualidade: com a valorização de certos órgãos (o clitóris *versus* a vagina, por exemplo), o impasse sobre o ânus, a valorização das práticas aloeróticas (masturbação), acompanhada de um apagamento da penetração e do tabu do dildo. Houve uma focalização nas políticas da reprodução entendidas como procriação "natural", em detrimento de um investimento nas políticas da reprodução no sentido mais global do termo. Com certas utilizações feministas da distinção sexo/gênero, o corpo se encolheu ao redor do sexo, ginecologicamente, obstetricamente, como crispado sobre o espéculo antigo, como se insistisse assim na similaridade biológica entre as mulheres, em detrimento de suas diferenças. Como se houvesse uma reticência em ressituar o sistema sexo/gênero, mas também a procriação e as sexualidades no conjunto tecnocultural. Essa reificação levou, por vezes, a perder de vista a urgência de enfrentar a estomatoscopia generalizada que se instituiu com o advento do biopolítico descrito por Foucault. Quer se trate das tecnologias de visualização na produção dos corpos e dos gêneros modernos, quer se trate das tecnologias de produção da verdade dos corpos dóceis, elas obrigam a explorar ou se reapropriar bem mais do que "o interior" do corpo, os "órgãos genitais adultos", a feminilidade ou as marcas da diferença sexual.

"The virtual speculum", desenho de Anne Kelly comentado por Donna Haraway, ao qual Bourcier faz referência nesta passagem. Publicada primeiramente como ilustração no dossiê de uma revista norueguesa sobre tecnologia reprodutiva (Stabel, 1992: 44), a imagem não consta da edição original de Queer Zones, embora seja fundamental para a compreensão do trecho. [N.T.]

Se é verdade que o sexo não se confunde com a materialidade a- ou pré-discursiva da carne, então talvez seja preciso acompanhar Donna Haraway quando ela convoca... a uma desmaterialização do espéculo[17]. Talvez se deva ver aí também a oportunidade para se desfazer de uma atitude tecnofóbica que, à semelhança do maternalismo, convém "demais às mulheres", e até mesmo ao feminismo, para que não se trate de uma esperteza do poder produtivo. "Qual é o espéculo apropriado para fazer o trabalho que consiste em estender a exploração nos orifícios do corpo político tecnocientífico, de maneira a aplicar esse tipo de questão aos projetos de conhecimento?". Aquele "virtual", nem espelho nem estritamente bucetológico, sem forma orgânica, menos médico e mais informacional. Aquele que permite à mulher que figura no desenho de Anne Kelly, comentado por Haraway, não mais se parecer com as Vênus de Velázquez e de Rubens que se olham perdidamente no espelho, sob o olhar vigilante do pintor ou do pornógrafo. Tal qual um Adão fêmea, a mulher desenhada por Kelly, nua diante do computador e tocando a tela com um feto flutuante... rompe com as representações da mulher-reflexo, do feminismo especular e até mesmo com as políticas da representação: "O que quer que ela veja não é seu reflexo. A tela do computador não é um espelho. O feto não é nem seu duplo nem sua cópia". "Ou o feto faz lembrar o deus da capela Sistina, ou é o 'Adão fêmea' que, com a mão no teclado, se encontra em posição de autor. Então o feto é um arquivo: aquilo que ela escreve, copia/cola ou então apaga... [...] A mulher de Kelly vê sua gravidez associada aos órgãos da cognição e da escrita. Sua gravidez é literalmente extrauterina". Extracorporal como qualquer gravidez na era da globalização das imagens do feto *in utero* nas capas das revistas, extranatural, numa época em que se tornou impossível delimitar a procriação não assistida, levando em conta a cadeia de atores, discursos e máquinas que ela mobiliza[18].

17 "The Virtual Speculum in the New World Order", *Modest_Witness@Second_Millenium. FemaleMan©_Meets_OncoMouse™: Feminism and Technoscience*, Nova York e Londres, Routledge, 1997.

18 Sobre a tecnoculturalização e a ciborguização do bebê, ver Robbie DavisFloyd et Joseph Dumit, *Cyborg Babies: From TechnoSex to TechnoTots*, Nova York, Routledge, 1998.

Por vias diferentes, em "Thinking Sex", Gayle Rubin sai também em defesa de práticas corporais que não sigam somente as "vias naturais" e de análises mais globais da produção e da reprodução: "a sexualidade é um produto humano tanto quanto os regimes, os meios de transporte, os sistemas de etiqueta, as formas de trabalho, os vários tipos de diversão, os processos de produção e os modos de opressão". Ela retorna de maneira neomarxista ao estudo de uma "economia política do sexo" que passa por uma análise da produção e da reprodução dos produtos e das convenções culturais com a qual Haraway não se decepcionaria: "Quando penso sobre o fetichismo quero saber sobre muitas outras coisas. Não vejo como se possa falar de fetichismo, ou sadomasoquismo, sem pensar sobre a produção de borracha, nas técnicas e acessórios usados para o manejo de cavalos, no brilho dos calçados militares, na história das meias de seda, no caráter frio e oficial dos instrumentos médicos ou no fascínio das motocicletas e a liberdade enganosa de sair da cidade para pegar a estrada. A propósito, como podemos pensar sobre o fetichismo sem considerar o impacto das cidades, de certas ruas e parques, de zonas de prostituição e 'diversão barata', ou da sedução das prateleiras das lojas de departamentos [...]? Para mim, o fetichismo suscita toda uma série de questões relacionadas à mudança na produção de objetos, às especificidades históricas e sociais de controle e etiqueta social, ou intrusões no corpo e hierarquias milimetricamente graduadas. Se se reduz toda essa informação social complexa à castração e ao complexo de Édipo ou a saber ou não saber o que se devia saber, acho que se perde algo importante"[19].

Fetichismo, masturbação, penetração, são tantas as práticas sociais que, vistas como tecnologias no sentido foucaultiano do termo, podem ser ressignificadas. E talvez seja sua qualidade de lésbica S/M que permita a Rubin decentrar o sistema sexo/gênero *straight*, seja ele feminista ou não, e denunciar ao mesmo tempo a repetição das normas sexuais e das normas corporais por ele efetuadas, assim como as exclusões que daí decorrem. Também lhe permite atravessar o limite estabelecido entre o corpo (penetrado pelo espéculo do médico ou da feminista) e um sexo-corpo

19 Gayle Rubin, "Tráfico sexual – entrevista" com Judith Butler, *op. cit.*, p. 179-180.

abarrotado de acessórios, em que a fronteira corpo/objeto não é mais pertinente. Revela-se com isso, por fim, que esse tecno sexo-corpo é aquele da cultura S/M, mas também da cultura moderna, já que, contrariamente às aparências naturalistas, o corpo moderno é o produto de biopoderes anatômico-políticos.

A queerização do sistema sexo/gênero pode então ajudar a prevenir os efeitos re-naturalizantes da distinção sexo/gênero no feminismo, a levar em conta os "de fora" do feminismo, inclusive do feminismo construtivista, e não simplesmente os "de fora" e os aspectos impensados do feminismo essencialista ou do feminismo da diferença à la française. O feminismo europeu materialista é construtivista, o que não o impediu de se desenvolver numa perspectiva *straight*, centrado na mulher e dessexualizante. Um pós-feminismo pró-sexo, não *straight*, suficientemente tecnófilo, definido como "designer de espéculos", um feminismo – em uma palavra – biopolítico produziria uma reapropriação das políticas do ótico, do visual, do ginecológico, do pornográfico e portanto da produção dos gêneros, dos saberes, das práticas sexuais e dos corpos. Mas dizer espéculo também significa falar do apego a uma ferramenta de observação, qualquer que seja a reapropriação feita pelas mulheres a ele submetidas, as interrogações desde o gineceu. Rubin não esquece que o lesbianismo, enquanto prática sexual da teoria feminista, codificou severamente a prática sexual para limitá-la a um homossensualismo não penetrativo bem feminino. Carícias, *cunnilinctus*... sim, mas não *rimming*. Talvez seja a hora de colocar nas bolsas e nas mochilas o Magic Wand Hitachi, vibrador com vários tipos de ponteira, os chicotes e as botas de Gayle Rubin. Falar de vibrador significa falar de uma ferramenta para gozar e ter acesso a uma ressexualização não imitativa, de carne e de plástico, na qual os órgãos sexuais se tornam máquinas sem referência biologizante: o dildo não produz a desnaturalização do pau? O punho do *fist-fucking* não é a desgenitalização do coito straight? *"With my speculum, I am strong! I can fight!"*, dizia a Mulher-Maravilha nos quadrinhos dos anos 1970. Podemos ousar imaginar o que ela faria armada com um vibrador ou um dildo apontados para todos os cantos, para todos os buracos. Sob pena de preservar um fantasma ontológico: melhor ser um dildo que uma deusa.

PROGRAMME DU SÉMINAIRE Q.UEER DU ZOO 1999-2000

IDENTITES & SEXUALITES, PERFORMANCE ET PERFORMATIVITÉ

Sauf indication contraire, les séminaires Q.ueer du Zoo ont lieu le mercredi à la Sorbonne - 17, rue de la Sorbonne - Salle Lalande-Escalier C 1er Etage de 19h00 à 21h00, à Nanterre Campus de Nanterre, Salle L318 (Batiment L 3° Etage) de 10h30 à 12h 30.

PROCHAIN ATELIER ZOO

5 avril Université de La Sorbonne Marco Dell Omodarme (Paris I-Paris X)
Atelier Nique Ton Genre (séance 2)

PROCHAIN SÉMINAIRE ZOO

19 avril Université de La Sorbonne Benoit Jacques (Paris X)
Comment J'ai Ecrit ma Thèse sur le Cinéma Homo

LA SÉANCE DU 22 AVRIL À PARIS 8 A LIEU À 10H00, BATIMENT B SALLE B 134.

LE MANIFESTE CONTRA-SEXUEL DE BEATRIZ PRECIADO SORT LE 14 AVRIL.

CONTACT ZOO POUR INFOS

Tel/fax 01 43 57 25 05. 37, rue Jean Pierre Timbaud 75011 Paris E-mail: zoomhb@club-internet.fr

LES SEMINAIRES Q.UEER DU ZOO

L'objectif des séminaires queer du zoo est de faire circuler le plus largement possible un type de savoir et de références relatif à la construction historique, sociale politique et culturelle de l'homosexualité, de l'hétérosexualité, de la bisexualité, de la transexualité et des genres. De mettre en valeur les travaux et les initiatives qui relèvent d'une critique hyperbolique des lieux de formation des identités sexuelles et de genre normatives, qui déconstruisent les savoirs qui fondent et naturalisent la discipline des corps. Il est d'autant plus urgent de créer de tels espaces critiques que ceux-ci n'ont pas vraiment droit de cité dans l'université française.

P COMME PERFORMANCE/PERFORMATIVITÉ

Le thème central de la troisième édition des S.éminaires Q.ueer est la notion de PERFORMATIVITE. Un choix qui se situe dans le droit fil des SQ 1998-1999 consacrés à JUDITH BUTLER. Butler a définit L'IDENTITÉ SEXUELLE comme performative, c'est à dire comme résultant d'un effet de répétition des codes de performances de genre. Selon l'auteur de GENDER TROUBLE, l'hétérosexualité est une parodie, une imitation sans original du genre masculin et féminin. Des pratiques comme le travestissement ou les rôles butch/femme qui se produisent en marge de LA FICTION HETÉROSEXUELLE laissent justement apparaître les mécanismes culturels qui produisent la cohérence de l'identité hétérosexuelle. Elles dénaturalisent le lien normatif entre sexe et genre. En fait, il n'existe que des performances du genre, autrement dit des expressions comme "C'EST UNE FILLE" "C'EST UN GARCON" ne sont rien d'autre que LE KARAOKE DE L'HÉTÉROSEXUALITÉ. Les relations entre genres identité et performance seront plus particulièrement explorées dans les séances sur LE THÉATRE QUEER, LES SOEURS DE LA PERPETUELLE INDULGENCE, l'atelier vidéo NIQUE TON GENRE et dans LE MANIFESTE CONTRA SEXUEL de Beatriz Preciado. Sommes nous passés d'une phase interrogative à une phase performative en matière d'identité, de sexualité et de genre? Quels sont les liens entre POLITIQUE ET PERFORMATIVITE? Entre THEORIE QUEER ET PERFORMATIVITÉ? Telles sont les Q du SQ de cette année. Avec en arrière-fond la poursuite de notre réflexion sur les relations entre la théorie queer et les philosophes français (avec DELEUZE et DERRIDA); théorie queer et féminisme et des interventions sur les questions de méthode (LE CINEMA ET LA SEXOGRAPHIE).

Flyer com programas do seminário queer do Zoo, 1999-2000.

The sexual fringe groups have an interesting feature: they know what gives them pleasure and they are systematically going about getting it. That should give us pause. The appeal of indicating sexual desire via handkerchief color is its forthrightness and aura of automatic pleasure. Contrast this with the inability of some women to figure out what gives them sexual pleasure, let alone communicate this to others.

Despite their many points of disagreement, S/M and Women Against Pornography (WAP) are concerned with structure: S/M, in providing stylized and highly structured sexual interactions; WAP, in prescribing a politically acceptable framework for sex. S/M may gain ground in the lesbian feminist community, because a vacuum exists. Perhaps the bravado and excitement of coming out on S/M replaces the no longer attainable excitement of coming out as a lesbian in the feminist community 10 years ago. S/M may have great appeal, since it provides clear boundaries (the top, the bottom) with appropriate behaviors for each.

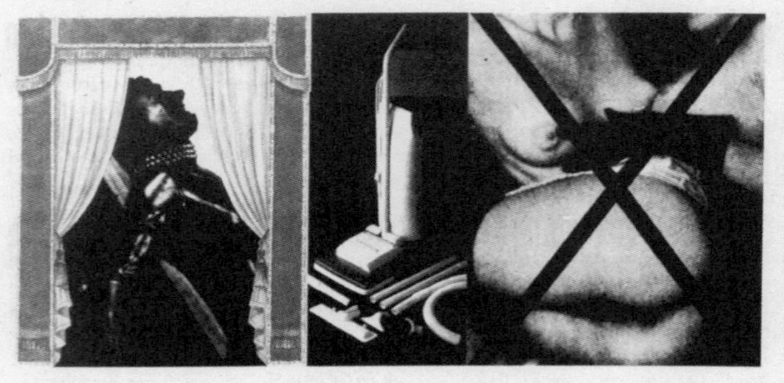

There is a vacuum about sexuality evident in feminists' theory and our lives. The feminist movement is in a political crisis, in part concerning sexuality. The Right has proposed a comprehensive theory of sexuality and the feminist response has been lacking.

13

Página do programa da "Barnard Sex Conference", intitulada *Diary of a conference on sexuality*, 24 de abril de 1982, Universidade de Columbia, Nova York.

D & G *reload*

É hora de dar um pequeno *reload* numa parte do sistema com que se viraram uns tantos protagonistas do pós-estruturalismo francês e estadunidense, e mesmo alguns *French Theorists* vindos do outro lado do Atlântico. Foi relendo Deleuze, ao mesmo tempo que Butler e um tanto de Foucault, que essa ideia pôde resplandecer. Daí meu disco rígido foi pro espaço e perdi meu Mac. Progrido, desde então, na matrix referencial à mercê de interferências vindas do último século teórico. Lembro, por exemplo, que a perfomance/performatividade se tornou um dos paradigmas e uma das ferramentas incontornáveis do sistema de exploração para pós-feministas, subalternos, minorias, trans-bichas-sapatonas e anormais de todo tipo. Isso não data dos anos 1990, mas seria uma história muito comprida para se recuperar. O que é certo, hoje, é que a força (performativa) queer nas suas relações com a maquinaria identitária se encontra amarrada, dandificada, straightizada (no sentido wittigiano do termo) no contexto francês, na obra de Deleuze dos anos 1970-1980 mas também com o retorno da French Queer Theory na França, dez anos após sua fabricação nas universidades estadunidenses nos anos 1990.

Melhor dizendo, como é possível que Deleuze ainda tenha sucesso com o "devir-mulher", como uma espécie de Flaubert com o "Madame Bovary sou eu" e Foucault com o "Herculine sou eu"? É uma possível leitura da vontade de Foucault de publicar as memórias de Abel Barbin sob o título *Herculine Barbin dite Alexina B.* Por que só tem "devir-mulher" em Deleuze, nunca devir-homem? Só homossexualidade, especialmente não molecular (Deleuze, *Proust e os Signos*)? Um índice? Relendo *Le désir homosexuel*, a gente percebe que Hocquenghem não tem a mesma política do cu que Deleuze, que continua preso numa visão negativa e provavelmente não lubrificada da passividade anal: *O Anti-Édipo* trata, palavra por palavra, de como não ser enrabado pelo *socius*, a enrabada entendida como necessariamente "alienante" e dolorosa. Por que o devir-maricona ou machão do tipo Village People, o devir-bicha louca, o devir-Garbo, o devir-mosca-de-bosta[20] de Cressole, jornalista do *Libération*, membro da Frente Homossexual de Ação Revolucionária - FHAR), estudante e amigo de Deleuze, não aparecem? Que raiva é essa dos "*bio-men*" que ficam nos dando não identidades para quem é mais feminino?

Reina nos textos de D & G um pensamento *straight* da analidade que dá uma vontade danada de mudar os papéis. É isso que talvez insinue o *Deleuze* de Cressole, publicado na coleção "Psicoteca" das "edições universitárias", em 1973. O opúsculo se apresenta como uma sábia introdução ao pensamento de Deleuze, mas é ofuscado pela troca de cartas entre Cressole e Deleuze no final. Somos confrontados com um dispositivo de escrita queer que leva o "devir-mulher" ao paroxismo e encurrala o corpo de Deleuze, mostrando sua performance de intelectual dotado de uma ubiquidade multi e anti-identitária. O nômade recolhido no quarto, a bicha imaculada, o materialista universal que não sabe tomar no rabo, a *pin-up* sem espectadores e o herói da filosofia têm que se virar com a bicha picaresca:

> "Onde nosso herói [Deleuze] encontra nosso autor [Cressole], no espaço fechado de uma troca epistolar para um estranho duelo, armado de floretes elegantemente mosqueados, cujo único objetivo seria decidir aquele que daria mais habilmente ao outro as varas com que será chicoteado: não se trata de acertar na mosca, mais que de espantá-la.
>
> De um lado, nosso autor – que não tem a preocupação de ultrapassar a linha de mira (a menos que se preocupe em errá-la) e, ainda menos, como embalsamador, a de preparar o corpo de algum cara de herói das barricadas para enterrá-lo num sarcófago – se dirige a Deleuze, como se diz, distribuindo seu próprio pedido em meio àqueles dos demais, e se vê vivamente encaminhado a um Deleuze que "lhe" fala.
>
> De outro lado, nosso herói – simples silhueta desenhada linha por linha e página por página, vedete recauchutada como barco de passeio do Sena, organizando circuitos em seus livros, pequenos riachos em grandes fluxos decodificados – vê, do mesmo golpe, a forma de seu próprio corpo ser dada por Deleuze em pessoa, quando era apenas um decalque deste e, uma vez estabelecida essa encarnação, ser contestada como arapuca ou armadilha, feito uma maliciosa Dama de Ferro que o impediria de soltar a

20 Michel Cressole, *Deleuze*, Paris, Éditions Universitaires, 1973.

> franga livremente: um pouco como se a agulha que visava unicamente a curar Deleuze do pin-up Deleuze, ao fixá-lo em outro lugar, em vez de ser a agulha da acupuntura, fosse a do encantamento, ofensivo, mágico, para além dos pequenos pontos luminosos que ela traça no boneco de cera do herói, o Gilles Deleuze real".

Já analisei o bloqueio da força performativa em Dominator, o Bourdieu de *La Domination masculine*[21]. Com o auxílio de Michel Cressole e Guy Hocquenghem no grupo anal, me parece que a melhor coisa a fazer em relação a Deleuze é enrabá-lo, sabendo que me falta o método em todo seu desenvolvimento, mas talvez não seu discurso. Seria preciso enrabar Deleuze de um jeito que desse para deixar claro como sua codificação, sua reterritorialização – poderia usar vários outros termos deleuzeanos – do fluxo e das minorias são, ao mesmo tempo, elitistas, despolitizantes, anti-icônicos e, portanto, antimídia e anticultura popular. O que passa decerto (perfeito retorno do dildo) por colocar Deleuze em posição anal passiva – não digo maso. De fato, a concepção da enrabada deleuzeana tem o defeito de ser altamente filosófica e então necessariamente ativa, como no bom e velho tempo de Sócrates: "quanto a mim, 'fiz' por muito tempo história da filosofia, li livros sobre tal ou qual autor. Mas eu me compensava de várias maneiras. Primeiro, gostando dos autores que se opunham à tradição racionalista dessa história (Lucrécio, Hume, Espinosa, Nietzsche) [...]. Mas minha principal maneira de me safar nessa época foi concebendo a história da filosofia como uma espécie de enrabada, ou, o que dá no mesmo, de imaculada concepção. Eu me imaginava chegando pelas costas de um autor e lhe fazendo um filho, que seria seu, e no entanto seria monstruoso"[22].

D & G system o.o. 1999

Mas voltemos ao sistema de base. É impressionante ver, relendo hoje *O Anti-Édipo* e *Mil platôs*, que todos esses teóricos do último

21 Ver "La 'fin de la domination (masculine)' : genres, performances et post-féminismes queer", *infra*, p. 309-320.

22 Gilles Deleuze, *Conversações*, trad. Peter Pál Pelbart, São Paulo, Editora 34, 2008.

século parecem concordar em certos pontos. E nesse grupinho tão pequeno incluo Deleuze e Foucault e Butler. Todo mundo concorda então em insistir na produção, mais do que na construção, sem que, aliás, nem sempre possamos distinguir entre performativismo e construtivismo radical. Performance/performatividade e produção são máquinas discursivas sem sujeito, mas não destituídas de historicidade, que acabam frequentemente se parecendo entre si. Todo mundo concorda em dizer que isso reprime, mas de maneira positiva: a censura produtiva de Foucault, a análise do funcionamento do capitalismo em Deleuze e Guattari. Mais que reprimida, a sexualidade nunca foi tão regulada. Todo mundo concorda em dizer que isso resiste: o discurso reverso de Foucault para os homossexuais, as possuídas e mesmo os masturbadores, as linhas de fuga de D & G, a ressignificação e o *take up the tool* de Butler, o "desejo homossexual" na definição dada por Hocquenghem (um querer-ser perverso). Todo mundo concordaria em dizer que isso prolifera, é a socioetnogênese da Gayle Rubin de "Thinking Sex", a proliferação dos gêneros em *Gender Trouble*, a esquizogênese em D & G.

Todo mundo concorda realmente em pôr fim à expressão e à representação, e é aí que a performatividade, aliada ou não à performance, aparece para compactar tudo: não mais antes e depois, não mais "sujeito", não mais "realidade" que precedem os discursos, não mais discursos que experimentam sua necessidade de se repetir como "natureza" para existir sem ser determinados, não mais sequenciamento evolutivo com modelo na sequência edipiana familista. Entrar em guerra contra Édipo no *Anti-Édipo* é entrar em guerra contra as regras da representação que ele impõe e contra a tradução mitológica, teatral e colonial. Para D & G, o inconsciente não é nem representação, nem expressão, nem simbolização: Isso fabrica dentro de si, isso produz: "A grande descoberta da psicanálise foi a da produção desejante, a das produções do inconsciente. Mas, com Édipo [...], substituíram-se as unidades de produção do inconsciente pela representação; substituiu-se inconsciente produtivo por um inconsciente que podia tão-somente exprimir-se".[23] Não mais causa seguida de efeito, mas repetições reforçadoras ou atravessadas, decodificações e até mesmo subversões. Com Butler, o gênero não é nem representação do sexo dito "biológico" nem expressão de si ou de "sua masculinidade" ou de "sua feminilidade". É somente uma imitação sem original. Todo mundo prefere as cópias de cópias, as paródias, o *recoding*: "O esquizo dispõe de modos de marcação que lhe são próprios, pois, primeiramente, dispõe de um código de registro particular que não coincide como o código social ou que só coincide com ele a fim de parodiá-lo."[24] Butler diz isso tanto sobre a *butch* quanto sobre a *drag-queen*: "por mais que crie uma imagem unificada da 'mulher' (ao que seus críticos se opõem frequentemente), o travesti também revela a distinção dos aspectos da experiência de gênero que são falsamente naturalizados como uma unidade através da ficção reguladora da coerência heterossexual. Ao imitar o gênero, o drag revela implicitamente a estrutura imitativa do próprio gênero – assim como sua contingência"[25]. É de se perguntar por que não pensamos até hoje em nos mudarmos para Las Vegas, templo da cópia em pleno deserto.

O esquizoanalista e a dragóloga

A teoria queer dos gêneros à moda de Butler se encontra aqui e ali com o projeto esquizoanalítico de D & G. Apesar de D & G não se apoiarem nominalmente em noções de performatividade, a máquina desejante deles – a boa – mais parece um furacão construtivo-performativo. Sem esquecer que eles se interessam em alguns momentos, e bastante precisamente, pela relação entre nominação, performatividade e identidade. Mas o importante é carregar as armas contra todo modelo expressivo da representação, quer se trate do inconsciente ou dos gêneros, e de questionar a "integridade" do sujeito – e até da identidade, já que os dois termos são intercambiáveis em *Gender Trouble* (eis aí, aliás,

23 Gilles Deleuze e Félix Guattari, *O Anti-Édipo*. Trad. Luiz B. L. Orlandi. São Paulo: Editora 34, 2010, p. 40.

24 *Ibid.*, p. 29.

25 Judith Butler, *Problemas de gênero: Feminismo e subversão da identidade*, Rio de Janeiro: Civilização Brasileira, 2003, trad. Renato Aguiar, p. 196.

o problema). A segunda Butler (*Bodies That Matter* e *Excitable Speech*), tomando a devida distância da noção de performance tal como usada no teatro e na antropologia (Turner[26] e Newton[27]), opta por reformulações abertamente pós-estruturais e derridianas que enfatizam a performatividade linguístico-política e reforçam a ancoragem linguageira da subjetivação. A repetição das normas de gênero faz parte de uma força performativa que não pertence a ninguém. Nada nos impede de juntar os fluxos da derivabilidade involuntária e da iterabilidade intersideral.

E por que não celebrar o velho fingindo ser uma jovenzinha ou Cristóvão Colombo que "faz a puta" para acalmar seus marujos abatidos pela aventura colonial? *They need a break dance*: "Num livro maravilhoso de Jacques Besse", escrevem D & G, "encontramos mais uma vez o duplo passeio do esquizo, a viagem exterior geográfica que segue por distâncias indecomponíveis e a viagem histórica interior que segue por intensidades envolventes: Cristóvão Colombo só consegue acalmar sua tripulação revoltada e volta a ser almirante quando simula ser um (falso) almirante que finge ser uma puta que dança. Mas, assim como, há pouco, entendemo-nos a respeito da identificação, é também preciso entender a simulação. Ela exprime essas distâncias indecomponíveis sempre envolvidas pelas intensidades que se dividem umas nas outras mudando de forma. Se a identificação é uma nomeação, uma designação, a simulação é a escrita que lhe corresponde, escrita estranhamente plurívoca, diretamente no real. Ela leva o real para fora do seu princípio, ao ponto em que ele é efetivamente produzido pela máquina desejante. Ponto em que a cópia deixa de ser uma cópia para devir o Real e seu artifício."[28]

A interferência mnemônica entre Butler e D & G pode parecer ainda mais clara aos nossos olhos. A esquizoanálise e a dragologia fornecem uma energia intransitiva ao gênero e ao inconsciente, mas também ao desejo, ao sujeito e à identidade.

26 Victor Turner, *The Anthropology of Performance*, Nova York, PAJ Publications, 1986, e "From Ritual to Theatre, The Human Seriousness of Play", *Performing Arts Journal Publications*, 1982.

27 Esther Newton, *Mother Camp, Female Impersonation in America*, Chicago e Londres, University of Chicago Press, 1972.

28 Gilles Deleuze e Félix Guattari, *O Anti-Édipo*, *op. cit.*, p. 121.

O mesmo ocorre em relação a uma concepção do corpo que é caracterizada por sua inexistência enquanto superfície de inscrição[29] e sua desorganização com o corpo sem órgãos, ou sua ausência de anterioridade e de interioridade. "Será possível dar uma explicação genealógica da demarcação do corpo como essa prática significante? Tal demarcação não é iniciada pela história reificada ou pelo sujeito. É resultado de uma estruturação difusa e ativa do campo social. Essa prática significante efetiva um espaço social para o e do corpo, dentro de certas grades reguladoras da inteligibilidade [...]. Em vez disso, a pergunta é: de que posição estratégica no discurso público e por que razões se afirmaram o tropo da interioridade e o binário disjuntivo interno/externo? Em que linguagem é representado o 'espaço interno'? Que tipo de representação é essa, e por meio de que imagem do corpo é ela significada? Como representa o corpo em sua superfície a própria invisibilidade das suas profundezas ocultas?", se pergunta Butler em *Gender Trouble*[30]. E então a máquina capitalista poderia bancar a doida, diferentemente das máquinas territoriais e despolíticas, e nos fazer entrar na era da defasagem, da desterritorialização, da "reversão interna" ou do *reembodiment* à moda de Joyce: "Reaproximar, remendar, era o que Joyce denominava '*re-embody*' [reincorporar]. O corpo sem órgãos é produzido como um todo, mas no seu próprio lugar, no processo de produção, ao lado das partes que ele não unifica nem totaliza. E quando se aplica a elas, se assenta sobre elas, ele induz comunicações transversais, somas transfinitas, inscrições plurívocas e transcursivas sobre a sua própria superfície, na qual os cortes funcionais dos objetos parciais são sempre recortados pelos cortes das cadeias significantes e os de um sujeito que aí se situa", nos dizem D & G[31].

29 "[...] o socius como corpo pleno forma uma superfície na qual toda a produção se registra e parece emanar da superfície de registro", *O Anti-Édipo*, trad. Luiz B. L. Orlandi, São Paulo, Editora 34, 2010.

30 *Problemas de gênero: feminismo e subversão da identidade*, trad. Renato Aguiar, Rio de Janeiro, Civilização Brasileira, 2018, p. 192. Adaptada.

31 Gilles Deleuze e Félix Guattari, *O Anti-Édipo*, *op. cit.*, p. 63.

Nesse mundo saturado de forças e de fluxos, é o *doing*, o fazer, a produção sem agentes, os atos ilocutórios bem-sucedidos ou fracassados que comandam. Quer se trate de lutar contra as antigas construções e representações do sujeito e do desejo pela psicanálise, pela filosofia ou pela matriz heterossexual, tudo passa por um movimento geral de impessoalização restituível por meio de exemplos de despessoalizações exemplares. É o caso do "corpo inengendrado" de Nijinsky, segundo D & G: "Nijinsky escrevia: 'Eu sou Deus eu não era Deus eu sou o palhaço de Deus'; 'Sou Apis, sou um egípcio, um índio pele-vermelha, um negro, um chinês, um japonês, um estrangeiro, um desconhecido, sou o pássaro do mar que sobrevoa a terra firme, sou a árvore de Tolstói com as suas raízes'. 'Sou o esposo e a esposa, amo a minha mulher, amo o meu marido...'". E D & G continuam: "O que conta não são as denominações parentais, nem as denominações raciais ou as denominações divinas, mas tão somente o uso que se faz delas. O problema não é de sentido, mas apenas de uso. *Nada de originário nem de derivado, mas uma deriva generalizada.* Dir-se-ia que o esquizo liberta uma matéria genealógica bruta, ilimitativa, na qual ele pode colocar-se, inscrever-se e indicar-se em todas as ramificações ao mesmo tempo, de todos os lados"[32]. Profusão de fracassos ou de sucessos performativos? Pesadelo para um Austin obcecado pelos performativos infelizes? Em D & G, essas tantas identificações deviam favorecer a volta do grupal, do político, até mesmo do político-sexual. Mas, como se sabe, o jogo das formas involuntárias, das agentividades (*agency*) pós-modernas desembocam, não sem contentamento e com bastante pretensão desontologizante, numa frase como "nenhuma bicha jamais poderá dizer com certeza 'eu sou bicha'".[33] É o que Deleuze ousa responder a Cressole. Ou ainda um "não posso me dizer lésbica", menos ainda sapatona: é o que chega a declarar Butler em uma conferência sobre a homossexualidade dada em Yale, em 1989[34], e também na sua versão escrita e publicada.

32 *Ibid.*, pp. 107-108. Grifo de Sam Bourcier.

33 Gilles Deleuze, *Conversações: 1972-1990.* Trad. Peter Pál Pelbart. São Paulo: Editora 34, 2008, p. 21.

34 "Imitation and Gender Insubordination", Diana Fuss (org.), *Inside/out*, Nova York e Londres, Routledge, 1991.

O devir-tudo

O grande antifundamento de todas essas aventuras teóricas pós-estruturais é sem dúvidas a morte do sujeito, o caráter impessoal dos poderes, a guerra frequentemente quixotesca contra a essencialização, a desconstrução da política das identidades tornada de repente ultranociva para os estadunidenses nos círculos universitários dos anos 1990, a *agency* esmiuçada até cansar... Isso fabrica, "isso raspa, isso corta: isso goza"[35] no francês uma pitada estrutural-lacaniana indecorosa e libertina dos anos 1990. Isso performa porque recita a injúria e o resto, o tempo do discurso não é o tempo do sujeito, a ausência de controle do sujeito sobre o discurso se torna sua condição, "a vulnerabilidade linguística" de Butler, e autoriza ao mesmo tempo a possibilidade de uma reviravolta performativa sempre provisória, para retomar a concepção fortemente estruturalista e derridiana da injúria em Butler. A difusão dessa ficção que é a *French Theory* por certas feministas (lésbicas) estadunidenses nos anos 1990 – incluindo Butler – tem o curioso efeito de impor uma "boa consciência" minoritária paradoxal, tendo como objetivo contrariar uma política das identidades fixadora e que é pretensamente suscetível de gerar, por sua vez, efeitos de hegemonia e de normalização: isto é, em termos oficiais, a política gay assimilacionista dos anos 1990. Na "França" dos anos 1990, teria sido colocar a carroça na frente dos bois, dada a maneira como as políticas ditas identitárias, sejam elas *straight*, gay ou lésbicas, eram e ainda são contidas de todos os lados (mesmo que com rachaduras) pelos Republicanos. Razão pela qual os Foucault e Derrida queerizados nos Estados Unidos alimentaram, na volta, uma primeira onda queer na França, caracterizada por políticas identitárias pós-identitárias, certamente não anti-identitárias, em meados da década de 1990. Pelo menos foi essa a posição queer do Zoo.

Nos casos em que Butler e Deleuze também se superpõem, isso se deve ao fato de sua análise dos modelos (a máquina, a fábrica) e do minoritário formalizado como um processo de tipo

35 Roland Barthes, *Le Plaisir du texte*, Paris, Le Seuil, 1973.

industrial (o esquizo, a paranoica, o homomolar, a drag-queen) celebrar imitações sem original, imitações de imitação sem sujeito (evidentemente), mas também sem ambição de produzir subjetividades diferentes, diferentemente do *queer povera* e das políticas da desidentificação. Alarcón, Anzaldúa, De Lauretis, o feminismo negro e o feminismo pró-sexo não jogam fora o bebê, os recursos identitários, com a água do banho, como faz o queer chique universitário. E com razão. É óbvio que o termo "queer", embora veicule realmente uma injúria sexual em inglês, torna a des-personalização mais fácil, tendo em vista a ambivalência inaugurada pela American Queer Theory em relação às identidades lésbica, sapatona/gay ou bicha. Olhando em retrospectiva, é patente que foi esse acréscimo teórico que facilitou a entronização de universitários.as estadunidenses, feministas no papel e lésbicas no armário, num contexto de disciplinarização dos estudos gays e lésbicos. Voltando a Deleuze no contexto republicano francês, a evacuação do sujeito em benefício do processo tem prolongamentos sensivelmente diferentes. Por que temer "o perigo identitário" quando podemos ser também oni-, isto é, tudo? É, aliás, o que Deleuze reivindica várias vezes, principalmente na sua resposta a Cressole: "E minha relação com as bichas, os alcoólatras ou os drogados, o que isso tem a ver com o assunto, se obtenho em mim os efeitos análogos aos deles por outros meios?". "Nenhuma bicha jamais poderá dizer com certeza 'eu sou bicha'. [...] Por que não teria direito de falar da medicina sem ser médico, já que falo dela como um cão? Por que razão não falar da droga sem ser drogado, se falo dela como um passarinho?"[36].

Por que esse devir-tudo incomoda? Pela sua dimensão universalizante, claro. E, embora Deleuze não possa ser tachado de essencialista, digamos que existe aí um simultaneísmo materialista abstrato que exalta estranhas ubiquidades, uma forma de totalidade que exclui certas figuras. Em Butler, que por muito tempo acreditamos estar prevenida do argumento universalista – o que não é mais o caso, haja vista suas recentes colocações neouniversalistas ou neohumanistas em *Undoing gender* –, não tem nada de falogocentrismo triunfante: apenas

36 Gilles Deleuze, *Conversações: 1972-1990*, *op. cit.*, pp. 20; 21.

uma negatividade terrível que, longe de desembocar numa homo/oniubiquidade, nos mergulha no estertor do nada e do luto interminável.

Se a força queer existe, é porque ela faz parte de uma invasão generalizada da performance/performatividade que não foi decretado pelos teóricos na universidade nem completamente pelas próprias minorias. Se a força/fraqueza da performatividade é sua iterabilidade, é engraçado ver como os intelectuais franceses acreditam que podem tomar-lhe as rédeas e como os professores estadunidenses que gostariam de se tornar intelectuais públicos *à la française* insistem em exportar princípios de precaução pós-estruturais em matéria de subjetivação e de identidade.

Que os Deleuze, Foucault e Barthes dos anos 1970-1980 tenham difundido toda uma metalinguagem para descrever incansavelmente a deriva do sujeito, deslizando para lá e para cá entre significantes escorregadios e catacréticos, não é nenhuma surpresa. Mas o fato de os (French) American Theorists desembarcarem nos bairros tradicionalmente universitários de Paris para tentar nos seduzir com as quinquilharias da "não identidade" minoritária é o que significa sua vassalagem à classe dos intelectuais franceses *wannabe*, que se apropriou da "questão minoritária" na mais pura tradição política republicanista. Como era de se esperar. O problema é que, contextual e politicamente, essa crítica da afirmação/produção identitária – que, aliás, produz muito bem e muito rápido seus antídotos – pode fazer sentido no contexto estadunidense, dada a anterioridade das políticas identitárias *overthere*; no contexto francês, seja "metropolitano" seja "ultramarino", essa crispação anti-identitária corresponde diretamente à – e vale como aliança implícita com a – política transversal que ignora as clivagens esquerda/direita, gay/*straight* e é fonte de desigualdade e de restrição das minorias sexuais, étnicas e de gênero na França: aquilo que chamei de republicanismo *straight*, defendido com unhas e dentes pelos nossos estabelecimentos de ensino.

É nesse sentido que a entronização de Judith Butler como filósofa na École Normale Supérieure, desqueerizada e *sponsor*izada pelos seus *boys* neste começo de século, no mesmo dia em que acontecia a primeira jornada do colóquio Queer Stratégies (em maio de 2005, na universidade Paris 13), reata com os grandes modelos da figura do intelectual francês e constitui um ótimo exemplo de "violência epistêmica". A resiliente rainha da teoria queer foi até boicotada por parte do grupo ativista cultural Panik Culture. Para se desculpar – num plano estritamente emocional– pelo "mal" causado aos ativistas e minorias queers, que foram conscientemente excluídos de seu dispositivo de coroação, a autora de *Gender Trouble* avaliou as consequências políticas de suas palavras em contexto, fingindo acreditar que as questões levantadas pelo Panik Culture dizem respeito à orientação sexual dos participantes, ao passo que os ativistas culturais criticavam claramente o dispositivo epistemopolítico dessa jornada de estudos, para não falar da sua localização simbólica nas altas esferas da Normalité Supérieure. Ao longo do dia todo, a celebração da tradução francesa tardia de *Gender Trouble* foi feita num palco 99% *straight*, psicanalizante, com um Balibar cochilando depois do almoço. O mesmo Balibar que, de manhã, ouviu um "cala a boca" do público ao sugerir que as discussões fossem em inglês, porque essa seria a língua da ciência e da academia. Sabemos muito bem a eficácia dessa redução do político-sexual ao "sexual", considerando a sistemática utilização disso na França a fim de excluir os queers, assim como as mulheres, do espaço público. Que isso venha de deputados e jornalistas anticomunitaristas não surpreende ninguém. Mas daí a uma teórica feminista e lésbica da envergadura de Judith Butler dar uma mãozinha nisso...

Minoritários mas menores em prol de uma literatura maior

Esse boicote não nos deixa esquecer que a formulação performativa dos gêneros de Butler deve ser ressituada em relação à chegada, desde os anos 1970, de uma cultura fortemente assumida como da performance e à chegada disruptiva de novas vozes subalternas, minoritárias, intrinsecamente performativas, pois tomaram a iniciativa de enfrentar – não sem sucesso – o dispositivo de interação entre observador/observado, falante/falado, representante/representado. É claro que dá para desvitalizar os ditos "estudos culturais" do seu potencial político, e é isso, aliás, o que se faz hoje em muitos departamentos universitários franceses dessa área. Lá fora, na Inglaterra e principalmente nos Estados Unidos, os estudos culturais desempenharam um papel decisivo na introdução e na difusão de culturas da discordância que permitem que os excluídos, os marginais e as minorias sejam incluídos em campos de saber que lhes eram (e ainda são) proibidos.

A arma da performatividade se tornou crucial por meio de operações de renomeação, de produção icônica e autobiográfica que fizeram com que a bicha ou a puta pudessem redefinir-(re) devir a bicha e a puta e, ao mesmo tempo, frequentar os *dark rooms*, as casas de strip-tease, as ruas, as universidades e até mesmo os museus de arte contemporânea. Deleuze & Guattari tinham um pé atrás com qualquer forma de denominação, ou então tratavam logo de relacioná-la a um processo superior: a Escrita com E maiúsculo, na grande tradição francesa que vai de Flaubert a Duras. Se a desconstrução era a América, a desterritorialização era "a superioridade da literatura anglo-americana", isto é, Kerouac e Miller: "escrever não tem outra função: ser um fluxo que se conjuga com outros fluxos – todos os devires-minoritários do mundo. [...] Dir-se-ia que a escrita, por si mesma, quando ela não é oficial, *encontra inevitavelmente 'minorias'*, que não escrevem, necessariamente, por sua conta, sobre as quais, tampouco, se escreve, no sentido em que seriam tomadas por objeto, mas, em compensação, nas quais se é capturado, quer queira quer não, pelo fato de se escrever. [...] Não é caso de imitação, mas de conjugação. O escritor é penetrado pelo mais profundo, por um devir-não-escritor"[37]. Trata-se, efetivamente, de uma tentativa de canalização da força performativa "a partir do alto", enquanto ela é capaz de intervir conjuntamente na arte, na vida cotidiana, na política e na teoria, justamente porque é fator de desestabilização entre cultura legítima, cultura do livro e cultura de massa.

Deleuze, assim como Hocquenghem, tem medo das imagens. A paixão de Deleuze pela alta literatura o impede de ir até o fim na sua crítica cultural e política do teatro ocidental e da

37 Gilles Deleuze e Claire Parnet, *Dialogues*, Paris, Flammarion, 1996. No Brasil, *Diálogos*, trad. Eloisa Araújo Ribeiro, São Paulo, Escuta, 1998, grifo de Sam Bourcier.

representação. Ele só enxerga um tradutor edipiano abusivo e privativo que precisa ser mandado para a fábrica. É igualmente verdade que, no ocidente, o teatro é o lugar por excelência da autoridade textual, coroada por milhares de encenações que mexem no figurino, mas nunca no texto. Imagine encenar *Hamlet* mudando alguma parte do texto: todo mundo berraria escandalizado, mesmo que a gente possa se perguntar até que ponto vai a integridade da transcrição tantas vezes publicada do texto de Shakespeare. Ora, desde os anos 1970 as políticas da performance/performatividade minoritárias se dedicam exatamente a alfinetar e combater a autoridade textual do texto, os enunciados e as enunciações sobressalentes dos autores e demais figuras, como professores, universitários e estrelas da teoria. Isso não quer dizer que não se falava das putas ou das bichas no teatro ou na literatura, muito pelo contrário. Basta ver como, na literatura do século XIX, uma figura como Zola pode ser unha e carne com os sexólogos, mas não com os perversos escritores que escrevem suas histórias de vida e enviam para Zola a fim de serem lidos[38]. Ao receber o romance enviado por um invertido de nascença, um jovem aristocrata italiano, o romancista da degenerescência acha por bem publicá-lo sem o seu conhecimento, confiando o texto aos bons cuidados de um médico que vai publicá-lo sob o nome de "Doutor Laupts" nos *Arquivos de Antropologia Criminal*, a revista de Lacassagne. O texto, aliás, será censurado, esvaziado de todas as passagens que falam dos prazeres sexuais assumidos do italiano, em favor de uma medicalização e de uma patologização que o enquadram no registro das "taras e venenos", "perversão e perversidades sexuais", avalizadas pelo prefácio de Zola. Simplesmente, chegou o momento: as minorias de todo tipo, ou pelo menos aquelas que se identificam como tal, não mais serão submetidas à questão (judaica, homossexual, gay, transgênero etc.) dos intelectuais.

O fetichismo da Escrita como estratégia política elitista, que podemos encontrar tanto na feminologia antifeminista de Hélène

38 Vale a pena ler a nova edição das *Confessions d'un homosexuel à Émile Zola*, publicada pelas Nouvelles Éditions Place em 2017. Ela apresenta o texto não censurado enviado a Zola e a sequência que o autor anônimo fez chegar ao "doutor Laupts", que topou por acaso com "seu livro" numa livraria parisiense.

Cixous quanto de Antoinette Fouque, caminha lado a lado com um modernismo monogênero, identificado como mulher (Flaubert) e antifeminista, um devir-mulher que ocupa tudo e nega os recursos identitários. É Foucault, aliás, quem mergulha Herculine nas felizes incertezas da não identidade, ao passo que a autobiografia que Abel nos deixou - único testemunho das mãos de um "hermafrodita" de que dispomos na França –, para os padrões do século XIX, é direta e clara. O prefácio de Foucault para a edição estadunidense nos empurra goela abaixo os desejos e felicidades supostamente não identitários de Herculine Barbin-Foucault, enquanto o testemunho de Abel reafirma o tempo todo sua identificação masculina *a fortiori*, no contexto da mudança de estado civil autorizada pelo Estado francês, com exceção do direito de se casar com uma "mulher biológica". É Foucault que tem devaneios com a inapreensibilidade "inerente" ao texto e se identifica com Herculine: "com um estilo elegante, estudado, alusivo, um pouco enfático e obsoleto, que era para os internatos da época não apenas uma maneira de escrever, mas também de viver, a narrativa escapa a todas as investidas da identificação". "Quando Alexina [Herculine] redige suas memórias, ela se vê sempre sem um sexo definido [...]. Ela conseguiu evoluir pelas incertezas felizes de uma não identidade"[39]. Uma vez conhecido o fato de que o prefácio da edição estadunidense é uma repetição modificada de um texto lançado em 1980 em *Arcadie*, a revista homófila de Baudry, conseguimos entender melhor as razões dessa visão anti-identitária da homossexualidade, que seria a dessa Herculine lida por Foucault como lésbica. É a visão do próprio Foucault.

Trata-se de mais um devir-mulher barato e fácil: é o nome de Herculine (ou de Alexina) que é escolhido por Foucault ou por cineastas como René Féret, em *Mistério Alexina* (1985). É Deleuze quem tem delírios sexuais com o "devir-mulher/puta" de Cristóvão Colombo, que se vestiu de puta para acalmar seus marinheiros na chegada à América, cena lida numa peregrinação literato-esquizo de Jacques Besse. Nada a ver com a autobiografia performativa

39 Michel Foucault, *Herculine Barbin*, Paris, Gallimard, 1978. *Herculine Barbin, Being the Recently Discovered Memoirs of a Nineteenth French Hermaphrodite*, Nova York, Pantheon Books, 1980.

da puta *post-porn* multimídia Annie Sprinkle[40] – e com razão. Nessa utilização da performance/performatividade, a puta está dentro. Ela não é o "de fora" constitutivo, tampouco uma zona de intensidade que se pode tomar emprestado ou, menos ainda, explorar à vontade. Suas recodificações do "strip-tease" em "*strip-speak*" e a performance-espetáculo performautobiográfica intitulada *Herstory of Porn* evitam justamente a cena moderna (literatura e escrita incluídas), que se refestela na imagem da puta de bom coração. Sprinkle intervém no próprio dispositivo de produção do olhar sobre a puta, invade um espaço até então delimitado pelos códigos do olhar masculino, mas também pelo texto, e enquadrado pela passividade dos espectadores. Existe uma puta diferença entre os textos de sociologia construtivista ou de *performance theory* e a difusão da força performativa queer em todas as disciplinas e nos espaços minoritários. Os primeiros são constativos e/ou restritivos (reservando para eles mesmos a metalinguagem sobre a performance/performatividade/produção), ao passo que a performance/performatividade produz novas identidades e novos atores que não se confundem, no entanto, com o retorno do assunto indesejado.

A mecânica da bic(h)icleta

O antifundacionalismo positivo (posso ser tudo) de Deleuze é, portanto, apenas um funcionalismo *straight* exasperante. Os agenciamentos que ele propõe, as maravilhosas "sínteses disjuntivas" que viriam para competir com as más "disjunções exclusivas" de Freud são notoriamente excludentes. "Mulher, bicha, puta, sou tudo sem arriscar nada, arrisco a multiplicidade não identitária, entendida como um processo", nos diz Deleuze. Estranhamente, o devir-homem ou o devir-sapatona têm menos sucesso. Parece que é também o caso do devir-bicha louca. Mas, antes de ver por que as bichas loucas devem continuar enclausuradas para D & G, é preciso constatar que a máquina do devir-mulher é singularmente binária. Afinal de contas, é um modelo bastante ingênuo do hermafrodita ao quadrado que Deleuze propõe, acreditando

40 Annie Sprinkle, *Post Porn Modernist*, Jersey City, Cleis Press,1998.

que ultrapassa a ontologia lacaniana da falta: "Esse algo em comum, o grande Falo, a Falta com duas faces não sobreponíveis, é puramente mítico: é como o Uno da teologia negativa, introduz a falta no desejo, e faz emanar as séries exclusivas às quais fixa um alvo, uma origem e um curso resignado. Seria preciso dizer o contrário: ao mesmo tempo nada há de comum aos dois sexos e eles não param de se comunicar um com o outro de um modo transversal, modo pelo qual cada sujeito possui os dois sexos, mas compartimentados, de sorte que, com cada um desses sexos, ele comunica com um ou com o outro sexo de outro sujeito."[41]

Eis aí quem é mil vezes menos complexo ou "transexuado" (segundo as virtudes da transversalidade deleuzeana) que a teratologia de Saint Hilaire[42], do começo do século XIX, que funciona justamente segundo o princípio do *continuum* e não do dois exclusivo-inclusivo. As três classes de hermafrodita de Saint Hilaire se valem do *continuum* entre os diferentes corpos não unissexos, e não dessa lógica de compartimentação que será imposta com a regra do "um corpo/um sexo" – que se tornaria a regra de ouro (gonadal[43]) no fim do século XIX. Outra época, mas também hoje. Se admitimos que a concepção dualista dos gêneros é plantada, temos uma proliferação, *n* sexos. É isso que se entreviu com certo entusiasmo em *Gender Trouble*. Essa proliferação é impossível com a dupla compartimentação deleuzeana, segundo a qual cada corpo tem os dois sexos. Combinatória previsível de Deleuze: o bissexual ao quadrado. Deleuze redobra a diferença dos sexos em cada pessoa, mas com um compartimento interior e a possibilidade de passagem transversal entre os dois compartimentos. E ele fica apaixonado unicamente pelo devir-mulher. No fim das contas, acaba reificando a diferença sexual.

Cego pela fascinação estética pelo processo da Escrita, mas lúcido na estranha mitologização de Édipo na cena psicanalítica

41 Gilles Deleuze e Félix Guattari, *O Anti-Édipo*, *op. cit.*, pp. 84-85.

42 Saint Hilaire Isidore Geoffroy, *Histoire générale et particulière des anomalies de l'organisation chez l'homme et les animaux comprenant des recherches sur les lois et les causes des monstruosités, des variétés et vices de conformation, ou Traité de Tératologie*, Paris, J.-B. Baillière, 1832-1836, 4 volumes.

43 Alice Domurat Dreger, *Hermaphrodites and the Medical Invention of Sex*, Cambridge, Harvard University Press, 1998.

representada a portas fechadas no consultório do psi e no espaço da família, Deleuze não chega no entanto a infligir a crítica à pregnância cultural do livro IV das *Metamorfoses* de Ovídio, que deu origem a esse ser duplamente perfeito que não existe: o filho de Hermes e Afrodite. A menos que seja o hermafrodita do *Banquete* de Platão que o assombra. De todo modo, suas próprias recodificações helenísticas eurocêntricas lhe escapam. A menos que as pretensões ao devir-mulher de Deleuze, como de um Derrida, sejam apenas um fantasma de apropriação-regulação da malignidade performativa intrínseca das mulheres: como se sabe, elas performam o tempo todo, já que conseguem fingir até o orgasmo. Grande questão pornontológica. Nietzsche esclarece, aliás, que elas em geral só simulam o tempo todo e tiram prazer exatamente dos seus "orgasmos travestidos". O teatro é inerente a elas, mas elas não sabem escrever: elas histerizam, mas não "paranoizam" nem "esquizam" muito bem. Deleuze não gosta das histéricas. Então podemos nos travestir de mulher no quarto, reescrever o *Virgílio Travestido* e usar unhas compridas, mas não bancar uma vedete ou uma bicha louca em público, como Cressole convida Deleuze a fazer. Devir-mulher, ok, mas Gazoline do fhar[44] não dá. Escrever o devir-mulher no seu canto, ok; o performer (em público), não.

Mas a Dona Gazoline insiste. Quer levar o esquizoanalista para sair. Claro, ele impõe a condição de um fim de não mobilidade, pois há devires que são indesejáveis: maricona, Garbo num Rolls Royce, diva num Cadillac pela Côte d'Azur. Desde o primeiro capítulo do livro de Cressole sobre Deleuze consagrado a *Empirismo e Subjetividade*, Deleuze se esforça como herói picaresco da filosofia série B: profanador das sepulturas dos grandes mestres, São Miguel Arcanjo vitorioso sobre o dragão da filosofia clássica. Pervertido por Nietzsche, ele se lança pelas suas viagens: Proust, Sacher-Masoch, encontro com Guattari.

E o último capítulo é um duelo kitsch em que Cressole transgeneriza Deleuze, faz dele uma vedete cheia de resistências, metamorfoseia sua roupa de durão num corpete rosa digno de

44 Gazolines é um grupo surgido do *Front homosexuel d'action révolutionnaire* (fhar). Atuou em Paris, entre 1972 e 1974. [N.T.]

Marilyn, transmuta suas unhas compridas em óculos escuros *à la* Garbo: "e se os esquizos virassem teus empresários?", lança por fim um Cressole que reprovava em Deleuze a performance de intelectual, filósofo, professor e bicha nunca molecular. Cressole exibe a performance do filósofo, faz referência a suas performances públicas e à maneira como ele continua servindo à velha disciplina – aliás, ele vai continuar dizendo que a enrabou de maneira *straight*: sua sodomia obrigatoriamente "por trás" não é fecundante?! Cressole não tenta moralizar o recurso à performance, mas tenta propor tudo aquilo que é uma ameaça para Deleuze depois da enrabada: se deixar teatralizar pelos seus fãs, experimentar a histeria do fhar, refestelar-se na cultura popular, questionar a figura do intelectual. Claro, ele teria que mudar em relação a Klee e Boulez. Por fim, Cressole ainda deixa claro que não vai para a cama com ele, nem passivo nem ativo.

Deleuze não leva nada disso numa boa, talvez porque Cressole ponha à prova os limites do seu antifundacionalismo *straight*. Deleuze facilmente se imagina passando de um reino a outro (o devir-animal), do seu sexo já duplo a outro (o devir-mulher), mas ele está bem longe da multiplicidade e da flexibilidade anunciadas. E isso só piora no texto intitulado "Balanço-programa para máquinas desejantes", publicado um ano depois do *Anti-Édipo*, no qual o devir-artista aparece com força. Continuamos bem longe do devir-bicha louca.

Como enrabar Deleuze, o devir-homem Enrabator

Falta de tempo e falta de material: sem barba e sem dildo, não tenho como fazer claramente a demonstração prática de como enrabar Deleuze. Ele devia ser enrabado por Enrabatrix, uma pequena butch armada com dildo e gel, os dois fatores mais seguros de desnaturalização do pau e do (re)devir-homem. Ou por Raquel Welch, isto é, Myra Breckinridge, a nova mulher que acaba de surgir do pau de Myron, da caneta de Gore Vidal[45] e do filme de Michael Sarne[46]:

45 *Myra Breckinridge*, Washington, Little Brown, 1968.
46 Michael Sarne, *Myra Breckinridge*, USA, 1970.

Myra: What nature intended is not always good for us...

Deleuze: Sei bem, senhora Breckinridge, mas a senhora acha que o devir-mulher é uma coisa fácil?

Myra: Well, I've tried to explain it to you, but I'm afraid it will require a practical demonstration.

Myra pega uma máquina fora do campo de visão. Imagem Tempo I:

Myra: I won't kill you, Gilles. I'll just educate you. You and the rest of France. Must I demonstrate it to you practically, that there is no such thing as manhood. It died with Burt Lancaster in *Vera Cruz*. Your manhood was taken by Errol Flynn and Clark Gable. I'm only going to apply you with the finishing touches!

Imagem Movimento:

Imagem Tempo 2:

Raquel Welch entra para a história do cinema estuprando Gilles Deleuze na frente de Félix Guattari, com um dildo realista de tamanho médio.

Duros.as de roer[47]

Dez anos se passaram da criação do Zoo e da curiosa irrupção da política queer na França. Aconteceram muitas coisas boas desde então, mas também passamos maus bocados. E fizeram de tudo para tapar nossa boca. É a França que quer isso, além de seus intelectuais e seus outros porta-vozes: aqueles e aquelas que falam por... que escrevem por... como no século XIX e na primeira metade do século XX. Quando se trata de se apropriar do pensamento e das resistências da rua e das minorias, eles são mais rápidos que Madonna quando passa a mão no *voguing* das rainhas negras e latinas do Harlem. Mas, se as resistências e minorias pensam mais rápido que eles, é porque precisam: é uma questão de sobrevivência. Pois o Eros delas, Expediência, é um pouco (mas melhor) como o do *Banquete*: o bastardo que resulta da bebedeira em que Poro (a Abundância) deita com Pênia (a Pobreza). Ele está condenado a ser inventivo e não dá a mínima para a pulsão de morte! Vocês já devem ter notado que isso teve um notório *come-back* – oh tão esterilizante politicamente – na queer theory estadunidense (Edelman, mas não só).

E já que tocamos na teoria à moda estadunidense, talvez seja bom detalhar de novo aquilo que tentamos fazer na França Q da metade dos anos 1990. Jogamos de propósito o jogo das identidades sexuais e culturais, lançamos mão da carta da tomada de palavra dos subalternos contra os elitistas, os republicanos homo ou hétero de esquerda ou de direita, contra os armários, tudo sendo trabalhado transversalmente: lgbtq. Tratava-se, então, nitidamente de utilizar a teoria queer dos Estados Unidos a contrapelo para abrir o caminho das políticas identitárias/pós-identitárias por aqui. A urgência na França, e mais especialmente

47 No original, "*dur(e)s à cuir*". Novamente há um trocadilho, via sonoridade, com o termo "queer"; aqui, porém, também há um jogo entre a expressão "*dur à cuire*" (literalmente, "duro de cozinhar", sendo "*cuire*" o verbo) e a palavra "*cuir*", que designa o couro e seus usos eróticos. [N.T.]

nos meios gays e lésbicos, lésbicos feministas tipo armário da época, tinha a ver com a necessidade de reivindicar uma política, um orgulho das culturas identitárias *out and queer*, isto é, não homonormativas e visíveis no espaço público. Bichas, sapatonas, trans, S/M, e não homossexuais. Quase "ao contrário", então, daquilo de que os teóricos universitários queer dos Estados Unidos (ver principalmente *Inside/out* de Diana Fuss, Routledge, 1991) queriam se desfazer. Para eles, o questionamento sobre a subjetivação e o sujeito (manhã seguinte a uma boa trepada pós-estrutural - Lacan, Althusser, Foucault, Derrida etc...) devia servir para impedir que se caísse no essencialismo, no enrijecimento da identidade mulher - que eles já conheciam a partir do feminismo (disciplina correspondente: "*women's studies*") - enquanto lésbicas, butch etc... Rubin, De Lauretis e Butler surgem diretamente da crítica do feminismo identificado como mulher, a partir de um ponto de vista lésbico. Para elas, também era preciso ultrapassar um enrijecimento identitário perceptível na recente sedimentação das identidades gays e lésbicas, e mais particularmente na sua tendência legalista-assimilacionista ("disciplina" correspondente: "*gay and lesbian studies*"). De fato, tudo isso equivalia a combater as políticas da identidade à moda estadunidense, o que, olhando em retrospectiva, traz questões importantes sobre os aspectos conservadores desse processo - alheio aos pontos cegos do pós-modernismo e da desconstrução -, a visão dos *civil rights* que implica, seu conhecimento precário das subculturas e da rapidez de mudança identitária que caracteriza as minorias sexuais, étnicas e de gênero. Tudo isso sem falar dos problemas que esse raciocínio local coloca em sua glocalização!

Para nós, paradoxalmente, a postura crítica contra os pretensos enrijecimentos identitários era óbvia. Haja vista o fato de que não havia nada do tipo na França, ou que era proibido, e que a proliferação das identidades queer em outros lugares se acostumava imediatamente com o fato de que uma identidade logo surgia para barrar a outra ou para relativizá-la; que as identidades eram provisórias, nem individuais, nem pessoais, nem excêntricas, nem elitistas, nem estéticas. A apropriação dos mecanismos de produção das identidades (nominações, ressignificação do xingamento, *coming out*, afirmação pró-sexo...), ainda que fosse mais micropolítica do que global, era responsável por uma distância em relação ao papel e à longevidade das identidades, levando em conta justamente seu caráter performativo e a consciência aguda do fato de que elas viriam a ser modificadas. Era o fim da inocência "lésbica" ou "gay", como houve o fim da inocência do sujeito negro nos anos 1990 na Inglaterra, segundo Stuart Hall. Guardadas, claro, as devidas proporções. Essa situação e as posições que daí derivam nos permitiram combater os antietiquetas (os universalistas), os adeptos da pessoa e da diferença individual. Propúnhamos no lugar a genealogia do indivíduo moderno, o caráter político e "não inocente" do individualismo, o caráter despolitizante dos dândis baudelairianos do "queer" (gays e héteros) que achavam que a França, sem saber, sempre tinha sido queer. Ela nos permitiu tentar! Assim como lutar contra as assimilações abolicionistas "do queer" (a falta de casas, sem/não mais gêneros), sem falar na famosa confusão dos gêneros! Se tem uma cultura em que a confusão dos gêneros não reina, é a cultura queer.

Dizem que, quanto mais abstratas são as teorias, melhor elas podem viajar e servir de moeda de troca nos círculos, redes e no mercado universitário. E mais podem assassinar os contextos. As oposições mais brutais – e elas vão crescer à medida que as próprias minorias não tomarem as rédeas do seu destino epistemológico – se cristalizaram a partir de nossas leituras tão sujas e tão militantes da teoria queer, e sobretudo contra a utilização que fazíamos das "políticas da performatividade" e nossa crítica dos "saberes-poderes". Mandamos bem, sem saber, no fato de que, por sermos ativistas e políticos, alguns/algumas de nós não estávamos lá muito bem-informados teoricamente. Daí a dificuldade e também a vontade de nos fazer passar por imbecis ou "descerebrados"... e a impossibilidade de conter, seja o texto de Butler (entre outros), seja nossas leituras. A boa notícia é que não é nem o centro *versus* as margens, nem a universidade/a academia que teoriza. A má notícia é que a França é realmente o único país em que os *straight* querem de todo jeito tomar o discurso sobre os queer, tocados que foram pelo "queer", assim como os filósofos dos anos 1980 foram tocados pelo feminismo como figura, como possibilidade de identificação feminina no lugar, claro, das feministas. E que os queer os deixem fazer isso... Como se estes não soubessem – isso podemos imaginar tanto na universidade quanto num centro de arquivos lgbtq – que não devem nada aos outros, que não precisam do seu apoio, autorização ou consentimento *gay-friendly*. Entre essas apropriações pelo alto e as elucubrações dos Derrida e Deleuze, há certamente uma estreita continuidade com grandes perdas em jogo, que o feminismo da segunda onda (inclusive na França) trabalhou rapidamente: a crítica da epistemologia *straight* com Wittig, "o potencial epistemológico radical" de que fala De Lauretis. Isso diz respeito às partilhas teoria/prática, teoria/ação, teoria/experiência, objetividade/subjetividade, assim como ao que a política queer pode mudar na repartição dos privilégios e na potência de agir que os saberes e as formas de vida geram.

Não chegarei ao ponto de falar em tradução sem original, mas é preciso constatar que o trabalho do Zoo, na sua reapropriação e difusão dos textos (com as seleções de textos distribuídas nos seus seminários da época, suas leituras e contraleituras), constituiu uma primeira tradução cultural e política da teoria queer. No sentido forte e político (e não apenas linguístico) do termo, se colocar a questão da tradução cultural obriga a levar em conta inevitáveis relações de poder que entram em jogo, mas também o caráter performativo/infiel/*mis-translation*/*misunderstanding* de toda tradução "local"/minoritária. Foi, aliás, com essa primeira onda de leituras que as feministas francesas acabaram necessariamente conhecendo Butler, e assim a teoria queer foi se espalhando pelo sul da França e pelos meios anarquistas de Toulouse. Uma tradução sem o original textual, portanto. Não digo isso por vaidade ou para lançar um bumerangue pós-moderno, ou ainda para praticar derridaísmo (subversão do autêntico e do original, citacionalidade de todo texto...). Se não existe um ponto de origem localizável no próprio texto de Butler, é porque não pode haver uma única história da recepção – e porque há recepções. É importante destacar isso, em paralelo ao fato de que a tradução/entronização/recepção que oficializa a publicação de *Gender Trouble* em francês aconteceu bem tarde e de maneira bastante despolitizada. A primeira recepção de Butler foi feita às margens, ao lado. Melhor ainda: era a tradução de uma tradução, a saber, a reapropriação/traição da tradução dos Foucault, Derrida, enfim, da chamada *overthere* French Theory. Como dizia Preciado, praticamos as Politics of inverted translation. A tal ponto que, ao propormos uma obra com esse título para a editora Fayard em 2002, ela foi recusada e desmantelada pelos gaykeepers.

Essa visão política da tradução se vale da noção de tradução cultural, tal como desenvolvida nos *translation studies* e nos departamentos de literatura comparada, em contato com a "teoria" pós-colonial. Para Spivak, um tradutor deve ter a sagacidade do crítico em relação ao original, ser um leitor superlativo do texto social e um traidor. Ela sabe do que está falando, já que traduziu a *Gramatologia* de Derrida. O outro elo com a teoria "pós-colonial" e a tradução cultural é que a traição do original – isto é, do discurso, saber hegemônico, por exemplo a literatura colonial – se torna necessária a partir do momento em que os "outros", minoritários, subalternos, se insurgem: contestam o ponto de vista do colonizador e, principalmente, as representações ou a falta de representação dos colonizados que ele ou que que a literatura difundem.

E, para aqueles que ainda acreditam que os queer, como chamam, são uma seita comunitária agrupadora dos adeptos da subversão, trabalhamos incansavelmente para evacuar essa velha receita que tem cheiro (e mau cheiro) de uma exceção francesa. Essa "questão da subversão" foi, inclusive, muitas vezes trazida para os seminários do Zoo, cruzando aqui e ali com as reações de rejeição das feministas, que falavam de déjà-vu sobre a teoria queer, Butler etc... Alguns homossexuais deleuzeanos que conheceram os anos 1970-1980 achavam que a França já havia entendido tudo isso, entendido o valor subversivo da homossexualidade como tradição nacional e que era preciso que ela permanecesse como um dandismo, um segredo... uma estética... em suma, o tropo da homossexualidade maldita com Genet no *background*, às vezes também Hocquenghem – a homossexualidade marginal e, portanto, subversiva. Como quem não quer nada, também encontramos essa leitura na maior parte das interpretações *straight* atuais do "queer" na França, com a sempiterna utilização de Molinier e de referências artísticas.

Subversão = armadilha para otários, portanto. E é decerto por causa do estatuto do artista na França (que não quer/não pode ser político, ou só pode assim ser à maneira de Victor Hugo), sua incorrigível modernidade e suas opções anti-identitárias (a arte é universal ou não é arte), que assumimos posições antiartísticas-autorais. A urgência estava mais para o lado da cultura dita popular, das mídias, de tudo, enfim, menos da alta cultura. Assinalo, de passagem, que, se não nego em nada a leitura de *Baise-moi*, filme que abre este livro, isso não quer dizer que eu aprove a autora a partir do momento em que Despentes almeja as velhas posturas da política de autor e se serve, por sua vez, do trabalho das minorias. Um dia vai ser necessário contar a história de *Mutantes*, filme que devia se chamar *Pro sexe*, coescrito e codirigido com... euzinho. Matriz da corrente *post-porn* que iria explodir na Espanha, o texto sobre *Baise-moi* que abre *Queer Zones I* fala do filme enquanto formação discursiva, o que engloba suas manifestações extracinematográficas (a imprensa e o desencadeamento de outros discursos, como o jurídico, por exemplo), e não o bioautor. Não é o problema da "função-autor" ou da morte do autor, segundo Foucault, que aqui retorna. Busco valorizar a função-leitor, tal como foi desenvolvida nos estudos culturais. Estes são a manifestação exacerbada da transformação do campo universitário e político pelos tradutores e leitores tortos, as leituras produzidas sem o conhecimento dos autores e contra os cânones que os santificam ou que eles tentam integrar: a Literatura Francesa com L maiúsculo, por ex. Os leitores minoritários são mais fortes e mais interessantes que o autor. É porque um número nada desprezível de anglo-saxões queer (no sentido sujo do termo) praticavam a performance de gênero, de classe e de raça e enxergavam muito bem a diferença com o teatro, que *Gender Trouble* foi objeto de uma apropriação tão grande, sem que sua autora tivesse conhecimento. A desconstrução é a América, mas a América é a performance. E não só por causa de Hollywood. A França? Ainda e sempre essa aldeia gaulesa republicana, mas também o último bastião decadente da modernidade, com a concepção do sujeito e a política que daí decorrem.

Dados Internacionais de Catalogação na
Publicação (CIP) de acordo com ISBD
Elaborado por Vagner Rodolfo da Silva CRB-8/9410

B767q Bourcier, Sam

Queer Zones (vol. 1) / Sam Bourcier ; traduzido por Henrique Provinzano Amaral, Thiago Mattos; editado por Pedro Taam; ilustrado por Ruth Mora. – São Paulo : Crocodilo; São Paulo : N-1 edições, 2022. 243p. ; 13 x 21cm.

Tradução de: Queer Zones

Inclui índice.
ISBN: 978-65-88301-04-3

1. Gênero e Sexualidade. I. Amaral, Henrique Provinzano. II. Mattos, Thiago. III. Taam, Pedro. IV. Mora, Ruth. V. Título.

2022-1919 CDD 306.76 CDU 316.346.2

índices para catálogo sistemático:
1. Gênero e Sexualidade 306.76 / 2. 316.346.2

crocodilo edições

coordenação editorial
Clara Barzaghi
Marina B Laurentiis

crocodilo.site
ig: @crocodilo.edicoes
fb: @crocodilo.site

crocodilo isbn: 978-65-88301-04-3

n-1 edições

coordenação editorial
Peter Pál Pelbart
Ricardo Muniz Fernandes

n-1edicoes.org
ig: @n.1edicoes
fb: @n.1edicoes

n-1 isbn: 978-65-81097-19-6

editor deste volume
Pedro Taam

tradução
Henrique Provinzano Amaral
Thiago Mattos

revisão da tradução
e preparação
Flavio Taam

revisão de prova
João Gabriel Messias

projeto gráfico
Laura Nakel

ilustrações
Ruth Mora

A crocodilo edições e equipe editorial agradecem à artista Ruth Mora, que gentilmente cedeu as ilustrações deste volume. Algumas modificações foram feitas para sua inclusão no livro.
Originais disponíveis em:
ruthmoraillustration.bigcartel.com
ig: @_meanmachine

Cet ouvrage, publié dans le cadre du Programme d'Aide à la Publication année 2022 Carlos Drummond de Andrade de l'Ambassade de France au Brésil, bénéficie du soutien du Ministère de l'Europe et des Affaires étrangères.

Este livro, publicado no âmbito do Programa de Apoio à Publicação ano 2022 Carlos Drummond de Andrade da Embaixada da França no Brasil, contou com o apoio do Ministério francês da Europa e das Relações Exteriores.

Este livro foi composto com os
tipos Rotis Semisans e Futura Bold.
Impresso em papel Pólen Bold 80g
pela gráfica Pancrom.